ドバイ

ドバイ便り

letters from Dubai

森下真生

はじめに

本書は、一般社団法人国際商事法研究所の機関誌である法律雑誌『国際商事法務』に、筆者が２０１７年9月から連載中の「ドバイ便り」というコラムをまとめて書籍化したものです。国際商事法務におけるドバイ便りの連載のきっかけは、２０１６年12月に、所属する法律事務所のドバイ事務所開設後、国際商事法研究所にご挨拶にお伺いした際に、当時、同研究所の常務理事でいらっしゃった姫野春一様がコラムの連載をご提案下さったことによるもので、「ドバイ便り」というコラムの名称も姫野様がつけて下さったものでした。

本業に追われているにもかかわらず、くだらない文章を生み出すために苦悩し、時に徹夜しなければならない自己嫌悪に苦しみながら、なんとか4年間連載し、50回を迎えるところで、たまたま出版社の方をご紹介いただくことになりましたが、ご紹介いただいた大久保一蔵様（仮名）に、コラムをお見せしたところ、自分が出ていないから、もっと自分を出した方が良いというご指摘をいただいたのでした。確かに、コラムでは、できる限り自己を出さないように努めていましたが、それは筆者のような者が、世に対して何かを発信するのはまったくおこがましいことだからでした。

しかし、そうご指摘いただいた以上、検討せざるを得ず、各コラムを改変するのは難しいとして「そうだ、あとがきでなら、自分を出すことができるのではないだろうか」とふと思い、思うところを出し始めてみたところ、止まらなくなり、あとがきなのに24章に達し、その執筆に2年を要することとなってしまったのでした。

もっとも、あとがきだからと言って、公に対して何かを述べることが甚だおこがましいことには全く変わりなく、それにもかかわらず、凄まじい勢いで思いを表現し始めるというのは、支離滅裂の大失態となり、しかも、ただドバイ便りを総括するようなあとがきであればまだしも、日本変革の必要性を訴えるというおこがましさの極みにあるような内容が想定されつつあったため、どうしたものかと腐心した結果、妖怪の姿を借りて、書くことになったのでした。

奇妙なことに、妖怪という設定で書いていると、自分が本当に妖怪であるかのような気がしてきますが、その結果、あとがきは、実際、妖怪が書いたのではないかという荒唐無稽な内容になってしまいましたこと、予めお詫び申し上げます。また、6年の間にも、世界、特に中東湾岸諸国は変化しており、内容には現状とは異なるものが含まれること、そして、ドバイ便りについてもあとがきについても、調査も研究も行わないまま、限られた経験と推測に基づいて書いた部分には誤りもあろうこと、心よりお詫び申し上げます。原則として世界を肯定的に描くという方針上、特にＵＡＥやドバイについては、あえて良い面だけに焦点を当てており、実際ＵＡＥは日本人が学ぶべきことが多い国ですが、例えば、一部の王族への富と権力の過度な集中、現地人の優遇、一部の外国人労働者の過酷な労働環境、不十分な法運用、不透明な資金の流れ等、問題視すべき点もあることにはご留意ください。

３分の２のドバイ便りと３分の１のあとがきで構成される本書は、姫野様と大久保様との出会いがなければ、生まれなかったものでした。姫野様と大久保様との貴重なご縁に改めて感謝を申し上げます。また、10数年前の偶然の出会いからのお付き合いである書道家Ｍａａｙａ Ｗａｋａｓｕｇｉ様に、念願通り、題字を頂けた幸運にも感謝いたします。

そして何より、貴重なお時間を駄文続きの拙い本書に割いていただく皆さまには、心からのお詫びと共に、最大限の感謝を申し上げます。

妖怪の姿を借り、また冗談や不真面目な内容を多数交えたとは言え、あとがきで書いた日本への危機感は偽りではありません。他方で、海外に出て感じた日本人の優秀さも恐らく嘘ではないと思われます。仕組みさえ整えば、日本人は、人類に対してもっと大きな貢献ができ、また、自らをもっと豊かで幸せにすることもできるはずだと思うのでした。

もし、本書を手にしてくださった皆さまが、日本を変え、そして人類を新たな段階に導こうという気持ちを抱いてくださるのであれば、この上なく幸いです。

目次

目　次

2021年

2022年

・聖なる金曜日（UAE）
・その土地に眠るもの（日本）
・時代遅れの侵略者（ウクライナ／ロシア／UAE）
・許される虐殺（ウクライナ／ロシア／シリア／UAE）
・ご縁と奉公（UAE）
・正義の見方（中東／UAE）
・みそ汁しかつかない牛丼（日本／UAE）
・エジプトのナポレオン（エジプト）
・あなたの剣をもとの所におさめなさい。
剣をとる者はみな、剣で滅びる。（イスラエル／パレスチナ）
・最高の武器（イスラエル／インド）
・Ａｓｉａ ｉｓ Ｏｎｅ（アジア／カタール／UAE）
・帰って来た17番（日本／カタール／UAE）

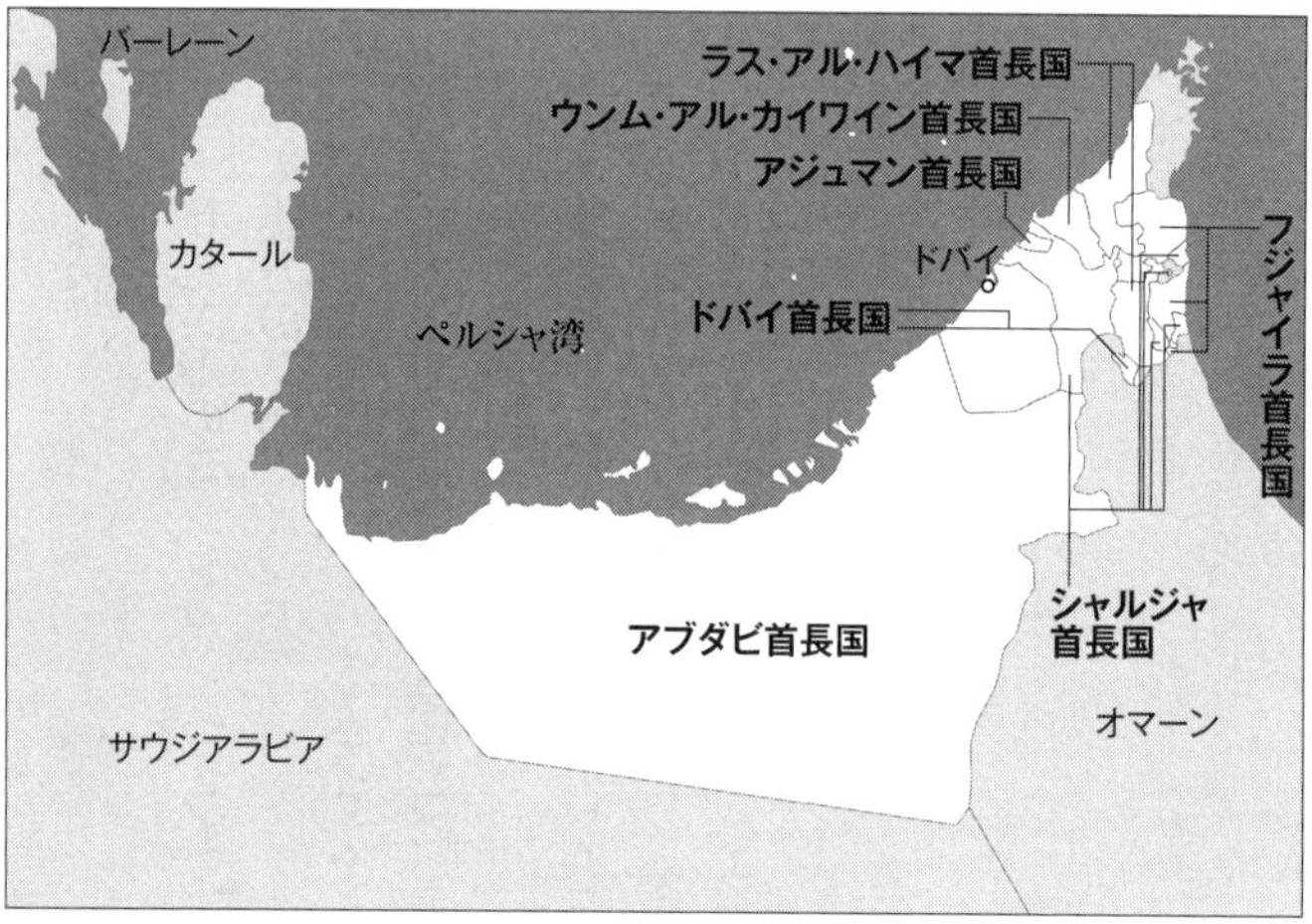

アラブ首長国連邦（UAE）

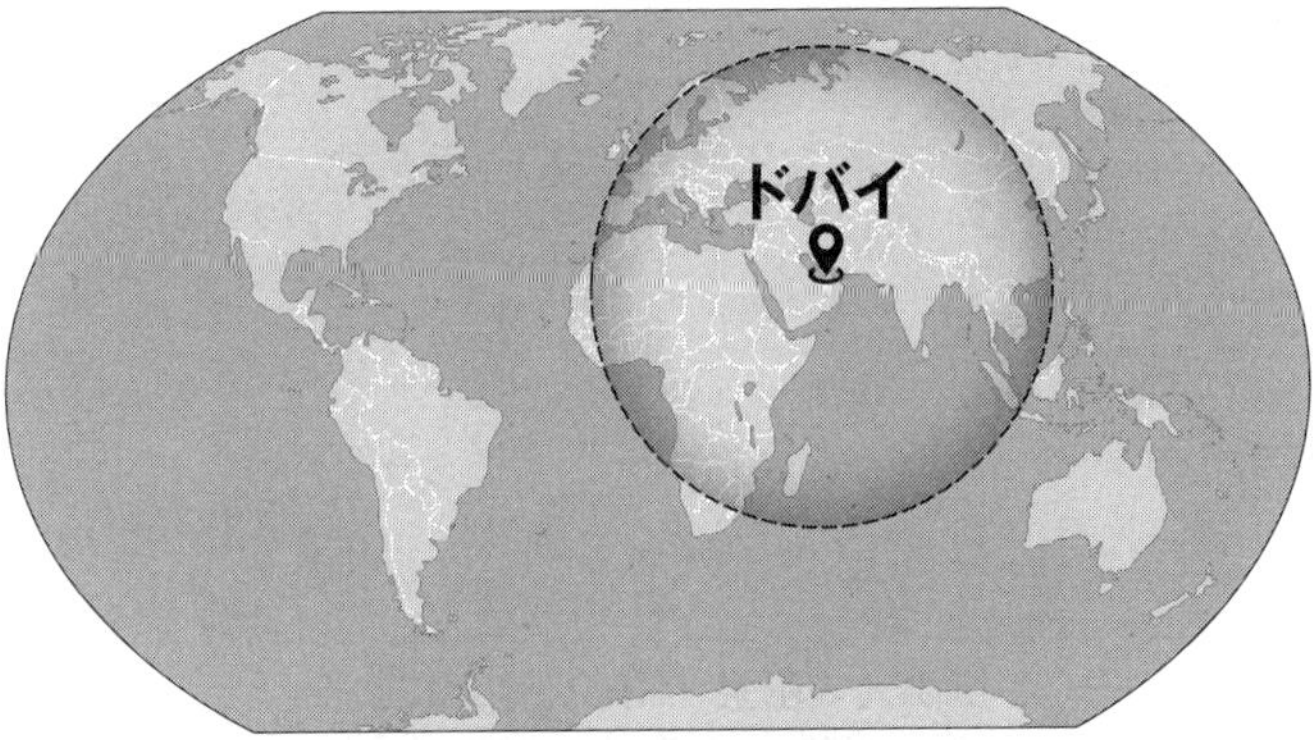

世界の3分の2が飛行時間8時間以内に収まる
地理的優位性を持つドバイ
（エミレーツ航空ドバイ発着直行便の飛行時間をもとにしたイメージ）

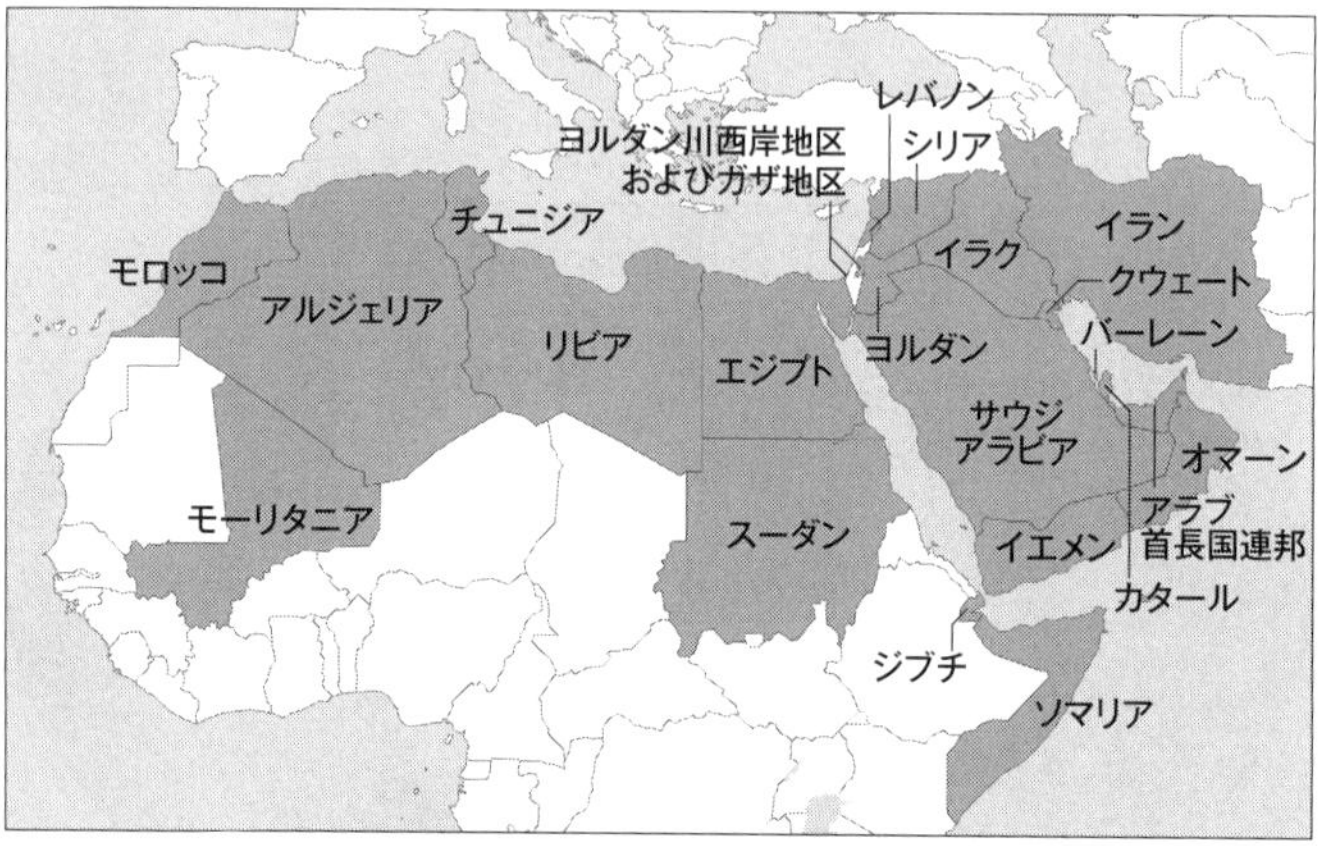

国際通貨基金（IMF）の定義による
中東・北アフリカ（MENA）地域

2017年

letters from Dubai

2017年10月
橋の先の楽園

「そうだバーレーンに行こう」。その晩、我々はそう言って、国境を越えることを決めました。サウジアラビアの東海岸のアルコバール。国営石油会社であるサウジアラムコ本社にほど近いその都市には、一定数の日本企業があります。サウジアラビアは、聖地メッカを擁する厳格なイスラム教国ですので、(密造しない限り)お酒が飲めません。アルコバールも例外ではないですが、アルコバールの利点は、バーレーンまで、キング・ファハド・コーズウェイという海上橋によって繋がっているということです。したがって、酒も娯楽もなく、奥様方がやることがあまりにもなさすぎて昼から全力で麻雀に興じざるを得ないほど、一般に過酷と言われるサウジアラビア駐在にあって、アルコバール駐在には大きな救いが存在しています。週に何度かバーレーンに行き、お酒や和食を嗜み、また、週末にはゴルフをされる日本人駐在員もいらっしゃいますし、逆にバーレーンに住み、アルコバールに通勤するイギリス人弁護士もいるのです。もっとも、アルコバール―バーレーン間は、渋滞がなくても1時間弱、混んでいれば、数時間を要することもあり、その晩は、週の後半だったからか、目的地の和食屋に到着するまで、結局2時間半以上かかりました。

パスポートコントロールを無事通過し、長い橋を渡り切ると、そこは念願のバーレーンです。

車窓から灯りが入ってきます。「ああ、もう遠くに見える街の灯りからして違いますね」「空気からして違いますよ」「車の中ですけどね。窓閉まってますけどね」「ははは。でもそんな感じしますよね」「ああ、バーレーン」「僕の好きな言葉はバーレーンです」「いやそれ言葉というか国の名前ですよ」。車中が、ご一緒させていただくサウジ駐在のお二人の興奮で満たされていきます。バーレーンは、2011年のアラブの春のひとつであるバーレーン騒乱の前は、中東地域の金融拠点であり、この地域において最も先進的な場所でした。しかし、かつての栄華はもはやドバイに移ってしまい、どこか寂しい空気が漂っている気がします。それでも今なお中心部は綺麗に近代的に発展しており、相まってお酒が飲めるということで、禁欲国サウジアラビアにご駐在の日本人の心をどこまでも歓喜させる場所なのでした。目的地の和食屋に着くと、お二人は一層上気し、甲子園出場を決めた高校生ほどの感激の中で、サウジでの頑張りを讃え合い、お酒という偉大な成果を得た喜びを語るのです。「これ絶対ビールのＣＭ出られますよね」「出られますよ！」。そう言ってビールを飲むお二人の嬉しそうな表情に、こちらの顔まで綻びます。

なお、イスラム教では、コーランにより、飲酒は禁止され、違反はむち打ち刑、繰り返せば死刑とされますが、バーレーンの刑法では、公の場で酩酊状態にあった場合には罰金が科せられるとされるだけで（繰り返した場合は１カ月以下の懲役と罰金）、飲酒に対しては、寛容な政策が採られています。これに対して、サウジアラビアでは、コーランの原則どおり、むち打ち刑が科されます。ドバイのあるＵＡＥでは、イスラム教徒の飲酒は禁止されていますが、シャルジャ首長国を除き、非イスラム教徒の飲酒は禁止されていません。もっとも、公共の場での飲酒は、非イスラム教徒であっても禁じられます。同じアラブの国、イスラム教の国であっても、飲酒に対する許容度は国ごとに異なるのです。

宴を終えた帰り道、パスポートコントロールを通過すると、そこは再びサウジアラビアです。バーレーンという夢を終えた我々は、その後一体何を目指せばいいのでしょう。明日の朝、砂漠の果てから赤い太陽が顔を出した時、駐在員のお二人はそこがサウジアラビアであり、ただの日常であることに気付くでしょう。そうしてまた厳かなイスラム教の一日が始まるのです。

2017年

２０１７年11月
ワールドカップ予選最終戦

中東では、サッカーの日本代表戦が身近です。ワールドカップアジア予選では、多くの中東諸国が日本の対戦相手になりますが、２０１８年ワールドカップの最終予選では、ここＵＡＥ、そしてサウジアラビアが、日本と同じリーグでした。チケットの入手が容易ということもあり、３月にアブダビで行われたＵＡＥ対日本では、多くの日本企業が3時頃に仕事を切り上げ、場合によっては貸切バスなどを手配して、１時間半先のスタジアムまで応援に向かいました。

最終予選最終戦が行われたサウジアラビアのジェッダでは、日本人の多くは塀で囲まれたコンパウンドと呼ばれる集落に住んでいます。最終戦当日、あるコンパウンドでは、マイクロバスを2台貸し切って皆でスタジアムに向かいました。数日前に代表選手と子供たちとの交流会があったために、すっかり日本代表に親近感を抱いている娘さんが「日本勝つかなぁ」と心配そうに言うと、お父さんが「もうワールドカップ決まってるから勝っても負けてもどっちでもええねん」と容赦なく大人の見解をぶつけます。

それはさておき、現地の日本人の方々は、直前まで本当にスタジアムに入れるのか疑心暗鬼でした。女性は入れるのか、入れたとしても男女は別々に座らなくてはならないのではないか、イスラムの教えに基づく男女の交わりの禁止、娯楽に対する制限。そうした戒律が日本人の皆さんを不安に陥れていたのです。しかし、それは全くの杞憂《きゆう》に終わりました。予想外に、日本人応援席については、男女同席が認められており、他国の場合と全く同じように応援することができたのです。ヒジャブ（スカーフ）で首から上を隠していた日本人女性の多くも異常に高い湿度の中、思わぬ緩い雰囲気にすぐにそれを取ってしまいました。

他方で、それ以外の応援席には男性しかいません。試合前6万の男だけの大群衆が、スタジアムの大型ビジョンにサウジアラビアの選手が映れば、地鳴りのような大歓声を上げ、逆に日本の選手が映れば、嵐のようにブーイングをします。これまで聞いたいかなる声援よりも大きく迫力のあるそれがスタジアムを暴力的に支配していました。その中で興味深かったのは、日本人サポーターがビジョンに映った時に、なぜか大歓声が上がることでした。「なんでやろうなあ、訳分からんなあ」。右隣のお父さんが呟くと、左隣の方が「女性が映ってるからだ」と言いました。注意して見ると、確かに大歓声が上がる際には、髪を露わにした日本人女性が映っているのです。6万の男たちが、女性がビジョンに映るたびに奇跡に遭遇したように大歓声を上げている……。彼らにとって勝敗がワールドカップ出場可否に直結する極めて大事な最終戦、自国の選手を勝たせるためにムハンマド・ビン・サルマン皇太子が無償開放したスタジアムに集まり、日本の選手が映る時にはしっかりブーイングして国家的役割を果たしていたはずの彼らが、日本人女性に心を奪われて聞いたことがないような大歓声を上げている……。それが本当に女性のせいなのかは必ずしも不明ですが（もしかしたら女性サポーターのドラえもんの着ぐるみに心を奪われていたのかもしれない）、本来求められる自国チームの応援を忘れ、自由に振る舞う彼らに変わりつつあるサウジアラビアを見た気がしました。

結局、試合は日本が負けました。しかし、お父さんの大人の見解の通りなのと、12年ぶりにワールドカップ出場を決めたサウジアラビア人の歓喜と熱狂、そしてそこかしこに溢れる満面の笑みを見ると、この試合はサウジアラビアが勝つべきだったのだと感じました。この勝利はサウジアラビアに自信と希望を与えたでしょう。試合後、大勝利の余韻を宿し、夜空に傲然《ごうぜん》と白い輝きを放つスタジアムは、サウジアラビアの明るい未来のように見えました。

2017年12月
消えたチーズサンド

イラン。悪の枢軸。偽造テレカ。テロリスト。危険。怖い。こんなにイメージが悪く、世界から虐げられているのに、実は優美で、趣深いのがイランなのでした。イランには、親戚の叔父さん（ほどの距離感で接してくる人）がたくさんいて、みんなが和気あいあいと笑っているのです。タクシーに乗れば、運転手とお客が「サラーム」「サラーム」と挨拶をしあって、自然と雑談が始まり、共に笑い始めるのでした。

それは、イマーム・ホメイニ国際空港に着いた時のことです。通訳兼道先案内人のアリさんと待ち合わせて、一緒にタクシーに乗ると、運転手もまたアリさんでした。イラン人はみんなアリさんなのかというくらい、イランにおいて、典型的な名前のアリ。その名は、預言者ムハンマドのいとこで、イラン人の多くがその信仰に服するイスラム教シーア派の初代イマームであるアリ（アリー）に由来するのです。通訳兼道先案内人のアリさんは、クラスに30人いるとすれば10人はアリで、街で「アリ！」と叫べば、恐らく多くの人が自分のことかと思って振り返るでしょうと言っていました。ダルビッシュ有さんは、ユウさんですが、有はアリとも読めるのです。

その何気なく乗ったタクシーで、運転手のアリさんが話しかけてきました。「ニホンジン？」「え？ニホンゴワカルノ？」何となく、ちょっと変な日本語で返してしまいます。「ワタシ、ジュウナナネンマエ、ニホンニスンデタ」「えー、ソンナコトアリマスカ」。テヘランで感じるべき異国情緒は弱まり、不意にタクシーの中は日本であるかのようになりました。人は何か同じものを知っているだけで、互いに親近感を持つのでした。彼が日本に住んでいたのは17年も前で、知り合いでも何でもありませんが、不思議なことに、出会って数分で既に我々の間には妙な連帯感が生まれていたのです。

「ワタシ、シズオカデ、タマゴ、ツクッテタ」「たまご？つくる？」「ニワトリノ、タマゴ」。卵は多分作らない、と思いましたが、その時思い浮かんだのは、新幹線の車窓から見える静岡の田舎の風景でした。彼は卵をパックに詰めていたのかもしれません。「ソノアト、グンマデ、エアコンノブヒン、プレスシテタ」「イバラキニモ、イタコトアル」。久しぶりに会った日本人に日本語を話したいのか、次から次へと話しかけてきます。「ラーメン、オモシロイ」。ラーメンは多分面白くはない。「ラーメン、オモシロイ」。おい何回言うんだ、と思ったところで気付きました。彼が言いたかったのは、「ラーメン、オイシイ」だったのです。

お昼時、いかした髪型をした男の子が一人で切り盛りしている街角のお洒落なカフェで、チーズサンドを食べました。一口食べたそれはとても優しい味でした。「こんな美味しいチーズサンドは食べたことがない」。そもそもチーズサンドを食べたことはあまりないものの、そう思うほどだったのです。しかし、次の予定が迫ったため、未練を感じながら、その大部分を残して、テイクアウトしたのでした。

幾台かのタクシーを乗り継いだ後、一日が終わり、通訳兼道先案内人のアリさんに聞きました。「そういえば、あのサンドイッチどこ?」。するとアリさんは言いました。「さっきの日本語話すタクシー運転手が食べちゃったよ」「え!?」「彼はとても腹が減っていると言ってたんだ」「腹が減ってたって……」

チーズサンドは、タクシーを待たせている間に、タクシー運転手に食べられてしまっていたのです。日本ではこんなことはあり得ないというか、無断で人のものを食べるなんて、もはや犯罪なのでした。でも、日本の話を嬉しそうにし、友情すら感じさせてくれた彼が食べたのだとしたら、むしろ喜ばしいことでした。イランで日本を感じさせてくれたアリさん。どうせならラーメンを食べさせてあげたかった。そう思いながら、ホテルのロビーへと、ペルシャ絨毯の上を歩きました。

2018年

letters from Dubai

2018年1月
柔軟すぎるドバイ

夏には50度にも達し、常夏と思われたドバイも、12月になると、涼しくなります。30度に到達しない気温、夜になると肌寒くさえあり、屋外の席のために、ヒーターを出す店もあります。夏の間は、温泉のようだった海水ももはや冷たく感じるほどになっています。そして、意外かもしれないことにイスラム教国のUAEにも、クリスマスがあるのです。ショッピングモールやホテルには、巨大なクリスマスツリーが飾られ、色とりどりの電飾が煌き、クリスマスソングが流れています。オフィスビルのパブリックスペースで、フィリピン人と思しき一団が、昼間から、クリスマスパーティーのためのダンスの練習をしていて、驚くこともあります。しかし、日本で寒風に身を縮めながら見るクリスマスツリーと、ドバイで見るクリスマスツリーは何かが違うのです。それが、冬なのに寒くないことに起因するのか、キリスト教のお祝い事なのにイスラム教の国であることが原因なのかは必ずしも明らかではありませんが、何か物足りなく感じるのでした。

涼しくなったドバイは、最も良い季節とされ、観光客は増え、ホテルの料金は高くなります。日中20度から30度の気温はスポーツをするにも心地よく、ホテルだけではなく、ゴルフ場の料金も上がり、夏には、ほとんど日本人と韓国人しかいなかったゴルフ場にも、この季節には様々な人種が見られるようになります。また、ゴルフ、サッカー、ラグビー、テニス、クリケットなど、世界規模の様々なスポーツのイベントが行われます。２０１７年12月にはサッカーのクラブワールドカップもＵＡＥで開催されました。ドバイマラソンというマラソン大会もあり、毎年1月後半に行われています。

世界一高いビル、世界一大きな人工島、世界一利用客が多い空港。世界一が好きなドバイは、このマラソン大会で世界記録を達成させたいと考えています。そのため、優勝賞金に加え、世界記録ボーナスが設定され（かつては1億円以上でしたが、２０１８年は25万ドルです）、また、コースがこれでもかというくらい直線です。起伏もありません。やや厳密さを欠きますが、一旦スタート地点から出て、右に曲がると、約15キロ地点と、約35キロ地点での折り返し、そして最後に右に曲がってスタート地点と同じ場所に戻るという右折２回と折り返し２回以外は、全て直線と言ってもほとんど過言ではない恐るべき真っすぐのコースなのです。まだ世界記録は出ていませんが、狙い通りの高速レースが展開され、ほぼ毎年男子の優勝タイムは、2時間4分台となっています。

何もない砂漠地帯に急激に都市を生み出したドバイ。イスラム本来の教えの通り、他宗教を排斥せず、ライセンスを得ることを条件に、お酒や豚肉の提供も許容し、また外国人女性の軽装を特に問題視しないなど、宗教的厳格さを放棄しています。また、「世界記録出させるなら、コースはできる限り直線の方がよくない？」といった大胆な発想を実際に形にすることができる国です。

この柔軟さが、ドバイの強みであり、驚異的発展の根拠のひとつだと思われますが、その柔軟さは、例えば、仏教国にもかかわらず、クリスマスを取り入れ、バレンタインを取り入れ、結婚式で何の疑問もなくイエス様の前で永遠の愛を誓うことを受け入れた日本人のかつての柔軟性に通じるような気もするのでした。成熟し、硬直化してしまった日本ですが、かつての柔軟性を取り戻した時、日本は、再び際立った活躍を見せ、人類の発展に寄与するに違いないのでした。

2018年

2018年2月行われた花火ショー

ドバイの年越しは毎年派手です。ドバイのダウンタウンで、2011年以来毎年恒例となっていた年越し花火と、他の花火イベントを明瞭に区別していたのは、ドバイの年越し花火では、ビルから花火が噴き出るということでした。地上の噴水ショーと通常の打ち上げ花火を伴い、世界で一番高い人工建造物であるブルジュカリファから花火が四方八方に噴き出すのです。実に破天荒ですが、面白いことを何でも実現していくドバイにおける象徴的なイベントでした。2013年から14年の年越しの際には、ブルジュカリファの花火を含み、6分間で50万発もの花火を打ち上げ、ギネス記録を作りました。これはそれまでのクウェートにおける1時間で7万7282発という記録をわずか1分で更新してしまうという凄まじい花火イベントで、YouTubeに残る動画を見ればもう笑うしかないのでした。さらに、2014年から15年のブルジュカリファの年越しイベントでは、花火に加えてLEDが用いられ、LEDショーのギネス記録を作っています。

ところが、2015年から16年のドバイの年越しでは、大事件が起こりました。午後9時半頃から、ブルジュカリファの向かいの63階建ての高層ビルが燃え出したのです。そのビルには、日本人駐在員も何名か住んでおり、たまたま当時の私の出向先の同僚の方もお住まいだったのですが、お酒を飲みながら、紅白歌合戦を楽しまれ、時差5時間で午後6時45分に終わった後、「ゆく年くる年」「年の初めはさだまさし」と穏やかな番組が続く中で、寝てしまわれたのです。幸運なことに、向かいのビル（つまりブルジュカリファ）に住んでいる別の同僚の方が火事に気付かれ、「燃えてますよ！」と電話されたことで、おひとかたが目を覚まされました。「ん、どこが?」「お宅です！」「えー」ということで部屋から逃げ出されたものの、火事のシーンでおよそ流れないであろうさだまさし氏の歌の余韻もあって、初めはそれほど大事とは思われていなかったというのです。しかし、事態は深刻で、駐在員の皆さんは無事に脱出されたものの、高層すぎて消火活動が途中で断念されたこともあり、最終的にはビルの半面が完全に焼き尽くされてしまったのでした。その方のお部屋は燃えなかった側でしたが、火事の後、荷物をまとめるために部屋に入ったところ、入口付近の靴やトイレの便器が溶けていたといいます。

向かいで高層ビルが燃え盛っているのですから、まさに火に油を注ぐような花火は中止すべきところですし、もはや全然めでたくない状況であるため、お祝いの意味での花火も取りやめるべきではないかとも思われるところですが、「やりますか?」「やるしかない!」とドバイは年越し花火を断行したのでした。ビルが猛火に包まれ、瓦礫が落ちてきたりしている中で、もっと燃やしてやろうかと言わんばかりに、ブルジュカリファから花火を放出したのです。向かいのビルや周辺施設では、多くの人が恐怖に身を強張らせながら避難しており、周辺道路には火の手からできるだけ遠くに逃げようと人々がひしめき合っている中でです。

そのドバイ名物ブルジュカリファからの花火が、今回2017年から18年の年越しではありませんでした。12月半ばになって突然、花火は行われず、レーザーショーに取って代わられることが発表されたのです。何が起きたのだろうか、財政難なのだろうか、王様の体調が悪いのだろうかと、在ドバイの日本人は訝しがりましたが、結局、今年もドバイはドバイで、実にさりげなく「1建造物における世界最大のレーザーショー」というギネス記録を再び打ち立てたのでした。このショーは結果として、大好評で、相変わらず柔軟すぎるドバイは年越し用だったはずのショーの実施を3月末まで延長しました。現状維持よりも革新。不穏が続く中東情勢ですが、今年もドバイはまだまだやるぞ、そんな気概を感じる1年の幕開けでした。

２０１８年３月
失われた都

奇しくも、イランの革命記念日は、日本の建国記念日です。革命記念日の朝、イラン第三の宗教都市シラーズのその日は、革命記念日という刺激的な名に全く不釣り合いな日で、朝から穏やかな晴れ空が広がり、これまたイスラム禁酒国としては意外なことに、「シラーズはワインのシラーの発祥の地である」という説を裏付けるようにして、ワイン産地であるカリフォルニアのナパバレーや南アフリカのケープタウンと同じような眩しい日差しが、その地を照らしていたのでした。

そのシラーズから車で1時間ほど行ったところにペルセポリスという場所があります。紀元前５２５年頃に、史上初めてオリエントを支配したアッシリアの後を受け、オリエント統一を果たしたアケメネス朝ペルシア。その都であったペルセポリスは、古代帝国の神秘が閉じ込められた場所なのです。そこには、大英博物館やルーブル美術館で見たことがあるような、２５００年前の浮彫細工（レリーフ）がそのまま残っていて、２５００年前のペルシア人は、どのような思いでその細工をほどこしたのだろうと、過去に思いを馳せざるを得ないのでした。２００年以上の栄華を誇ったペルセポリスは、紀元前３３０年頃に、マケドニアのアレキサンダー大王に破壊し尽くされます。それは、ペルシア軍がアテナイのアクロポリスを焼き払ったことに対する復讐《ふくしゅう》だったのです。しかし、アレキサンダーは、その後、敵だったはずのアケメネス朝ペルシア最後の皇帝ダレイオス3世に敬意を抱くことになり、自身の帝国にペルシア人を積極的に採用し、ペルシア式の統治体制を整えることになります。戦いは必然で、しかし、相手が悪であるとは限らないのでした。

ところで、ペルセポリスを訪れた日本人は、誰であれ、アイドルになったらこんな感じなのだろうかと思ってしまうくらい、頻繁に写真を頼まれることに気付くでしょう。「うちの子、トトロが大好きで」と前置きしながら、子供と一緒に写真を撮ってと言うイラン人のお母さん。我々とトトロはほとんど関係がないが大丈夫だろうかという幾許《いくばく》かの疑問とともに、写真に収まる日本人。日本から遠く離れた、遥か昔の大帝国の首都にまで、日本が、いやトトロが伝わっていようとはと驚きますが、世界の国々を見て、その相対で日本を見られるようになればなるほど、日本の素晴らしさが分かってくるのでした。帰りにテヘランで出会った「シンジュク、ウエノ、ゴハンタクサン」と日本語で話しかけてくるタクシードライバーも、日本が好きだと言うのです。思えば、黒船来航からわずか3年で、自力で黒船を造り上げ、大政奉還から約70年で、第2次世界大戦の前半において世界最強の戦闘機だった零戦をも造り上げ、敗戦後、世界第2位の経済大国に登り詰めた、その国が日本なのでした。

アケメネス朝、アルケサス朝、ササン朝。栄華を誇った帝国も衰え、そして滅びる時が来ます。経済的にほとんど世界の頂点を極めた日本も、今、必然として、衰退に向けて緩い階段を降りているように思えます。満たされすぎて、気概も気魄《きはく》も育たない。ゲス不倫や角界の不祥事に、全マスコミがこぞって時間を割き、国民もそんな話ばかりに時間を取られているのが現代日本なのでした。

中東アフリカは、日本企業があまり進出できていない地域です。商売の勢いにおいて、中国や韓国、特に中国に完全に負けてしまっています。しかし、中東アフリカ各国では、まだまだ日本と日本人のイメージはとても良く、日本製品や日本人の自国への貢献を望んでいるのでした。外の世界には、日本人ができることはたくさんある。多くの日本人が世界に目を向け、自身の活躍の場が自国以外にもあることに気付いた時、衰退への防御と刷新への準備が整うのでした。

２０１８年４月
ナイルの賜物

優しい日に包まれた早朝のナイル川を、船が水を切って進んでいます。その何気ない風景さえ何か物語があるのではないかと思わされるナイル川ほど、世界中の人にとって有名な川はないのかもしれません。世界で最も有名な古代文明のひとつを育みながら、世界最長でもあるその川。歴史的にも地理的にも極めて特別な川がナイル川なのです。それは客観的には、東京の荒川や大阪の淀川のような変哲もない川ですが、これがあのナイル川かと思って見ると、高揚が得られるのでした。北アフリカは砂漠地帯であるにもかかわらずナイル川沿いは緑豊かで、人々の営みを支えています。まさにエジプトはナイルの賜物。不毛の地に流れる一本の川が、劇的に環境を変えるのでした。

エジプトには、ピラミッド、スフィンクス、スエズ運河、アスワンハイダム、千夜一夜物語など、世界史の教科書に出てくるキーワードが点在しています。首都カイロは、歴史的要地であり、ファーティマ朝（９０９～１１７１）、アイユーブ朝（１１６９～１２５０）、マムルーク朝（1250〜1517）、ムハンマド・アリー朝（1805〜1953）、それぞれの王朝の都であり、1943年11月には英米中首脳の間で日本の戦後処理についての会談が行われた場所でもあります。幾多の歴史的人物が憩い、喜怒哀楽したであろうその都市の現在は、アラブ世界最大の約700万の人口を抱え、ピラミッド色をした比較的高層のビルが立ち並び、人々は悠々と「どう考えても車道」を歩き、そのせいもあってクラクションが騒々しく鳴り続け、引き続き独特の繁栄を誇っているのでした。

訪問先のひとつに行き方が分からない所がありました。ほとんどの人がアラビア語しか話せない中、英語が分かるホテルマンに聞きました。「この法律事務所に行きたいのですが」。そのホテルマンは笑顔で言いました。「真っすぐ行った所にあるエレベーターに乗って、地下2階に行ってください」。なんて親切で感じの良い人なんだろうと思いながら、少し歩くと、別のホテルマンに会いました。念の為同じことを聞いてみました。「この法律事務所に行きたいのですが」。

するとそのホテルマンは言いました。「少し先にあるエレベーターに乗って、中2階に行ってください」。えええええ、上派と下派に分かれる？善を施した後の満足感も垣間見せた2人のうちのいずれかが間違っているなんて、とても信じられない。どちらが正しいのだろうと思って、まずは下に行き、その後、上に行ってみました。結論としては、全く驚くべきことに、その答えはいずれでもなかったのでした。その後も、エジプト特有のピラミッド式たらい回し（多層的たらい回し）を受け、目的地に着くまで30分以上を要したのです。

面談を終えた後、レンタルしている車に乗りました。運転手は青い目をしたエジプト人で、彼はアラビア語しか話しません。しばらくすると、彼はおもむろに紙を取り出して言葉を発しました。なんと言っているか全く分かりませんし、その紙にはアラビア語表記しかありません。数分間全く伝わらないやり取りをした後、もしかしてと、閃きました。「ポリス？マニー？」。すると彼は「イエス」と穏やかな笑みを浮かべて言ったのです。つまりそれは、駐車違反で罰金を取られたということでした。なのに彼はとても嬉しそうに「支払いは任せた」と言っているのでした。自然すぎて抵抗力を削がれました。他にもヒルトンと言っているのにシェラトンに行こうとするし、幾つか怪しからん面もありました。しかし、結局のところ、2人のホテルマンも、青い目の彼も、ピラミッド的対応（エジプト固有の日本人的感覚からすると神秘的でさえある変則対応）には違和感はあるものの、根は良い人たちであり、むしろまたどこかで会えればと思うのでした。

海外に出て、これまで何度も感じ、恐らくこれからも感じるであろうことは、結局世界は、人種でも宗教でも国籍でも主義主張でも何でもなく、とにかく人なのだということでした。不毛の地を劇的に変える一本の川のように、人の世に普遍の善などというものは、確かに存在しているのです。

2018年5月
変わりゆくサウジアラビア

サウジアラビアには、ビジョンがあります。2030年までの国家の改革・発展のための目標を設定したビジョン2030です。石油収入に依存しない国家の実現に向けて、活気ある社会、盛況な経済、野心的な国家の3点を柱とし、ウムラと呼ばれるメッカへの小巡礼の受け入れを800万人から3000万人に、平均寿命を74歳から80歳に、失業率を11・6%から7%に、経済規模を世界19位から15位に、海外直接投資のGDP比を3・8%から5・7%に、など具体的数字を伴う24の目標を掲げています。なお、その中でやや目を引くのは、「少なくとも週に1回運動する人の割合を13%から40%に」という目標です。世界有数の肥満大国であり、運動不足を一因とする肥満を切実な問題として抱えるサウジアラビアは、お堅い国家的目標群に、小学校の「今月の目標」のようなものを含ませてしまうのでした。

ビジョン2030は、マッキンゼー社が2015年12月に発表したレポートをベースにしたものです。ドバイの急発展の背後にもコンサルタントの存在がありますが、現在、サウジアラビアが支払っているコンサルティング費用は年間10億ドル以上に上ります。絶対王政であり、国王が絶対的な権力を有するサウジアラビアですが、国王の判断の背後には、コンサルティング会社の助言があり、それにより、国を発展・成長させていこうとしているのでした。

ビジョンに示された各目標を達成するためには、多くの変革が必要です。サウジアラビアは本当に変わるのでしょうか。ビジョン２０３０には、女性の社会進出に関する記述もありますが、既に表れている変化として、以前より女性が自由になっているということが挙げられます。象徴的なのは、これまで（世界でサウジアラビアにおいてのみ）禁止されていた女性による車の運転が認められるようになったことです。日常を見ても、ショッピングモールのお洒落カフェや、街中の高級レストランには、昼夜を問わず、女性が集っています。サウジアラビアを含むアラビア半島の国々には、アバヤと呼ばれる女性が全身を覆う黒い民族衣装がありますが、サウジアラビアの女性は、アバヤで目以外のほぼ全身を覆っていることが少なくありません。しかし、稀にとは言え、顔を見せるに留まらず、髪を露わにした女性まで目に付くなど、かつてないサウジアラビアがそこかしこに垣間見えます。2012年公開のサウジアラビア映画『少女は自転車に乗って』で描かれているような、女性にとって息苦しい雰囲気は確実に和らいでいるように感じられるのでした。

ビジョン2030に関連して、国家変革プログラム2020（National Transformation Program：NTP）があります。これには司法制度に関する内容も含まれており、訴訟期間の短縮、終件割合の増加、商業的紛争の解決に要する時間と費用に関する世界ランキングの向上、電子サービスの増加などが、項目として挙げられています。実際に、司法省直轄の商業裁判所の設置、今後の訴訟においてガイドライン的機能を期待される過去の判例の公表、裁判への電子手続きの導入など、改革が続いています。しかし、外国企業や外国投資家にとって十分な法的環境の実現は必ずしも容易ではないのかもしれません。「法律と実務が違うのがサウジアラビア」、「昨日のルールが今日変わるのがサウジアラビア」、「官庁の担当者の意見が人によって違うのがサウジアラビア」など、真面目な日本企業が手に負えない現実をサウジアラビアの弁護士は語るのです。

「制度が変わっても人が変わらなければ何も変わりません。そして人を変えるのは決して簡単ではないでしょう」。ある哲学者のような顔をした高齢のサウジアラビア人は、なぜか満足そうにそう言って、がははと笑うのでした。「サウジアラビア人は、朝8時に来いと言ったら、夜8時に来るからな！」と怒るインド人や「サウジアラビア人を雇用したら5時間で辞めましたよ」と嘆く日本人駐在員を思い出します。やはり変革は困難なのか、それとも本当に変わるのか。改革の中心にいるムハンマド・ビン・サルマン皇太子の手腕に注目が集まっています。

2018年6月
秩序を生むもの

ラマダンカリーム（wishing you a generous Ramadan）！ その言葉と共にいくつかの挨拶メールが送られてきて、今年もラマダンが始まりました。毎年ひと月続くイスラムの断食月ですが、時期は一定ではなく、年々約10日ずつ前にずれていきます。去年5月27日から始まったラマダンは、今年は5月17日からとなりました。これはイスラム暦が月の満ち欠けを基準にし1年が約354日となる太陰暦を採用しているためです。ラマダン月も他の月と同様、新月が確認できた日から始まるのですが、新月が肉眼で確認される必要があるため、開始日は直前まで分からず、予測日より1日、2日ずれることもあります。なお、ラマダン開始日は、世界で統一されておらず、各国における月の観測状況によって国ごとに異なります。

日本の5月は、心地良い日の光を浴びた新緑が美しく満ちる中、夏を先取りするように半袖姿で声を上げる学校帰りの子供たち、ワイシャツを日に映えさせながら、颯爽と自転車を漕ぐ若手サラリーマン、毛並みの美しい洋犬を連れて歩くコンビニ帰りのおばあさんなど、何もかもが爽やかで絵になる季節ですが、ドバイの5月はそうではありません。今年のドバイの5月は、45度を記録するなど、半分程度の日で最高気温が40度に達していて、既に夏なのでした。この中で始まったラマダン。日中、食べられないのみならず、水も飲めないというのは明らかに苦行だと思われます。しかし、5年来の相棒であるインド人運転手（イスラム教徒）に「ラマダンきつい？」と聞くと、「心の持ちようだよ。腹が減ると思うから腹が減り、喉が渇くと思うから喉が渇くのさ」という、哲学的な答えが返ってきました。「ラマダンは健康に良いからね」「え？」「1カ月間のダイエットだから」「なるほど。でも日が暮れたらたくさん食べるんでしょ？　寝る前と夜明け前にだけ食べるなんて、体に悪いし、むしろ太りそうだよ」「何も分かってない」。ラマダン中は体調が良くなると言う彼は、何事にもポジティブなのです。「ラマダン関係なくしんどいよ。職業間違えたかな」という愚痴に「じゃあ運転手はどうだい？」といつも以上に軽妙な切り返しをしてくる彼は、確かにラマダンを楽しんでいるようなのでした。

UAEの労働法上、ラマダン期間中の労働時間は2時間短縮され、許容される1日の労働時間は最大6時間となり、多くの会社では、昼休みをなくして、8時から14時、9時から15時などが勤務時間となります。勤務時間が短くなることに加え、特にUAE現地人の場合、夜はイベントが続き、日中は断食のため、仕事どころではなく、ラマダン中のビジネスは概して進みが遅くなり、場合によってはほとんど進まなくなります。また、ラマダン期間中は、昼間に、公共スペースで飲食をすることは禁止され、営業しているレストランは外から見えないよう幕で覆われます。普段は騒々しい音楽が流れているレストランやバーは、夜も含めて音楽を慎み、多くのナイトクラブは、営業を停止します。カラオケ店も、歌うことのできないただの飲食店になってしまうのです。

午後7時頃になり、モスクからお祈りの声が聞こえてくると、断食が終わり、イフタールと呼ばれる食事が始まります。日没時にモスクに行くと、食べ物が無償で施されます。ビリヤニ、サラダ、ヨーグルト、果物、水などが屋外に敷き詰められたカーペットの上に、等間隔に並べられており、その前に人々が座るのです。座っているのはUAE国民ではなく、インド人やパキスタン人をはじめとする貧しい労働者たちです。彼らは時に地に伏し、お祈りをしながら、15時間に亘る断食の終わりを静かに待っているのです。普段は好き勝手な自己主張をしているであろう彼らは、そこでは自由ではありませんでした。濃くなりつつある闇の中で、秩序正しく、見えない規律の中に鎮座する人たちを見た時、確かに神は存在するのだと思いました。

2018年7月
月が支配する世界

イードムバラク（Have a blessed holiday）！　という言葉とともに、いくつかの挨拶メールがきて、今年もラマダンが終わりました。

UAEでは、ラマダンの終了は、「月観測委員会」（Moon Sighting Committee）が、アブダビ司法局で会合を開き、月の状況を確認して決めます。ラマダンとはイスラム暦で9番目の月にあたる断食月ですが、太陰暦に基づく新たな月（イスラム暦で10番目の月であるシャウワール）の開始を、新月が確認されたことをもって決定するのです。この21世紀に、偉い人が集まって月の状況を確認するプロセスって必要?とは、素朴な一般的疑問ですが、このために、UAE司法大臣は、国内の各シャリア裁判所（イスラム法裁判所）に、月の状況を観測し、何かあれば「月観測委員会」に報告するようにというお達しまで出しているのです。月と言えば、「うさぎの餅つき」である日本とは、月に対する取り組み方が全く異なるのでした。

ラマダンが終わると、イード・アル・フィトルというラマダン明け休暇が始まります。日本人の間ではイード休暇と呼ばれるその休日は、UAEの法律上は本来2日間ですが、実際の休日は企業の所在する場所によってまちまち、そして企業ごとにまちまちという珍奇な事態となっています。理由は、UAEでは、各エリアを所管する当局がそれぞれ異なり、かつ、イスラム暦に由来する休暇の場合、それに伴って何日休暇を設定するかは、どうしてかその各当局の裁量によることになっているということです。当局が裁量で決定する休暇は、そこで働く公務員の休暇のため、民間企業は休暇ではないはずなのですが、実務上、民間企業も所在地の当局の休暇にある程度追従する傾向があります。

ここで困るのが、休暇の開始が月の満ち欠けの状況に依存するため、休暇となる日が直前まで分からないということです。今年、ドバイ総領事館は、イード休暇の開始日に関する6月11日の報道に基づき、元々14日だった閉館日を17日に変更しました。月曜日に「今週の連休が、木金土から金土日に変更だって⁉」という事態も、旅行などを入れていると大きな影響があり得ますが、数年前、イード・アル・アドハ（犠牲祭）という連休前に、とあるフリーゾーンだけ、いきなり9連休を設定したこともありました。大型連休は、人によってはその前年から綿密な計画を立て始めたりする一大事ですが、それがまさかの数日前に発表されるという、恐るべき月の満ち欠けに支配されたイスラム世界なのです。

ラマダン月が終わると、レストランを覆っていた幕は取り除かれ、貸会議室の水やコーヒーのサービスが再開され、ウォーターサーバーがジムに戻り、ナイトクラブやカラオケ店も営業を再開します。そして、相棒のインド人運転手が国に帰っていきました。ドバイにいる外国からの出稼ぎ労働者は、年に1度だけ、1カ月程度、自国に戻ります。家族に会えるのは1年にわずかひと月だけなのです。最近では、携帯電話でも映像を伴う通話が可能になりましたが、実際に会って、その存在を直に感じながら話すのとは全く違うでしょう。1年会わない間にすっかり大きくなった娘と息子。彼が去年から生やし始めた髭は、恐らく子供たちに違和感をもって迎えられていることでしょう。「パパその髭なに?」「全然似合ってないよ?」「え、そうかな……」。ひと月後、ドバイに帰ってきた彼がもし髭を剃っていたとしたら、恐らくそういう会話がなされたということなのです。

インドに持ち帰ったお土産は無事家族に渡り、ラマダン明けの開放感もあいまった幸福なひと月に浸った後、彼は、またひとりになります。家族に会うためには、新たな11カ月を、ただただ働かなければなりません。それでも彼は、ライフ・イズ・ビューティフルだと言います。抗しがたい不平等を目の当たりにしてふと思ったのは、月の満ち欠けに支配された世界には、救いがあるということでした。エゴに基づき、好きなように生きるだけが幸せではない。秩序に従い、善行を積み、世の中に対して役割を果たすその過程に日々満足していれば、確かに幸福は感じられる。そうだとすれば、彼らは可哀想でもなんでもなく、むしろ我々よりも高尚に生きる人々なのかもしれません。イード休暇中、夜空を見上げると、下界を見守るかのように、煌々《こうこう》とした三日月が浮かんでいました。

2018年8月
Fly Emirates

轟音を従え、高度10000メートルの大気を切り裂きながら、成田に向かうエアバスA380。その中で、ひとりのエミレーツ航空の日本人乗務員がお客様のご質問に懇切丁寧に対応していました。真摯《しんし》に何度も頷く彼女はどう見ても感じが良い。ただ唯一気になるのは、彼女が一生懸命シャツをスカートの中に入れようとしながら、お客様のご質問に答えていることでした。これが日本と世界を明瞭に区別する自由度の違い。世界はもっと自己中心的で、それに馴染むと本来規律正しく、人目を憚るはずの日本人でさえも、シャツをスカートの中にねじ込みながら、お客様に相対し始める。環境は人を変えるなあと思いながら、右に目を向けると、ギャレーには西洋人乗務員と共に腰を振りながら踊っている日本人乗務員がいました。世界有数の航空会社であるエミレーツ航空の自由度は、日本基準には収まらないのでした。

エミレーツ航空は、1985年に設立されたドバイを拠点とする航空会社です。成長目覚ましく、今では世界140都市以上に直行便を飛ばし、ドバイのハブ機能を確固たるものにしています。ドバイは、外国人比率約90%を誇り、世界200カ国以上の人が住むなどと言われますが、エミレーツ航空の乗務員も極めて多国籍で、機内での対応言語は通常10カ国語前後です。世界の縮図のような環境が、エミレーツの機内にはあるのでした。エミレーツ航空が所在するドバイの雰囲気は確かに緩く、タクシーに乗れば、「ブラザー、ちょっとガソリンスタンドに寄っていいかね。煙草買いたくて」と運転手にいきなり兄弟呼ばわりされて、有無を言わさず、寄り道されたりするのですが、世界に日本水準の規律を持ち合わせた国は少なく、エミレーツ航空が特に自由なのではなく、それが世界ということなのでした。

エミレーツ航空には、乗務員が待機している場所があります。日系航空会社では、乗務員の休憩中、カーテンで閉ざされているエリア。エミレーツ航空の場合、そこはいつもオープンで、誰でも立ち入ることができ、行けば、何人かの乗務員が、食事をしたり、会話を楽しんだりしています。仮に日系航空会社だとしたら、お客様が現れた瞬間に、そこに所在する乗務員が全勢力を持って立ち上がり、お客様の目をしっかり見ながら、作り物だけど完璧な笑顔で「いかがなさいましたか」などと言うでしょう。しかし、エミレーツ航空の場合、逆に、ほとんどの者は意に介せず、そのうちの気立ての良いひとりまたは若干名のみが「どうしたの？」などと言ってお客様のケアをするだけなのです。残りの乗務員は、乗客に一瞥《いちべつ》さえくれず、「オーマイガー」などと言って、引き続きむしゃむしゃパンを齧りながら、自らの恋愛話などに興じていますし、男性乗務員が女性乗務員を口説いていることもあるのです。世界各地で人類が革命や戦争を通じて勝ち取ってきた自由は、お客様程度では侵すことはできないのでした。

世界最大の旅客機であるA380が悠々と成田空港の滑走路に降り立つと、乗客たちは、入国審査所でも、手荷物受取所でも、世界有数の真面目さで、人々を誘導する空港職員に迎えられます。規律正しい日本人。サッカースタジアムで、みんなでゴミを拾ったりもする。タクシーの運転手は、お客様を「兄弟」と呼んだりもしません。ほとんど無宗教の日本ですが、見えない戒律はイスラム教よりも厳しいのかもしれず、忖度を不可避とする空気が支配しています。

日本に苦しくなったら視線を空へ。真夏の空に一筋の飛行機雲が見えれば、その先には、シャツをスカートの中に押し込みながら、お客様対応をする乗務員や、腰振りダンスに興じる乗務員を乗せた飛行機が飛んでいるのかもしれません。世界は広い。そして、もっと自由だ。夏休みは、エミレーツ航空がお勧めです。

2018年9月
不思議の国アルメニア

　ドバイから飛行機で北に約3時間行くと、アルメニア共和国という国があります。紀元301年に世界で初めてキリスト教を国教とした国であり、現在はトルコ領にあるものの、アルメニア人のシンボルとされるアララト山は、メソポタミア文明を育んだチグリス川、ユーフラテス川の源流を擁し、ノアの箱舟が漂着した地とされるなど、その国には、どこか神秘的な空気が流れています。アララト山を構成する2つの円錐のうちのひとつは、高さまで含めて、富士山とそっくりで、日本人はそのことにも神秘を感じるかもしれません。

　アルメニアは、トルコの東方、イランの北側、ジョージアを挟んでロシアの南側にあり、黒海とカスピ海の間に位置しています。ヨーロッパでもロシアでも中東でもアジアでもないといわれ、各文明に挟まれたその土地は、様々な国や民族に侵略、支配されてきました。16世紀以降は、ロシア、イラン、トルコの間で勢力争いが続き、第2次ロシア・イラン戦争の結果、1828年にロシア領になり、1920年にソ連に組み込まれて、1991年のソ連崩壊とともに独立。歴史にもてあそばれながらも、不思議と存続してきた国なのです。

そんなアルメニアの結婚式は、教会での儀式の後、各人のネームプレートが置かれた円卓を囲んだパーティーで、概ね日本と同じスタイルでした。もっとも、同じ教会での結婚式といっても、アルメニアは、世界で初めてキリスト教を国教とした国である一方、日本はまさかの仏教国です。アルメニアの教会の、歴史に裏付けられた重厚さと、儀式の格式高さは、商業目的で無理やり設置された日本の教会と、そこにおける儀式とは比べようもなく、なぜ日本は、独自の崇高な文化を捨て、片言のニホンゴを話す備え付けの神父さんの前で、ラーメンに似た言葉を発しながら、永遠の愛を誓うようになってしまったのだろうという嘆きを禁じ得ないのでした。

披露宴は、7時間ほど続きましたが、夥しいパフォーマンスの連続でした。まず、新婦の親戚の子供が、新郎を剣で脅し、その覚悟を問うものの、なぜか最後はお金で買収されて剣を収める（ように見えた）儀式から始まり、ブライズメイド入場、新郎新婦入場、新郎新婦ダンス、肉が盛られた皿を片手で掲げた男たち登場、肉皿の男たちによるマイケル・

ジャクソン風ダンスと、怒涛の勢いで人々が入場し、踊ります。落ち着いたと思えば、歌手付きバンドの生演奏が始まり、ダンスタイムの後、新郎友人その1スピーチ、間髪いれず、白衣の娘たち新婦とダンス、新郎新婦馴れ初めクイズ、一部の人が踊り始め何となくダンスタイム、新郎友人その2スピーチ、新婦の親戚の女の子によるウクレレ演奏、と再びイベントの目白押しです。しばし歓談の後、再びダンスタイムが始まり、長らく続いた後、外に移動して、打ち上げ花火による新郎新婦祝福。一区切りで終わりかと思いきや、再びダンスタイム。今度こそ終わったと思えば、ブライズメイドによるアルメニアンダンスとまたダンスで、その後、ケーキカットと続き、新郎新婦がケーキの前で、今度は室内花火に囲まれて祝福されます。しっとりとした音楽が流れたので、さすがに散会かと思えば、再び音楽の調子が激しくなって、ダンスタイムが始まりました。次から次へと何かが起こり、隙あらばダンス。ダンスタイムは、伝統音楽と共に、輪になって踊るアルメニアンダンスの時間帯もあるものの、主に流れるのは英米のポップミュージックで、さながらナイトクラブのようなありさまで、大盛り上がりとなるのでした。

宴の後、ダンスの余韻の中で、新婦の義理のお兄さんが、車でホテルまで送ってくれました。ラジオからロシアの音楽が流れていますが、もう誰も踊りません。驚いたのは、車に据え付けられていたカーナビが日本の茨城県土浦市の地図を示しており、目的地が土浦日大高校にセットされていたことでした。日本の車をそのままアルメニアに持ってきたのでしょう。奇妙なことに、土浦市は、私が高校3年間を過ごした地でもありました。不思議の上塗りで、アルメニアは神秘の国であるという感慨を深めて車を降り、ふと振り返ると、土浦日大高校を目的地としたその車は、既に真夜中の市内から消えていました。

2018年10月 マンガバイザー

アラブ首長国連邦を構成する7つの首長国。そのうちのひとつであるシャルジャ首長国の経済局に行くと、受付で現地人職員2人が会話をしていました。まだ営業時間にもかかわらず、携帯電話を見せ合いながら、談笑している2人。近づくと「なにじんだい？」と聞かれたので「日本人です」と言うと、2人は満面の笑みを浮かべました。「おー、日本人！」「はい、日本人です」「ワッツアップ交換しよう」「え⁉」「困ったことがあったらなんでも言ってくれ」「いや今困ってるからここに来たんだけど」。日本に置き換えれば、経済産業省の受付で、職員からいきなりLINEの交換を求められるというような事態です。彼は、相談には乗ってくれず、しばらく雑談をした後、ふと時計を見ると「時間だ」と言って、その場を去って行きました。「時間ってなんなんだよ」と思いながら、窓口に並ぼうとすると、既に受付は終わっています。「むしろ困ったことになってしまったではないか」。まだ午後2時前なのに清掃員が掃除を始めたオフィスの中で、そう憤ってみても、もう誰も相手にはしてくれないのでした。

翌日、銀行から新しいサービスについて説明したいと呼び出されました。なぜかファイナンシャルアドバイザーが出てきて、金融商品を勧められることになり、話が違うと思わされますが、この際なので用件を聞くことにします。新人だからということで、スーパーバイザーが同席していました。緊張した雰囲気の新人との対比で、明らかな余裕が感じられるスーパーバイザーは、カジュアルに「どこの国の出身？」と聞いてきます。外国人率90％を誇り、世界有数のコスモポリタンシティであるドバイでは、相手の国籍が出会った時の関心事になるのでした。「日本人です」「おー、日本人！アニメ！マンガ！」。重々しくあるべきと思われるスーパーバイザーですが、カジュアルさが尋常ではありません。「日本に行きたいんだ。僕の長年の夢なんだよ」「今すぐ行くべきです。スーシー、テンプーラ、スキヤーキ、カイテンズーシー」「本当に行きたい。ナルトのいるコノハに行きたいよ」「残念ながら日本にそのような場所はありません」「え、ないの？」「ありません。トウキョウ、オオサカ、キヨト」「ナルトは何巻まで読んだ？」「覚えてないです。最初の方は読みました」「信じられない。ほんとに日本人なの？ 絶対全巻読むべきだよ」「そんなに面白いのですか？」「面白いよ！」。もはやどちらが日本人か分からない事態です。「ワンピース知ってる？」「知ってます」「進撃の巨人は？」「一応知ってます」「トリコは？」「トリコ？マルコ?」「いやトリコ」「知りません」。詳しすぎるので、なぜかと問うと「マンガはネットで読み放題じゃないか」と言われたのでした。マンガパンダというサイトで毎日読んでいるとのことです。あとで調べると、2015年に日本からワンピースの海賊版をマンガパンダで公開した者が逮捕され、「ワンピースの海賊版」てなんか面白いと一部で話題になった事件の記事が出てきました。緊張気味の新人の隣で、金融商品ではなく海賊版漫画サイトを得意げに勧めるスーパーバイザー。監督されるべきはむしろ君だよと思うのでした。

アニメと言えば、2018年5月に、24歳のUAE女性を原作者・監督として制作された『イマラ』というアニメが、初めてのアラブ発アニメということで、話題になりました。8月にはCNNでも取り上げられています。ドバイらしき街を舞台に、UAE人の女の子が悪者たちと戦うアニメ。YouTubeで全5話を視聴できるそのアニメは、当然日本のアニメの影響を受けています。手からジェット噴射して宙を舞えるという奇想天外な設定の主人公イマラは、鉄腕アトムからヒントを得たようです。キャラクターも魅力的で、展開も早く面白い、それなりの完成度のアニメでした。

徐々に標準化し、各国の個性が失われていく世界。その中で、日本はまだ明らかな個性を保ちながら、ある種の輝きを放っており、日本人というだけで親しみを感じてもらえます。海賊版サイトを通じて、世界に羽ばたく漫画やアニメ。その主人公のように、冒険心と正義感に溢れたとき、日本人が活躍できる舞台は、決して狭いものではないはずなのです。

2018年11月
驚くべきカメルーン人

ドバイは、中東アフリカ地域をカバーする広域営業都市として、その地位を確固たるものにしています。ドバイのハブ機能を支えるのは、治安の良さ、ビジネスインフラの充実、英語の通用性、無税などですが、世界の3分の2が飛行機で8時間以内に収まるという地理的優位性があり、それを有効化するドバイベースのエミレーツ航空と、LCCであるフライドバイの存在も大きな意味を持っています。エミレーツが約150都市に、フライドバイが約100都市に直行便を飛ばしており、非常に多くの都市にドバイから直接行くことができるのでした。

ドバイに所在する会社のほとんどは、UAEだけではなく、中東、アフリカ諸国を広域に事業対象としており、駐在員は各国への出張が非常に多くなります。人々が飛行機に乗るのは日常的で、国境に対する感覚は鈍麻し、心理的にも容易に国境を超えます。エミレーツ航空の日本人クルーは、3連休があれば、「ちょっとそこまで」と、となりのトトロのメイが近所の田んぼに繰り出すような感覚で、日本に帰っていきますし、湾岸諸国では、国境を越えた日本人異業種交流会も珍しいものではありません。例えば、ドバイから女性がカタール遠征し、その後は、逆にカタールからドバイに男性がやって来るサッカーワールドカップのアジア予選のようなホーム&アウェイ方式で、若者が出会いを求める事例が散見されたのでした。これは日本で言えば、韓国や台湾に交流会に繰り出すようなもので、その参加者の必死さたるや半端ないものとして、友人たちの語り草になるに違いない、日本では中々想定し得ない中東あるあるなのでした。もっとも、日本人異業種交流会における恒例の一戦であったＵＡＥ対カタールは、２０１７年6月の両国の国交断絶以降は、困難になりました。両国間の飛行機の直行便の運航が停止され、これまで1時間で行けたカタールに、5時間から10時間かかるようになってしまったからです。国交断絶は、全く思わぬことに、中東地域における日本人異業種交流会にも一定の打撃を与えていたのでした。

ドバイはアフリカへのゲートウェイともいわれます。その逆もまたしかりで、ドバイでは多くのアフリカ人が働いており、特にセキュリティ業務に従事しています。エジプト、スーダン、エチオピア、ジブチ、ケニア、タンザニア、ウガンダ、ジンバブエ、ガンビア、ナイジェリア、セネガルなど、ドバイには、アフリカの様々な国から、稼ぎを求めて人が集まって来るのでした。国元への仕送りのために、家族や友人から遠く離れた異国で暮らすことを強いられた可哀想な人たち。一生懸命働いても、給料は月5万円ほどです。きっと楽しいことなど限られているのだろう。そう思っていました。

ある日のこと、オフィス近くのセキュリティゲートを車で通過しようとすると、いつものように黒人のセキュリティに呼び止められ、車のチェックを受けました。「彼は何人？」。相棒のインド人ドライバーに聞きます。相棒は、誰彼構わず仲良くなる傾向があり、オフィス付近のセキュリティや受付の人たちとは、大体話せる関係なのでした。「カメルーン人さ」「え、珍しいね？」。ドバイには、相対的に近い東アフリカ人が多く、西アフリカのカメルーン人にはあまり会ったことがありません。どんな生活をしているのだろう。年に1度しか会えない遠く離れた家族を養うために、毎日ひたすら車の通過を待っている。やり切れない人生。生きるとはなんだろう。神妙な気持ちになったとき、相棒のインド人ドライバーは言いました。「彼には奥さんが12人いるんだ」「え！」「そして子供は48人いる」「えええええ⁉」。世界は多様であって、限られた経験しか持たない一個人の主観で容易に断定すべきものではない。一見して同情の対象に見えたカメルーン人は、生を謳歌《おうか》しており、むしろ同情されるべきは、社会のしがらみの中で型にはまった生き方を強いられる日本人だったのでした。ひと月後、相棒は言いました。「カメルーン人は今、新しい奥さんを欲しがっている」

国境とは恐るべき差異を生み出すもの。世界の3分の2が飛行機で8時間以内に収まる立地の中で、世界中からその差異が集まってくるドバイは、ただのアラブの富裕都市ではありません。そこは、多くの人種との接点の中で、様々な驚きと学びのある場所でもあるのです。

２０１８年12月
忘れられた戦争

２０１８年11月の中東は、米国によるイラン制裁の全面的復活、イスラエル軍とハマスの交戦そして停戦、トルコのサウジアラビア総領事館で起きた暗殺事件などと、引き続き各国が競うように世を賑わせており、世界髄一のきな臭さを保っています。

しかし、不穏な中東域にあって、驚くべきことに、ドバイのあるＵＡＥは、世界経済フォーラムによる観光競争力レポート（The Travel & Tourism Competitiveness Report 2017）の安全ランキングで、フィンランドに次ぎ、世界で2番目に安全な国とされ（日本は26位）、気候上、ハイシーズンを迎えた今、観光客が溢れています。なお、同ランキングでは、同じ湾岸協力理事会（ＧＣＣ）構成国のオマーンが4位、カタールが10位とされており、中東は、むしろ世界で最も安全なエリアなのではないかという斬新な視点さえ得ることができます。

そんなＵＡＥの安全を脅かすのがイエメンです。イエメンは、ＵＡＥの隣国サウジアラビア、オマーンと接するアラビア半島の南西部を占める国であり、２０１５年以来、内戦状態にあります。イエメン内戦は、ハディ暫定政権をサウジアラビアとＵＡＥらが、反政府勢力のフーシー派をイランがそれぞれ支援しており、代理戦争の側面も有しています。イエメンは、上記レポートの総合ランキングでは、堂々の最下位（１３６位）にランクしており、安全ランキングでも最下位から2番目（１３５位）です。同じアラビア半島のＵＡＥが2位、隣国のオマーンが4位であるにもかかわらずです。国境が生み出す残酷な差異。まだまだ世界はひとつではないのでした。

イエメン内戦はシリアやイラク、イスラエルの陰に隠れてあまり世界の注目を浴びないことから「忘れられた戦争」と呼ばれますが、間接的な当事者であるＵＡＥでは、忘れられていません。フーシー派は、時折、ＵＡＥに対して脅しをかけてくるのです。２０１７年11月には、ドバイ総領事館から、在留邦人に対して、次のような連絡がありました。

「報道によれば、11月6日夜、イエメンの反政府武装勢力フーシー派と連携する軍の広報担当は、サウジアラビアとアラブ首長国連邦（UAE）に対する攻撃を強化すると警告し、両国の空港が「正当な標的」になると考えていると述べました。また、同広報担当は、『われわれは全航空会社と旅行者に対し、サウジとUAEの空港を避けるよう勧告する。われわれはそれらの空港を、われわれの弾道ミサイルの射程内にある正当な軍事標的だと考えている』と述べました」

恐ろしいことです。「これぞ中東、日本では考えられない」と、予定されていた出張の取りやめを検討しましたが、「北朝鮮に狙われている日本も同じ状況ではないのか。むしろ日本の方が危険では」という外国人の鋭い指摘に確かにと納得し、出張を決行したのでした。

その後も「報道によれば、12月3日、イエメンの反政府武装勢力フーシー派は、同派メディアにおいて、アブダビのバラカ原発に向けて巡航ミサイルを発射し、これを正確に攻撃した旨主張しました」「本8月27日、イエメンの武装勢力フーシー派がドバイ国際空港を無人機を使って攻撃したと主張した旨報じられています」「9月30日、イエメンの武装勢力がドバイ国際空港を無人機を使って攻撃したとのツイッターが、一部で引用され報じられております」などの連絡が来ていますが、いずれも攻撃を受けた事実はなく、もはや心を乱されることはなくなったのでした。

イエメン側の状況は深刻です。人口２９００万人のうち約80％が何らかの人道支援を必要とし、８５０万人が飢餓の危機に晒され、８万5千人の子供が餓死した可能性があるとされています。空爆によって生活インフラは破壊され、人々は劣悪な生活環境に置かれています。

イエメンの法律事務所に、法律の改正状況を尋ねるメールを送れば、「イエメンは今戦争状態にあります。我が国は2つに分かれてしまいました。国会はここ3年開かれていません。したがって、法律の改正はありません。アップデートすることは何もありません」という全てを観念したような返事が来ます。内戦によって、医師、弁護士、大学教授などの職業にある人までもが困窮しているのです。

こうした中、11月19日フーシー派は、国連の要請を受け、停戦に応じる用意があることを明らかにしました。内戦に関する停戦合意や和平協議はこれまでにも行われていますが、根本的解決には至っていません。これ以上の犠牲を防ぐため、争いの終結が切に望まれます。

今年もあとひと月。２０１８年もまた中東に争いを残したまま終わっていくのでした。

2019年

letters from Dubai

２０１９年１月
アラブの野球大会

東からの日の光が穏やかに地上を照らし、朝露を帯びた芝生はきらきらと輝いています。木々からは小鳥のさえずりがこぼれ、芝生の果ての馬場からは、馬のいななきも聞こえてきます。生命が彩る美しい朝は、本来砂地の王国にはなかった景色です。ＵＡＥで5年を過ごすうちに、朝の芝生が露で濡れることなど、すっかり忘れていました。

それは、アブダビで開催された日本人会のアブダビ・ドバイ野球大会の朝でした。開催地は、アブダビのスポーツセンター。人工的な天然芝のグラウンドに、20代から50代までの幅広い世代のおじさんたちが整列し、開会式が始まります。昔の野球少年たちは、いつしか大人になり、仕事に就き、それぞれの人生を生きています。しかし、野球を愛することは共通で、グラウンドの上に立てば、年齢も職業も関係なく、ルールの下に平等なのでした。

ＵＡＥと略称されるアラブ首長国連邦は、７つのアラブの首長国から構成されます。世界に名が通っているのは、首都のあるアブダビ首長国と、観光地として有名なドバイ首長国だけで、残りのシャルジャ首長国、ラス・アル・ハイマ首長国、アジュマン首長国、フジャイラ首長国、ウンム・アル・カイワイン首長国の５首長国は、国際的にはあまり知られていません。日本人駐在員は、アブダビ約１千人、ドバイ約３千人で、他の首長国にはほとんどおらず、日本人学校や日本人野球チームもアブダビとドバイにだけ存在するのです。

ＵＡＥの日本人野球大会は、12月にはアブダビで、３月にはドバイで、年２回開催されます。いずれもアブダビ２チーム、ドバイ２チームの４チームで戦われるトーナメントは、事前にドバイとアブダビでささやかな予選が行われ、いきなり準決勝となる初戦では、アブダビ１位とドバイ２位、ドバイ１位とアブダビ２位がそれぞれ対戦することになります。普段のなれ合い野球と異なり、年に２回しかない他首長国チームとの対戦は、真剣で緊張感を伴うものになり、負ければ、体育会野球部よろしく、日本に帰国されたＯＢからお叱りメールが来たりするのでした。

UAEの12月や3月は、日中の最高気温が25度から35度程度で、スポーツもしやすい季節ですが、ドバイの野球部は、8月を除き、通年で活動を行います。UAEでは5月には最高気温が40度を超え始め、夏場には50度近くになります。2018年7月のドバイでは、日本人学校のプールの授業が、水道から水が出なくなったため（断水ではなく、お湯になってしまったため）実施不能になりましたが、そんな中でも、野球部は、お昼前後数時間という容赦ない時間帯に野球をしていたのでした。こうしてUAEに駐在する60代男性を含む中年男性たちが、ひとりの熱中症患者も出すことなく、50度近い中で野球をしている事実は、それでもやはり誰かが止めるべきではないかという問題意識はさておき、夏の甲子園反対論への有力な反論材料になるに違いないのでした。

野球大会は、デッドボールを受けた最年長の著名企業のお偉い様が「おれに当てるんか！」と怒号と共に相手投手に詰め寄る演出があるなど、大人はグラウンドの上ですら必ずしも平等ではない可能性を示唆しながら、ドバイチームの優勝で幕を閉じました。

1971年の独立前は英国の保護領であり、クリケットをこよなく愛するインド人とパキスタン人が人口の4割から5割を占めるUAEは、完全にクリケット圏の国です。週末には、街中の空地でクリケットを楽しむ多くのインド人やパキスタン人が見られます。それに対し、UAEで野球をする者は、日韓米を中心とする駐在員のみであり、つまりほとんど我々しかいないのです。またひとつ大会を終えた小さな日本人野球大会は、UAEにおける野球イベントとしては最大級であり、もしかするとUAEの野球の歴史を作りつつあるのかもしれません。

平成最後の年。UAEの野球史にささやかにページを加えながら、幅広い世代のおじさんたちは今年も白球を追うのです。

2019年2月
壊れたズボン

アルカイダを含む複数のテロ組織が拠点を持ち、オサマ・ビン・ラディンの潜伏地でもあったなど、世界有数の危険な国とされるパキスタン。世界経済フォーラムの旅行競争力レポート（The Travel & Tourism Competitiveness Report 2017）では、安全面で136カ国中133位とされており（134位エルサルバドル、135位イエメン、136位コロンビア）、首都カラチでのテロは激減しているものの、それでも国全体では引き続きテロが散発しています。

若干の不安とともに、ドバイ国際空港に向かっている横で、「カラチに行くのかい？」。相棒のインド人運転手が言いました。「そうだよ」「カラチには、ハビブが今ちょうど帰っているよ」「え、そうなの？」。ハビブとは、相棒の同僚で、私も良く知るパキスタン人運転手です。「会って来たらどうだい？」「面白いこと言うね」「なぜ？」「遊びじゃないんだ」「会えばいいのに」。テロリストの本拠地に向かおうとする緊張感を全く覆すような呑気な会話に若干の苛立ちを覚えながらも、身近なハビブがそこで暮らしているということは、確かに不安を和らげたのでした。

パキスタン最大の都市、首都カラチは、非公式の数字では人口2千万人以上ともいわれる超巨大都市ですが、高層ビルはほとんどなく、古びた中層の建造物が景色を占めます。中東諸国ではあまり見ないオートバイが目立ち、ブロロロロロロというエンジン音を撒き散らしながら、多くのバイクが爆進して行きます。道行く車を目で追うと、トヨタ、トヨタ、ホンダ、トヨタ、スズキ、ホンダ、スズキ、トヨタとほとんど日本車で、日本車に紛れて、パキスタン産の三輪自動車（オートリキシャ）が自国産の誇りを砂埃と共に示しながら、疾走しているのでした。

目の前に現れた拳銃を持った大柄の男。妙な緊張感を発しながら、周囲に睨みを効かせるその男は私のボディガードでした。彼は、常に拳銃を持って車の助手席に座り、外に出れば銃を持ったまま付いてきます。武力による加護を得たことで一定の安心は得ますが、かえって周囲を刺激して危険が増すのではないだろうかとか、常に引き金に手をかけていて誤発砲しないのだろうかとか、もしかして寝返ったりしないのだろうかとか、一抹の不安も生むのでした。もっとも、彼が時折見せる笑顔は、逆に守ってあげたくなるような余りに可愛いらしいものだったため、その戦闘力に関する疑問は生まれたものの、少なくとも寝返りリスクはないことは確信できたのです。

テロや誘拐に遭うかもしれないという若干の恐怖もある中でのパキスタン2日目。スーツを着るとズボンのチャックが壊れていました。数あるチャックの中で唯一開いていることが社会的に許容されないチャック。それが閉められなくなったということは、完全なる不吉の前兆と思われました。万が一、最期を迎えることになった場合を想定しても、チャックが開いたままとは、決していただけません。今日は運気が著しく悪い。身の危険に一層注意を払わなければならないと、気を引き締めましたが、やはりチャックは閉まらないのでした。

もっとも、いくら危険都市だと言っても、よほど運が悪くなければ、テロなどの危難には遭遇しません。1月のパキスタンは日本の春を思わせるうららかな日差しに満ちており、ボディガードの存在がむしろ不安を煽るものの、街には平和な空気が流れていて、何かが起こる気配は感じられませんでした。結果として、「チャック開いてますよ」と2度指摘された以外の危機には見舞われることはなく、無事空港に到着することができたのでした。

カラチ時間17時17分。「クアラルンプール20時20分、バンコク19時23分、ロンドン12時22分、コロンボ17時49分、テヘラン16時11分、ナジャフ（イラク）15時20分」。もしかすると分刻みで時差を表現しようとする最新の試みかもしれないものの、見事に全て不正確な各国時計を見上げながら、出入国審査所を通り抜け、馴染みのエミレーツ航空に乗ると、ひと安心です。客室乗務員が、コップに10分の1だけりんごジュースを入れて、「ごめんなさい、これしかないの……」と言いながら客に渡す様を見ながら、ああ帰ってきたと思うのでした。

ドバイに帰ると相棒が言いました。「ハビブには会ったのかい？」「だから会わないって」。平和で安全なドバイの日常に戻った安堵《あんど》の中で、しかしまたパキスタンに行こうと思うのでした。恐怖に打ち勝った先の2億人の大市場には、きっと日本企業にとっての素晴らしい商機があるはずなのです。

2019年

２０１９年３月
中東のシリコンバレー

ドバイ生活６年目で初めてドバイ国際空港のターミナル１からドバイを発ちました。世界主要都市１５０都市に直行便を飛ばす恐るべきエミレーツ航空。エミレーツ航空が独占的に利用するターミナル３は巨大で綺麗です。ターミナル２はＬＣＣ専用。そしてターミナル１はエミレーツ以外の航空会社が利用するターミナルです。なぜ普段利用するエミレーツ航空を使わなかったか。それは目的地がイスラエルだったからでした。

「中東のシリコンバレー」イスラエルは、以前からそうしたキャッチフレーズで紹介されていました。しかし、「平成の山本リンダ」「インドの大谷翔平」「北新地の石原さとみ」など、著名なものになぞらえた宣伝文句は、興味を掻き立てるものの、期待にそぐう現実は伴わないことが多いのです。いくらスタートアップが盛んとは言え、パレスチナ問題を抱え、ガザ地区で空爆などが行われているイスラエルに、シリコンバレーをなぞらえるのは「平成最後の昭和天皇」と言うくらい、無理があるだろうというのが、イスラエルが身近でない人の通常の感覚かもしれません。

数年前、イスラエル旅行を検討した際に、友人が送ってきた外務省作成のイスラエル渡航の際の注意事項には、以下のようにありました。

「度々、ガザ地区からのロケット弾が飛来。飛来警報が吹鳴した際は、速やかに屋内(シェルター等)に避難し10分間待機。仮に周囲に避難可能な施設がない場合は、両手で頭を保護して伏せる」

屋内にシェルターがあることが当然の前提とされ、ロケット弾に対して両手で防衛することが求められる世界。これほどまでに身の安全が保障されていなそうな環境を戦後生まれの平均的日本人はおよそ経験したことはないでしょう。イスラエルがその一部において危険な国であることは、今なお真実なのです。

しかし、確かにそこには中東のシリコンバレーといっても過言ではない世界がありました。USBメモリーを発明し、世界一といわれるサイバー防衛能力を持ち、先日2月21日に、民間初の月面探査機をイーロン・マスク氏のスペースX社のロケットによって、宇宙に送り出したのはイスラエルなのです。アップル、グーグル、マイクロソフトなどの超大手IT企業がイスラエル企業を次々買収しています。街並みからはやはり中東を感じるものの、欧米風のお洒落な場所もあり、多くの人が流暢に英語を話すことも含め、雰囲気もアメリカに近いものがあります。首都テルアビブは安全で、ナイトライフも充実しており、バーでは、米系のポップミュージックが流れる中で、夜遅くまで人々がお酒を楽しんでいます。ホテルの朝食では、無料でシャンパンが飲み放題でした。エチオピア人スタッフが勧めてくるのを、「平日だから」と断ると「みんな飲んでるよ」と言うのでした。「シャンパン飲んだら元気が出るからね」「いや、それ酔っぱらってるって言うんだよ」

朝からシャンパンで酔える開放的な場所。危険な国とのイメージとは異なる現実がそこにはあったのです。

不思議なことに、イスラエルでイラン人によく似た人たちを多く見かけました。イスラエルから戻った直後に、ドバイでイラン人弁護士と会ったので、「イスラエル人はイラン人に似ていた」という話をすると、「その人たちはイラン人だと思う。イラン革命のとき、多くの親米派イラン人がイスラエルに移住したから」という答えが返ってきました。逆に、イランはイスラエル以外の中東諸国で最大のユダヤ人人口（2万人）（在UAE日本人は4千人）を抱えるとされ、「イスラエルを地球上から抹消すべき」などと言い、明確な反イスラエル派だったイランのアフマディネジャド前大統領も実はユダヤ人にルーツを持つといわれています。

互いに主要敵国と認識し合い、直近でもシリアで一触即発の状態になっているイスラエルとイラン。しかし、両国は必ずしも相容れないわけではないのでした。両国を訪れれば、両国人が共に善であることを知るでしょう。善と善がなぜ敵対し合い、暴力に訴えなければならないのか。その理由は、民族なのか宗教なのか歴史なのか一部の権力者のエゴなのか。イスラエルとイランが意外と普通でむしろ日本人よりも洗練されている部分もある人々の国だと知った時、両国が深刻にいさかう理由が分からなくなったのでした。

2019年4月
雨の季節、別れの季節

オフィスの下のコーヒーショップでは、店員であるはずのインド人女性が付近のソファであぐらをかきながらスマホを眺めてにやにやしています。ビルの外に出ようとすれば、受付に座っている黒人男性が「ハイ、ボス」と、片手を上げて、わずかな笑みを見せます。アラブの王国は、日本とは違う緩やかな雰囲気に支配されたまま、次の季節を迎えるのです。

雨がほとんど降らないドバイですが、12月から3月には少し降り、相対的に雨が多いのは2月と3月です。最近、以前より雨の日が増えました。それは、近年、行われている人工降雨によるもので、UAEの2018年の雨の10～15%は、人工的に降らせたものだそうです。ほど良い雲が見つかるたびに、小型飛行機が飛び立ち、ドライアイスやヨウ化銀を雲に投じ、降雨を促進します。UAEの水需要は高く、他方で供給は極めて限られるため、UAEでは、海水の淡水化により、多くの水を作り出していますが、淡水化はコストがとても高いのです。そこで、相対的にコストの安い人工降雨により、水を増やす努力もなされているのでした。

3月の最終土曜日。ドバイでは毎年ワールドカップ競馬という世界最高賞金を誇る競馬大会が開かれ、日本を含む世界各地から競走馬が集まります。観客も世界中からやって来て、英国式に正装した男女で彩られるスタジアム（6万人の収容規模は競馬場としては世界3位）は、お祭り騒ぎになります。2017年のワールドカップ競馬はまさかの雨で、気温も20度前後まで低下し、観客を大いに失望させましたが、これは人工雨がうっかり直撃してしまったものともいわれました。よりによって一番雨を降らせてはいけない日にどんな計算違いだよと思うところですが、結果を恐れず、行動するのがドバイの強みなのでした。

日本の3月は別れの季節。日系企業の人事異動のため、ドバイの日本人コミュニティの3月も別れの季節になります。日系企業各社でも日本人会野球部でもサッカー部でも金曜テニスの会でも猛虎会（阪神ファンの会）でも山口組（山口さんのみ入れる会）でも、そこかしこで送別会が行われ、誰かがこの地を去ります。

中東は危険な所だと、若干の不安を抱え、家族や友人に心配されながら赴任する人も少なくないであろうドバイの地は、住んでみれば、平和で安全で、酷暑と強すぎる日差しは明らかに体に悪いものの、生活はそれなりに快適なものです。3千人というほど良い規模の日本人コミュニティが生み出す人間関係は、社会人になってからは得難い、組織や年齢を超えたフラットなもので、それを得られることはドバイ駐在の大きな利点と言えます。

多くの企業が中東統括拠点を置くドバイは中東人脈の一大集積地であり、中東人材の養成地です。ドバイから中東各国に出張する人も多く、逆に中東各地からの出張者がドバイに集います。異動先が他の中東諸国となる方も少なくなく、日本に帰国されても、引き続き中東関係の仕事をされる方も多いのです。

1月にイスラエルで行われた日本・イスラエルフェスティバル（JIIN）の際、大使公邸でのレセプションを、経産省とJETROのお二人が取り纏めていました。「え！」と驚いたのは、お二人共ドバイの日本人会野球部の出身の方だったからでした。帰任された後、たまたまそれぞれの組織でそのイベントの担当者になっていたのでした。UAEと国交のないイスラエルで、経済大臣もご参加されたハイレベルの会は、未知の世界の出来事のはずでした。しかし、参加してみれば、それはまさかのドバイ野球部ＯＢが取り纏める会だったのです。

ドバイを去る人の多くにとって、高さ世界一のブルジュカリファを眺めることも、世界最大級のドバイモールで買い物することもしばらくないでしょう。ここでの生活は、思い出に変わり、新たな日常の片隅に追いやられます。それでも皆がこの地で出会い、同じ時の中で同じ場所に存在したという事実は変わることはなく、そこで育まれた濃い人間関係は、失われるものではありません。イスラエルでの再会のように、偶然にも必然にもまたどこかで出会うこともあるでしょう。とはいえ、別れはやはり寂しく、「また」と握手する手にはつい力が入り、そのぬくもりから容易に解放されたくはないのでした。

２０１９年５月
アラブのもてなし国

イスラエル、シリア、イラク、エジプトと国境を接するヨルダンは、歴史的にパレスチナからの難民を受け入れており、２００３年のイラク戦争の際にはイラク難民を、２０１１年に始まったシリア内戦以降は、シリア難民を多数受け入れています。１９６０年には１００万人程度だったヨルダンの人口は、２０００年には約５００万人になり、現在では約１千万人となっていますが、その人口増に寄与しているのは難民です。２０１７年におけるヨルダンの人口に占めるＵＮＨＣＲ（国連難民高等弁務官事務所）登録難民数は、14人に１人で、６人に１人のレバノンに次いで世界第2位という難民受け入れ大国なのです。

難民の受け入れもその表れかもしれませんが、ヨルダン人の特徴のひとつは、ホスピタリティだと思います。雇った運転手は、携帯を手渡し、「好きな音楽を選んで。日本の歌を聴こうよ」と言って、ＹｏｕＴｕｂｅで、車内で流す曲を選ばせてくれます。彼は、レストランでもホテルでも、率先してスタッフとアラビア語で話して、負担を減らしてくれたり、頼んでもいないのに、名所に連れて行ってくれたりするのです。

ホテルでレストランを探していました。アラビア料理屋に入り、ヨルダン人の男性スタッフに「他にどんなレストランがありますか？」と聞くと、「案内します」と各階ごとにホテル内の全てのレストランに連れて行ってくれました。「全てのレストランの担当なのですか？」と聞くと「いえ先ほどのアラビア料理屋だけです」と言います。「こちらが来月オープンするレバノン料理屋です」。その晩の食事処を探しているため、来月オープンする店の情報は全く必要ではないものの、未開業のものまで含めて、あらゆるレストランを紹介してくれる親切ぶりは、日本人のおもてなし力をも凌ぐのではないかと思うほどでした。

アンマン市内のレストランでは、食後に大量のお菓子をサービスしてくれました。帰り際に、ホスピタリティに見合う爽やかな笑顔を期待して、その店員に改めてお礼を伝えたのですが、店員はお菓子を振る舞ったことなどなかったかのように徹底して無表情だったのでした。ホスピタリティを発揮した後に、あれだけ無表情である人も中々いないだろうと困惑しながら、店を出ました。するとその後、「ヨルダン人は笑わない」という話を聞いたのです。ヨルダン人が笑わない人ばかりで構成されているわけでは全くないのですが、世界には笑顔の伴わないおもてなしがあるということを知ったのでした。

空港に向かう途中、「ヨルダンらしいカフェに寄って」と運転手にお願いすると「スターバックス」と言うので、「それは絶対に違うから寄らなくて良い」と言ったところ、代わりに現地の物産を多く取り扱う土産物屋に連れて行ってくれました。流暢な英語を話す初老のヨルダン人男性が近寄って来て、しつこすぎないほど良い距離感で商品の説明をしてくれます。ふと綺麗な絨毯が目に入りました。するとその横に床に絨毯を敷いて、ひれ伏し始める男性。「えー、売り物の絨毯を無断で床に敷いてお祈り⁉」。神を敬う心は大いに讃えるべきですが、売り物を無断利用して、店内でかたわらに人なきが如く祈るのは、むしろ神の教えに反するのでは……。しかし、そこはホスピタリティ大国ヨルダンですので、店員も咎めません。しばらくすると、何事もなかったかのように絨毯は元の陳列位置に戻っていたのでした。

「祖父は、パレスチナに住んでいたんだ」と運転手が何気なく切り出しました。パレスチナ、特にガザ地区では、人々が空爆や銃撃の脅威に晒され、土地や家を奪われ、職にも就けず、食料不足にも苦しんでいます。彼らには何の罪もなく、苦しむ理由はただその土地に生まれたというだけです。様々な気配りをしてくれた運転手のルーツがパレスチナだとすると、パレスチナ人は、思いやりに溢れた温かい人たちなのかもしれません。そう思うと、死海の向こう側の歴史と国境の産物たる理不尽は、一層やりきれないものに感じられたのでした。

2019年6月
6度目のラマダン

オフィスの下のコーヒーショップの前を通ると、飲食物が外から見えないようについたてが立っていて、ラマダンが始まったのだと気付かされます。いつもは前を通るたびに「すーしーすーしー」とパック寿司を売りつけようとしてくるインド人女性店員も、さすがについたての向こうからは寿司を売りつけてくることはあるまいと思うと、ついたての切れ目から目が合い、はっとすると、やはり「すーしーすーしー」と、日本人特有の寿司購買意欲に働きかけてくるのでした。飲食が禁止されているべきはずのラマダンですが、寛大なドバイでは、声を張り上げて公然とパック寿司を売りつけようとすることも、特に問題視はされないのです。

ドバイでは、年々ラマダン中の規律が緩くなっています。ドバイに来て初めての2014年のラマダンでは、日中はショッピングモールのフードコートもやっておらず、ホテル内の一部のレストランが覆われた幕の中で、密かに営業しているだけで、夜お酒を飲むことができる時間も20時以降だったのですが、今ではフードコートは幕に覆われながらもランチタイムから営業を行っており、昼からお酒を飲める場所も増えているのでした。１４００年以上の歴史を持ち、恒久不変とも思えるイスラム教文化ですが、時代に即した変化は免れず、ドバイのラマダンは、わずか5年の間でも、確かに変わってきているのです。

ラマダン中は、世界中でイスラム教徒によるテロが増えます。ラマダン中に努力すると天国に行ける可能性が高まるという教えの下、本来「努力」を意味するジハードとしてテロ行為が行われるのです。もっとも、世界経済フォーラムによるレポート（The Travel & Tourism Competitiveness Report 2017）で、フィンランドに次ぎ、世界で2番目に安全な国であるとされるＵＡＥでは（日本は26位）、ラマダン中もテロは起きていません。

しかし、今年はいつもとは違った緊張感がＵＡＥを覆いました。ＵＡＥの東端にオマーン湾に面したフジャイラという首長国があります。フジャイラは外来船舶の燃料補給地として古くから有名で、２０１３年4月のホルムズ海峡迂回パイプラインの運用開始以降は、アブダビ産原油の輸出基地としても重要性を持っています。そのフジャイラの沖合で、ラマダンに入って間もない5月12日に、サウジアラビア籍2隻とUAE籍1隻を含む4隻の民間商船が、破壊行為を受けたのでした。

その直後から、サウジアラビアとUAEは、破壊行為の主体がイランであることを匂わす報道を行い、5月29日には、米国の大統領補佐官が、「ほぼ間違いなくイランが設置した機雷によるものだ」と発言しています。

5月14日には、サウジアラビアの原油パイプラインがドローンにより攻撃を受けたという報道がなされ、さらに同19日には、イラクの米国大使館付近にロケット弾が撃ち込まれたとの報道もなされました。ドローン空爆にロケット弾撃ち込み。もはや戦争状態なのではないかという危険なニュースの連続です。

パイプラインへの攻撃は、イランが支援するイエメンの武装組織フーシー派によるものとされましたが、サウジアラビアは、フーシー派の攻撃声明に対して、攻撃を受けた事実はないとか、防いだという報道を出すのが通常なのです。しかし、今回は被害を強調する報道でした。イラクの米国大使館への攻撃についても、トランプ大統領がその直後に「If Iran wants to fight, that will be the official end of Iran. Never threaten the United States again!」（もし、イランが戦いたいなら、それはイランの本当の終わりだ。二度とアメリカを脅すな！）とツイートするなど、イランの関与を疑う情報が溢れています。

もっとも、こうした情報は必ずしも鵜呑みにしてはいけないのでした。サウジアラビアやＵＡＥは、中東地域の覇権闘争上、対立するイランを孤立させて、国力を弱めることに利益を持ち、また、トランプ政権下の米国は、対イラン強硬策を採っているのです。米国は、イランの不正を強調することで、自国政策の正当性を印象付けることができ、また、イランの脅威を煽ることで、アラブ諸国に高価な兵器を輸出できるという利点まであるのでした。

複雑な中東情勢と近隣での緊張感の高まりは多少感じながらも、ドバイでの生活は特に影響を受けることはなく、６月初旬、今年のラマダンも終わります。そして人々の頭の中は、戦争よりもむしろ例年より長いラマダン後のイード休暇にどこに旅行に行こうかということでいっぱいなのでした。

2019年7月
ホルムズ海峡のスーパーマン

タンカーが攻撃を受け、その上空で無人偵察機が撃墜されるなど、米国とイランの緊張関係の中心地であるホルムズ海峡。日本への原油の約8割が通過する日本の経済にとっても極めて重要なその海峡は、ドバイのあるUAEに程近い所にあります。ドバイ首長国から、シャルジャ首長国、アジュマン首長国、ウンム・アル・カイワイン首長国、ラス・アル・ハイマ首長国と、UAEを北上して行くと、オマーンの飛び地であるムサンダムという地に至るのですが、ムサンダムとイランの間の海峡が、ホルムズ海峡なのでした。

タンカーが攻撃を受ける1週間前の休暇中、ホルムズ海峡を眺めるべく、ムサンダムに行きました。徒歩で国境を越えるのは米国とメキシコの国境以来でしたが、国境を越えた瞬間から絶望的差異を目の当たりにした米国とメキシコの場合と違って、UAEからオマーンへの入国にさしたる変化は伴いません。しかし、しばらく行くと現れる、海岸沿いにどこまでも続く、剥き出しの岩山に支配された景色は、見たことがないもので、モスクの形がＵＡＥと違ったり、そこかしこに山羊がいたりして、やはり何かしらの異国情緒は感じられてくるのでした。

ホルムズ海峡にできるだけ近づこうと、クルーズ船に乗りました。クルーズ船といっても、白い豪華船ではなく、ダウ船と呼ばれる壁のない木造船なのですが、アラビア調の絨毯が敷き詰められ、アラビア調のクッションがへりに並べられて、海の風を感じながら、座ったり、寝転んだりしてくつろげる船上は、意外と快適なものです。40度近い気温の中、外気に晒されてのクルージングは正気の沙汰ではないのではないかとも思えましたが、海に出ると体感温度は下がり、風も感じられるため、日陰にいる限り、汗ばむこともない快適な船旅となるのでした。

クルージングの見せ場は、野生のイルカたちとの戯れです。こんな暑い所にイルカなんているかとあまり期待していなかったのですが、岸を離れて、ホルムズ海峡と反対の方向に船で30分ほど行った先の、岩山に囲まれた静かな海には、そこかしこにイルカがいたのでした。７、８頭のイルカが、ジャンプをしながら並走してくれれば、乗り合わせた様々な国の人たちは人種を問わず、皆歓声を上げます。イルカはイルカで人間たちとの交流を楽しんでいるようで、どこまでも並走し、時にジャンプをして見せるのです。種を超えて、他を認容し、好意を示しあう様は、近隣で繰り広げられている争いとは全く逆のものでした。

ＵＡＥに戻る時、再び国境を越えます。ラマダン後の長期休暇中のためか、動く隙間もないほど、多くの人がひしめき合う出入国管理局の小さな部屋。近くにいた中国人は、もう4時間も待っていると言います。スタンプを押すだけのはずなのに、列は全然進みません。ガラスの向こうに3人いた職員は途中で2人になり、さらにペースが遅くなります。苛立つ人々への配慮など一切示さず、パナソニック製の冷房が効いた部屋で、涼し気に自らのペースを保ち続ける職員。2人のうちの1人は、急ぐどころか、むしろ嫌がらせのように数分置きに立ち上がり、姿を消してしまいます。よく立ち上がる職員がまた立ち上がるのを、誰かが「急いで」と制そうとすると、その職員は「おれはスーパーマンじゃないんだ」と高慢に言い返したのでした。

緊張高まるホルムズ海峡のすぐそばで、今日もダウ船は出航し、イルカとの戯れを終えた人々が出国審査を待っています。そこで人々が求めているのは、世界平和を守るスーパーマンかと思いきや、まさかの出国スタンプをできるだけ早く押すことができるスーパーマンだったのでした。むしろのどかで平和なその場所に、戦争など決して要らないのです。

２０１９年８月
ドバイの夏、日本の夏

3月には既に最高気温が30度を超え、既に夏ではという状態になるドバイですが、7月、8月の最高気温は、毎日40度を超えています。日本では、気温が30度を超えると真夏日、35度を超えると猛暑日で、暑いだけでニュースになりますが、ドバイの7月、8月は毎日が猛暑日であり、夜も毎日が熱帯夜です。

昼のみならず、夜も外で飲食を楽しめる温度下になく、レストランやカフェのテラス席は概ねクローズとなります。ドバイの主要アクティビティである海やプールも、日差しがきつすぎて、日中は楽しみ難く、特に海は「海ってこんなに温まるんだ」と驚くほどの温度になっていて、ハトヤの海底温泉どころじゃない、世界最大級の天然温泉の様相を呈しているのでした。

ドバイは、砂漠気候で、特に夏場は一滴の雨も降らないものの、海がすぐ近くにあるため、湿度は時に100％になるほど高く、冷房が強烈に効いた建物から外に出ると眼鏡は曇り、少しだけ冷えた水が入ったペットボトルは結露します。

こうした気候下での運動は控えるべきとも思われるのですが、他にやることもないため、ドバイの日本人駐在員は、7月、8月であっても「やっぱり暑いですね」「サウナで運動しているみたいですね」「なんで僕たち運動しているんですかね」などと言いながら、各々が引き続きスポーツに興じているのでした。日本スポーツ協会の熱中症予防のための運動指針では、乾球温度35度以上で運動は原則中止すべきとされていますが、それを10度も超える環境下で堂々と野球やゴルフをしているドバイのおじさんたちの存在は、中年世代に希望を与えるとともに、夏場におけるスポーツの在り方についての新たな視座を提供するのでした。

ドバイの隠れた名所として、ドバイ動物園がありました。残念ながら、2017年11月に閉鎖してしまったのですが、現在も残るトリップアドバイザーのレビューでは、338レビュー中、最低評価の「terrible（とても悪い）」が47％もあり、世界最悪の動物園というコメントもある衝撃的に評判の悪い動物園だったのです。最低評価のレビューを見れば、「A very sad place!（とても悲しい場所！）」「Terrifying!（恐ろしい！）」「Such a sad place to go!!!!!（悲しい場所！行かないで）」「Torture（拷問）」「DO NOT VISIT!!!!（行ってはいけない！）」「Not worth it!（価値なし！）」「Horrible（おぞましい）」「A cruelty museum（残酷博物館）」「Don't do it!（やめて！）」「Never again!!（決して繰り返さないで！）」などと、動物園の評価とは思えない、むしろ戦争の悲惨さを伝える場所なのではないかというタイトルが並び、世界各国からの来訪者が口々にその惨状を伝えています。特に夏場の容赦のない暑さの中、狭い檻の中で、動物たちがぐったりしている様子は確かに残酷とも言い得るものだったのですが、逆に本来の生活環境とは異なる連日40度を超える環境下でも、動物たちが普通に生を維持していけるということは学びでした。

そういえば、ドバイで夏場でもゴルフを毎週のように楽しまれる駐在員の方々は、気温35度で「今日は涼しいですねえ」と言い、気温45度でも「この程度で暑いと言うようではまだまだですよ」（どの程度なら暑いと言うことが許されるんですか）などと言うのですが、生物というのは、後天的に暑さに対する抵抗力を高めることができるということなのでしょう。

油蝉もヒグラシも鳴かず、入道雲はなく、それ以前にそもそも雲すらもなく、スイカ割りも金魚すくいもかき氷も盆踊りもないドバイ。山もなければ、海はハトヤもびっくりの天然温泉になっていて、どこに夏という季節感を見いだして良いか分からないドバイにいると、日本の鮮明な季節感は実に素晴らしいものだと感じます。

8月終盤に向かい、秋が近づくにつれてどことなく寂しくなっていく日本の夏。夏の終わりという言葉の持つ寂寥感は、ドバイでは味わえず、日本の夜空を彩る花火から感じられる様々な趣やそれに伴う感慨も、不思議とドバイの花火からは感じられないのです。日本の5時間遅れでやって来るドバイの夕方。ヒグラシの声の代わりに、モスクからお祈りを呼びかけるアザーンが聞こえてきても、やっぱり季節感はなく、夕涼みをしようにも涼しくもなく、風鈴の音も聞こえて来ず、砂漠の果てに太陽が沈みゆく中で、ふとすると日本の夏が恋しくなるのでした。

２０１９年９月
インドとパキスタン

日本の８月15日は終戦記念日ですが、ドバイで８月15日と言うと、むしろインドの独立記念日になります。日本の終戦の２年後、１９４７年８月15日にインドは英国の支配から脱しました。その前日の14日にパキスタンがインド帝国から分離独立しています。人口の３割から４割をインド人が占めるＵＡＥですので、日本人合計４千人とは存在感に違いがありすぎ、ドバイで８月15日と言えば、インドの独立記念日なのでした。

インドの父ガンディーが目指していたのは、現在のパキスタンとバングラデシュを含む統一インドとしての独立でしたが、宗教により分かれてしまったインドとパキスタン。ヒンドゥー教が多数を占めるインドと、イスラム教徒によるパキスタンは、１９４７年まで同じ国であったために、言語も法制度も似ています。しかし、宗教が違うという理由だけをもって、２つに分かれた人々は、カシミール地方を中心に対立を続け、１９４７年に第１次印パ戦争、65年に第２次印パ戦争、71年には第３次印パ戦争が起こり、そして両国はいずれも核保有国になったのでした。

中東に属するドバイですが、人口にも表れているように、南アジアのインドとパキスタン、特にパキスタンは近いのです。2月にはカシミール地方の自爆テロ（インド治安部隊約40人が死亡）をきっかけにインドのパキスタン空爆や、パキスタンによるインド軍戦闘機の撃墜が起きました。そのために戦争が起こるかもしれないという事態になった時、ドバイ国際空港の滑走路には、緊急避難してきたパキスタン航空の緑色の機体がずらりと並んでいたのでした。

近隣国の宿命か、日韓関係と同様、8月になって、両国は関係悪化が目立っています。8月7日にインドのモディ首相が70年続いていたジャム・カシミール州（インドで唯一イスラム教徒が過半数を占める）の自治権を剥奪したことを受けて、パキスタンはインドとの外交関係を格下げし、インド大使を追い出し、二国間貿易を停止すると発表しました。また戦争が起こるのかという見方もありましたが、ニューデリーとカラチを訪れてみれば、その経済力と勢いの差は歴然です。国際通貨基金から巨額の支援を受けるなど財政的に苦しい状態にあるパキスタンは、戦争などできる状態にはないのでした。結局、パキスタンは、8月20日にカシミール問題について、国際司法裁判所に提訴し、解決を司法に委ねました。

パキスタン独立記念日の2日後でインド独立記念日の翌日の8月16日。ドバイにある世界一の高層建造物ブルジュカリファでは、世界最大のスクリーンと化しているその壁面に、両国の独立記念日を祝して、インド国旗とパキスタン国旗を順番に投影するという粋な演出が行われました。

午後8時42分にはパキスタン国旗が、2分後の8時44分にはインド国旗が、その世界一の巨塔の壁面に堂々と現れたのです。両国の国民は感動し、関係を悪化させている祖国と隣国が、その昔は同一国であったことを思い出し、ドバイで共存しているのだし、お互い悪いやつらではないことは良く分かったから、もう争い合うことはクリケットの試合中だけにして、仲良く手を取り合ってやっていこうやと、ブルジュカリファの前で行われている噴水ショーに合わせて、皆で肩を組み、輪になって踊り出したら良かったのですが、なんとブルジュカリファに映し出されたパキスタンの国旗が上下逆さまだったのでした。その結果「逆さまじゃないか！」と怒るパキスタン人が続出し、ドバイのパキスタン協会(Pakistan Association)から、現地不動産会社であるＥｍａａｒとブルジュカリファ宛に「パキスタンコミュニティは、ブルジュカリファに投影された逆さまの国旗のために、深く悲しまされている」といった書き出しから始まるレターが発出される事態にまで至ったのです。

神様のいたずら。せっかくの演出が台無しですが、もしかすると国旗などに拘らず、隣人と仲良くやりなさいというメッセージだったのかもしれません。統一インドとしての独立を目指し、イスラムにも寛容だったガンディーは言います。「平和への道はない。平和こそが道なのだ」と。

２０１９年10月
ドローン戦争

21世紀も約20年が経ち、令和になって、新時代を迎えた日本では、ＡＩ、ドローン、クラウド、スマートシティ、スターバックスストロベリーベリーマッチフラペチーノなどといった前世紀には聞いたことがないような言葉が聞かれるようになっています。新時代の象徴のようなそれらは、スターバックスストロベリーベリーマッチフラペチーノを除き、歴史的規模で、人類の営みを変える力を持ちます。技術は着実に進歩し、今日の世界と明日の世界は少しずつ違うものになってきているのでした。

新技術の象徴であるドローンですが、無人機自体は、新しいものではなく、米軍は、既に第１次世界大戦中から無人機の設計開発に取り組んでおり、第2次世界大戦時にはその研究開発は本格化していました。１９３５年から47年まで、英国では、対空射撃訓練用（標的用）の無人戦闘機クイーンビー（女王蜂）が使用されていましたが、クイーンビーを模して米国で開発された無人戦闘機がドローン（雄蜂）と呼ばれるようになったことが、ドローンが無人機を意味することとなった起源といわれています。開発当初から、軍事目的で利用されてきたドローンですが、第2次世界大戦後も、アメリカとイスラエルを中心に研究開発が進められ、アフガニスタン戦争（2001年〜）やイラク戦争（2003〜11年）などでは実戦投入もされていたのです。

9月14日未明、ドローンが、サウジアラビアの国営石油会社アラムコの石油施設2カ所を攻撃し、同施設を炎上させました。ドローンは、年間7兆円以上を軍事費に当てる世界3位の軍事大国サウジアラビアが巨費を投じた最新鋭の防空システムをやすやすとかいくぐり、標的に次々と命中したのでした。百数十万円ともいわれる安価なドローンの攻撃を、米国製最新鋭防空システムが全く防げなかった事実は世界を驚かせ、ドローンによる軍事革命を裏付けました。ドローンが、日本のニュースで見られるような、ただピザを運んだり、福島の砂100グラムを積載して首相官邸に落下することしかできないと思ったら大間違いなのです。

石油施設へのドローン攻撃の直後に、イエメンのフーシー派が、犯行声明を出しました。

しかし、こうした高度な攻撃をイエメンが成し得るものでしょうか。本連載2018年12月「忘れられた戦争」で紹介した通り、イエメンとは、内戦により2900万人の人口の約80%が何らかの人道支援を必要とし、850万人が飢餓の危機に晒され、8万5千人の子供が餓死した可能性があるとされ、法律事務所に、法律の改正状況を尋ねるメールを送れば、「イエメンは今戦争状態にあります。我が国は2つに分かれてしまいました。国会はここ3年開かれていません。したがって、法律の改正はありません。アップデートすることは何もありません」という全てを観念したような返事が来る国なのです。

イエメンの内戦は、サウジアラビアを中心とするアラブ連合軍に支援されるハディ暫定政権とイランに支援されるフーシー派の争いです。フーシー派はイランの意向を汲んで声明を出すこともあり得ると言え、高度な攻撃手法と合わせてみると、米英仏独がそう判断するように、確かにイランの関与が疑われてくるのでした。イランでは、大統領よりも上位に最高指導者がおり、大統領は行政府の長にすぎず、軍の指揮権を有していません。イラン政府は関与を否定していますが、大統領の意向と異なるところで、軍隊、特に革命防衛隊（正規軍とは別の軍隊であり、1979年のイラン革命時に、旧政権下の軍隊である正規軍に対する牽制と革命成果の保持のために創設）が、何かを起こす可能性もあるのでした。

今回のドローン攻撃に、ＵＡＥも無縁ではありません。フーシー派は、9月18日に、ＵＡＥもドローン攻撃の標的リストに含まれるという声明を出しており、9月22日には、ドバイ国際空港付近で怪しい2体のドローンが認められたため、空港が15分間閉鎖されるという事態がありました。（例えば、タクシーの運転手が行き先も聞かずにひたすら家族との電話に没頭でき、受付の女性が完璧な受付スマイルを振り撒きつつも、実は手元に置いたスマホでドラマを見ている）平和なドバイにもドローン戦争の影が迫っているのでしょうか。そんなことになれば、中東のハブとして繁栄を誇ってきたドバイの全てが失われてしまう。そう思って空を見上げると、見慣れぬ浮遊物が飛んでいて、「なんだろう」と思った瞬間に、それはこちらに向かって急降下してきたのでした。

2019年11月
コーカサスのカーナビ

10月末になって、涼しくなってきたような気がしたドバイですが、気温を確認すると37度でした。まだそんなに暑かったのかと驚きますが、40度超でも「今日は比較的涼しいですねー」と言いながらゴルフをする、ドバイで浅黒い顔と猛暑適合的肉体を得た日本のおじさんたちは、やや穏やかになった気候の下、ゴルフに一層のやりがいを見いだし、中東一の名門エミレーツゴルフクラブには、多くの日本人が見られます。もっとも、ゴルフ後の日本人の多くが集うスポーツバーは、ここ最近の土日は、イギリス人らに占拠されていたのですが、その理由はラグビーのワールドカップでした。

ドバイには英連邦に属する国の人々が多く、ラグビーに興味を持つ人は少なくありません。ドバイは、毎年行われる7人制ラグビーの世界大会であるセブンズシリーズの開催地のひとつでもあるのです。日本で盛り上がっていたラグビーワールドカップは、ドバイでもラグビー好きたちの熱狂的関心を集めていました。

20のワールドカップ出場チームの中で、最もドバイに近い国はジョージアでした。2015年まで日本ではグルジアと呼ばれていたジョージアは、日本人にとって馴染みの薄い国ですが、ドバイからは飛行機で3時間半、費用も往復数万円ということで、ドバイ在住者にとっては良い旅先のひとつになっています。

ジョージアは、黒海とカスピ海の間にあるコーカサス三国のひとつで、同じくコーカサス三国に属するアルメニアとアゼルバイジャンの他は、トルコ、ロシアと国境を接しています。首都トビリシは日本の函館とほぼ同じ北緯約41度であり、明瞭なる四季があります。気温が35度を超えるドバイから、20度のトビリシに降り立てば、色づく緑があることを思い出し、涼しい風があることを思い出すのでした。ジョージアはワイン発祥の地ともいわれますが、世界遺産にも登録されているジョージアワインと、薄味で日本人の好みに合うジョージア料理は、それを目的にジョージアに来る人もいるほど、独特で価値のあるものです。

ジョージアには、Ｂｏｌｔというウーバーと同機能のアプリがありますが、Ｂｏｌｔを使って何台かの車に乗った時に驚いたことがありました。それは、（ジョージアは左ハンドルの国ですが）右ハンドル車が全て日本車だったということのみならず、その日本車の全てに日本語のカーナビが付いていたことでした。もっとも、それは初めてではありません。隣国アルメニアでも、ナビの目的地が、茨城県の土浦日大高校だったことがあったのです（本連載2018年9月「不思議の国アルメニア」）。

運転手が話しかけてきましたが、ジョージア語は全く分かりません。日本人だと言った途端に彼は「カメラ！カメラ！」と言い始めました。日本のカメラがとても好きな人なのだろうと思って、「カメラ！カメラ！」と応酬します。伝わる言葉は今のところ「カメラ！」しかないため、「カメラ！」を駆使してコミュニケーションを図るしかないのでした。しかし、思うほど盛り上がらず、彼は何か他のことを伝えたそうにナビを指さしたのです。そして「バック！カメラ！バック！カメラ！」と言います。もう全然意味がわからない、後ろから盗撮でもされているのだろうかと思いかけた時に、ふと気付いたのでした。「バックカメラ！」ナビのバックカメラの設定を確認すると、やはりオフになっていて、後退する時に映るはずの後方の映像が映らなくなっていたのでした。オンにしてあげると、彼は業務中にもかかわらず、すぐに路肩に車を止めて、バックし始め、確かにバックカメラが機能することを確かめると、また「カメラ！カメラ！」と言いながら大喜びしたのです。

日本から遥か遠い国に、こうして日本語のナビを搭載した車がたくさん走っているというのは尋常ではなく、ドバイも賑わすラグビーワールドカップや、ＣＮＮやＢＢＣが生中継した即位の礼も、日本なのだと思うと、やはり日本は特異な国なのでした。その力をもっと世界に。ゴルフをしているおじさんたちが真剣な眼差しを、ゴルフボール以外の世界に向けた時、日本が世界に貢献できることはもっと増えるに違いないのです。

２０１９年12月
ご縁と宿命

初めて買ったラグビーのユニフォームは、南アフリカ代表のものでした。ラグビーワールドカップ２０１９で優勝した南アフリカチームのユニフォームではなく、２０１５年の南アフリカ代表のユニフォームです。

出向先でちょうど南アフリカの電力プロジェクトに従事しており、多くの時間をヨハネスブルグで過ごしていた当時。ラグビーワールドカップ２０１５で日本が南アフリカに勝ち、スポーツ史に残る歴史的な日と言われたその日は、プロジェクトメンバーだった何人もの南アフリカ人から「おめでとう！」というメールが着ました。ラグビーなど見たこともなく、ラグビーのワールドカップなるものがあることも知らなかった当時は、どれほど凄いことが起きたのかも、何がめでたいのかもよく分からないままに「ありがとう！奇跡としか言いようがない」と歓喜を装って返信し、特に興味は湧かなかったものの、何かのご縁だろうということで、記念にヨハネスブルグのショッピングモールで大量に売られていたスプリングボクスのユニフォームを買ったのでした。

次のラグビーのワールドカップが日本で開催されることも知らず、そこで南アフリカが優勝することなど知る由もなかったわけですが、２０１５年に日本チームが歴史的勝利をあげた相手が南アフリカ、その４年後に日本チームが唯一負けたのも南アフリカ、さらにワールドカップ日本大会で優勝を飾ることになるのも南アフリカというのは偶然なのか。世の中には科学や理屈では説明できない何かがあるのかもしれないと、２０１５年のスプリングボクスのユニフォームは語るのです。

同じ日本人として、同じ時代に生まれ合わせるということ自体が、既に大きなご縁なのかもしれませんが、さらに同じ時期に、同じ場所、しかも海外で出会う人たちというのは、それだけ濃いご縁で結ばれているのかもしれません。

ドバイのとある和食屋には「完食してから『私これ嫌いだからキャンセルして』と言われた。完食してから『席が悪かったからお金払いたくない』と言われた。うどんを頼んだのに、麺をラーメンの麺にしてと言われ、むしろそれならラーメン頼んでと思いながら『できない』と言うと『あなたは和食のことが何も分かっていない』と言われた」などと愚痴を漏らしながらも懸命に働いている日本人女性スタッフがいました。奇遇にも、その女性は人口8万人にも満たない私の同郷の出身であることが判明しますし、いつしか辞めてしまったその店のもうひとりの女性スタッフとは、先日、日本の飲食店でばったり隣の席になったのでした。

別の和食屋には、寿司職人の日本人男性がいました。日本に一時帰国した時に、山手線に乗り、渋谷駅で車窓からホームをぼんやり眺めていると、驚くことがありました。ドバイに戻ってその店に行くと、案の定、寿司職人の彼に「渋谷駅で目合いましたよね⁉」と言われ、「『君の名は。』みたいでしたよね？」「ドバイにいるはずの2人が渋谷でたまたま車窓越しに目が合うなんて、瀧と三葉を超える運命！男同士だけど！」という会話をすることになったのでした。

今月、和食屋の同郷の女性がドバイを去ることになりました。転職先を聞くと、六本木のグランドハイアットの鉄板焼き屋だと言います。それは奇しくも少し前にドバイを去った別の和食屋のマネージャーだった男性の転職先と同じ店なのでした。2人に面識はなく、たまたまだと言います。そんなことばかり起こるのはなぜなのでしょうか。これらはドバイの和食屋のスタッフのみに焦点を当てた、ほんの一例に過ぎないのです。

ご縁を温め、繋いでいくと、いつか大きな力になる気がします。1971年12月に独立が認められるまで、「休戦オマーン土候諸国」などと呼ばれ、ベドウィンが、昔から変わらぬ生活様式で穏やかに暮らしていたに過ぎなかったこの地は、特にこの20年で恐ろしいほどの発展を遂げました。まともな名前すらもなかった砂漠地帯から、凄まじい勢いで世界有数の有名都市までになったドバイはある種のパワースポットであり、そこで育まれたご縁も何か底知れぬものに繋がっていく期待を感じさせるものなのです。

ドバイの日本人間で見られる不思議な奇遇の連続の先に何があるのか。恐らく明らかなその答えに向かって、時は刻々と流れていきます。東京ではオリンピック、ドバイでは万博が開催される2020年。ドバイにご縁のある日本人にとって極めて特別なその1年が、いよいよ幕を明けるのです。

2020年

letters from Dubai

２０２０年１月
救いを得る者

イエス様が誕生して、２０００年以上、西暦は２０２０年になりました。イスラム教国のアラブ首長国連邦ですが、外国人比率が９割のドバイには、西洋人やフィリピン人をはじめとして、キリスト教徒も少なくありません。ドバイにクリスマスはないのかと思いきや、12月は、ホテルやショッピングモールやレストランのあらゆる場所に巨大なクリスマスツリーが飾られて、クリスマスモード全開になります。聖地メッカに近いこの場所で、イエス様の誕生日であるクリスマスがここまで祝福されている。世界はやはり平準化し、ひとつの到達点に向かって、確実に推移しているのでした。

私は普段、概ね気持ちが鬱しているため、「元気?」と聞かれて、「元気だよ」と答えることは、ほとんどありません。日本では「元気じゃないよ」と言っても軽く流されるだけですが、ドバイで様々な国の人の「How are you?」に対して、「Not good」とか「Very bad」などと返してみると、国籍を問わず、概ね皆が、声を大にし、身を乗り出すようにして、「大丈夫⁉どうしたの⁉」と心配してくれるのでした。

先日、ドバイのとあるビルの受付でIDを示した際に、フィリピン人の受付女性から、「How are you?」と話しかけられました。ストレスからか、睡眠時の動悸《どうき》が激しすぎることで悩んでいる私は「心臓の調子が悪いんだ……」と、初対面の人からの「How are you?」に対して、恐らく最も不適当な返事をしたのです。案の定「え、大丈夫なの⁉」と心配が示されます。「だめかもしれない……。どうしたらいいかな……？」そう聞くと、彼女は一点の迷いも見せずに「お祈りよ」と言うのでした。「お祈り⁉お医者さんじゃなく？」「神様に祈るのよ」「え？効果あるの？」「奇跡がたくさん起きるわ」。彼女の真剣な表情は、それが恐らく真実であることを裏付けるものでした。

4年前にも全く同じ会話をしたことを思い出しました。それは、南アフリカのヨハネスブルグで、黒人運転手ジャックにホテルから会社まで送ってもらった時のことです。朝の太陽が車内を穏やかに温める中、本来、爽やかに始まるはずのその日の会話は、「おはよう、元気？」「おはよう、元気じゃないよ」「どうしたんだい⁉」から始まりました。「生きていくのがしんどいんだ……」と言って、ジャックに「どうしたらいい……？」と救いを求めると、返ってきた答えは「祈るんだ」だったのです。ジャックも、お祈りによって奇跡がたくさん起きると言いました。受付のフィリピン人女性もジャックも、２人とも、miracleという言葉を使って、お祈りの効果を説明したのです。

フィリピン人受付女性の隣で、パキスタン人のセキュリティがにやにやしながら会話を聞いていました。「あなたもお祈りするの？」と聞いてみると、彼は「もちろん」と即答しました。「あなたはイスラム教徒？」「そう。彼女はキリスト教徒で、僕はイスラム教徒。宗教は違うけど、それは重要じゃない。お祈りをすることで救われることはたくさんあるんだ」「神様に感謝を示すことが大事なのよ」「そう、神様に感謝するんだ」

受付に並んで座った2人は、もはや神の使いのようでした。キリスト教徒とイスラム教徒から、同時に、神様の尊さを諭される貴重な機会。情熱的にお祈りの素晴らしさを話す彼らは、神様を信じることで、確実に救いを得られることを教えてくれたのです。心に響くのは、彼らが神様に伝えるのは私欲にまみれた願望ではなく、感謝だということでした。

日本で、宗教と言うと、何か胡散臭いもののように感じる人が多いでしょうし、神様を信じていると公言すれば、少し距離を置かれることも少なくないかもしれません。しかし、世界中の人が宗教や神様に救いを求め、そして実際に救われているところを見ると、宗教や神様は信じるべきものなのかもしれないと思えてくるのです。日々流転し、流行り廃りの激しい世の中にあって、２０００年にもわたって、価値を持ち続けているものなど、他には中々存在していないのでした。

お酒を飲みながら、上司の悪口を言ったり、ツイッターで何か嫌なことがあったことを匂わせる意味深な発信をしたり、ＬＩＮＥで「そろそろ死のうかな」などと友人を困らせるだけのメッセージを送るのであれば、むしろお祈りをするのが良いのかもしれません。そして、負の感情よりも、感謝の気持ちを優先させるのです。２０２０年。いつか「How are you?」と聞かれて、素直に「Good」と答えられる日が来ることを信じて、お祈りを始めるのです。

2020年2月
高まっていなかった緊張

イラン軍によるイラクの米軍基地攻撃の翌日。中東行きを控える人々も多い中で、日本からドバイに帰ることになっていました。多少嫌な気はしながら、予定通り飛行機に乗り込むと、普段通りのエミレーツ航空で、ただ違ったのは、私の席であるはずの席に、インド人男性が座っていたことでした。「おい君、ここは僕の席だぞ」。そう言ってチケットを見せますが、男性は、にやにやしているだけで、言葉を発することもなく、動こうともしません。エコノミークラスをビジネスクラス以上に優雅に使える4席確保。多少凹凸があるもフルフラットで横になって眠ることができるのみならず、スクリーンもテーブルもシートベルトも4つ使え、その気になれば同時に4つの映画を見ることができ、4人分の機内食を楽しむことができる。そんな至高の4席確保をチェックイン時に確認していた私は、引き下がるわけにはいかず、男性の隣にどっかりと座って、「君の席はどこなんだ？」と詰め寄って、無事男性を放逐したのでした。小競り合いを終えて、スクリーンを4つつけ、4席確保できたことを十分な実感とともに確認しながら（嘘です）、後ろを見ると、

2つ後ろの席には、6年前からよく知る、ドバイで建築家と大学教授をされているものの、実は設計や授業よりラーメン作りの方が得意という異色日本人の方が、同じく4席確保されて座っていました。「奇遇ですね」「おお、久しぶりだな」「ご結婚されたんですってね」「誰から聞いたんだ」「忘れました」

たまたまご縁のある方にお会いする機会は尊いもので、それはせっかく確保した4席を奪い返されるリスクを冒してでも大切にすべきものと思われ、離陸直前まで、その方の隣に座って、その方の晩婚話などを楽しむことになったのでした。イランの攻撃など話題にも上りません。人は自分に悪いことが起こる可能性を過小評価するという楽観主義バイアスなる傾向の一例かもしれないものの、中東慣れしているドバイの日本人にとって、今回の米国とイランの緊張関係の高まりは、まだ対岸の火事にすぎないという認識なのでした。

最後まで4席を守り切り、席のみならず、睡眠も確保して、ドバイに着くと、その方が「財布をドバイに忘れたまま日本に帰ってたんだ」とやや衝撃的な告白をしてこられて、100ディルハム（当時約3千円）を貸したところで、一瞬ドバイの日常に戻りました。

しかし、その後すぐオマーンを経由して、カタールに向かう予定になっていたため、再び緊張状態下の中東の空に舞い戻らなければならなかったのでした。

各国の安全を確認するかのように、オマーンのマスカットを経て、カタールのドーハに着き、ドーハでの予定を終えて、空港で帰りの飛行機に乗り込もうとすると、今度はばったりドバイの日本人会野球部で親しい方にお会いすることになりました。

「本社からカタール出張止められてね」「え、不当ですね?」。カタールは、UAEよりさらにイラクに近く、ペルシャ湾を挟んだ対岸はイランであり、同国には、中東最大の米国空軍基地があり、そして、中東最大数の約1万3千人もの米国駐留軍人がいる、ということを強調すれば、危険度が高いようにも見えますが、カタールは、以前からイランとの関係を深めており(それが2017年6月から継続するサウジアラビア、UAE、エジプトなどによるカタールとの国交断絶の一因とも)、米国とイランの関係改善のために両国に働きかけを行うなど、イランとの関係は良好なのでした。「そう、だから何、訳の分からないこと言ってんだって言って、来ちゃったの」「さすがですね」「年始だし、会社のカレンダー渡さないといけないからね」「カレンダー渡すために会社の制止を振り切って……」「そういうの大事だから」

遠く離れた日本からニュースで把握する中東世界と、実際に中東に駐在する日本人が間近で感じている現実は相当違い、中東のある場所で一事が起きた時に、その他の場所も危険なものと決めつけるのは正しくなく、特に現地からの適切な情報を得た上で、危険度を判断するのが望ましいと言えます。中東で何か起きるたびに、中東が全体的に危険な状態にあると思われてしまうのは、それが日本企業のビジネス機会喪失に繋がり得ることもあって、もどかしく、電車の中吊り広告で、イラクにおける米軍基地の炎上と、お金持ちの不動産屋と結婚してすぐ離婚したという女性の炎上が、ほとんど同列で取り上げられてたりしているのを見ると、危険なのはむしろ日本の方だと叫びたくもなるのでした。

2020年3月 新型コロナ

イランとアメリカの緊張関係が小康状態に入り、世界が不安から解放されたのも束の間。COVID-19と名付けられた（ものの、日本では未だに新型コロナと、かつてのトヨタの乗用車のような名前で呼ばれる）ウイルスが蔓延する世界では、特定国民の入国が禁止され、イベントが中止され、在宅勤務が奨励され、学校が休みになり、この数十年で、疫病により世界が最も混乱させられる事態となっています。

日本企業の株価は暴落し、世界景気は冷え込み、経済に対する打撃も深刻なものになっています。

中国から遠いＵＡＥですが、両国の関係は深く、ＵＡＥには、約20万人の中国人が住んでいるといわれています（日本人は約４千人）。ドバイには、ドラゴンマートという中国国外にある中華系モールとしては、世界最大を誇る巨大なショッピングモールもあります。

中国人が増えるにつれて、ドラゴンマートも増え、現在では、その名も「ドラゴンマート2」という2号店もあります。1と2合わせて5千以上の店やレストランがあるとされるドラゴンマートでは、日用品、雑貨、衣類、家具、電化製品など、多様な中国製品を購入できますが、ドラゴンマートは、ドバイを訪れる多くの国の人々をターゲットに、中東アフリカに中国製品を展開するための見本市としても機能しているのでした。

中国人訪問客も非常に多く、ドバイで一番人が集まる場所であるドバイモールには、多くの中国人がいます。その向かいにあるブルジュカリファの壁面には時折、中国語が映し出され、ブルジュカリファの前で行われる世界最大の噴水ショーには、中国歌バージョンがあるなど、ドバイは、中国人歓迎に力を入れているのでした。

そのため、UAEでも、コロナウイルスが流行り始めた頃から、一定の警戒感はあり、エミレーツ航空とエティハド航空は、2月の頭に北京便以外の中国便を停止しています。当初は、SNSなどで拡散された「There is no need to worry. The virus would not last long because it was "made in China"」（心配しないで。ウイルスは長くもちません。だって「Made in China」だから。）などというジョークが、余裕をもって受け止められていたドバイですが、海を隔てた隣国イランでは、コロナウイルスが大流行しており、近隣のバーレーンやクウェートでも感染者が増え始め、渡航してきたイタリア人の感染が確認されるなど、穏やかでない状況になりつつあり、イベントの中止なども見られるようになっています。

21世紀に生きる私たちからすれば、病気とは、ごく一部のものを除き、治るものであり、病気の恐怖に怯えながら日々を送らなければならないということは原則としてありません。しかし、人類の歴史を振り返れば、疫病の流行は人類にとって大きな危機であり、時に戦争よりも恐ろしいものだったのでした。１３４７年からヨーロッパで流行した際には、その人口の４分の１以上にあたる約２５００万人が死亡したとされるペスト、アメリカ大陸のインディアンの人口を50年の間に８０００万人から１０００万人に減少させたともいわれる天然痘、１９１８年から19年に流行し、当時の世界人口の３割近くにあたる５億人が感染し、５０００万人から１億人が死亡したともされるスペイン風邪（インフルエンザ）、全世界で20億人が感染したとされ、日本史上に残る偉人たちの命も奪った結核など、疫病は断続的に人類を脅かし、その歴史に影響を与えてすらいるのでした。

イランとアメリカの戦争が回避され、コロナが世界を脅かす様を見ると、戦争が世界を滅亡させることを人類が知っている今、その本能は、かつてと違い戦争を求めておらず、人類の歴史が戦争の歴史だった時代はそろそろ終わりつつあるか、既に終わっているのかもしれず、人類の存続にとっての現実的な脅威は、むしろ疫病や環境問題なのだろうと感じるのでした。

ＵＡＥの近隣のサウジアラビア、クウェート、バーレーンや近くのインドでは日本人や直近で日本滞在歴のある者は、入国できなくなっており、ドバイの日本人は、日本に行くとドバイに戻れなくなるのではないかと、日本出張を控える人が増えています。しかし、「世界最大の利用客数を誇るドバイ国際空港を擁し、人の往来こそが経済の生命線であるドバイは、日本人の入国を禁じるようなことはしないに違いない」「漠然とした不安で行動をやめていては、何も成し遂げることなどできない」「祖国に帰ってドバイに戻れなくなるなら、それもまた本望」。ドバイ日本商工会議所の年次総会のレセプションで、日本企業の方と、そんな話をしながらビールを取りに行くと、出されたビールはまさかの「コロナビール」だったのでした。

2020年

２０２０年４月
新型コロナ２

冬が終わり、春がやって来ても、世界は依然としてコロナ禍のただなかにありました。感染者は増え続け、その増加速度は日に日に速まり、各国が非常事態宣言を行い、入国制限を行う国は１８０カ国・地域に達し、東京２０２０オリンピックは延期され、ドバイ万博も延期され、パンデミック、クラスター、アウトブレイク、オーバーシュート、ロックダウンと、日本におけるカタカナ用語も徐々に増え、ひと月前は、グーグルで「コロナ」を検索した時に、常に最上位に現れた株式会社コロナのウェブサイトも、厚生労働省のウェブサイトにその座を譲ることになってしまいました。

21日間の自宅待機令が出て、アルコール提供も禁止されたインドのケララ州では、コロナによる死者は1名であるにもかかわらず、アルコールが切れた禁断症状で、3日間で死者が9名も（自殺7名、シェービングローションを誤飲1名、ビールが見つからず心臓発作1名）出たり、ケニアでは、午後7時から午前5時までの外出禁止を徹底するために、警察が催涙ガスを使ったり、人々を殴打したりする中で、殴打や発砲に起因する死者が出たり、エジプトでは国内で2番目の大富豪が、地元テレビ局のインタビューで、2週間で外出禁止が終わらない場合は自殺すると宣言したりと、各国で様々な副次的混乱も生じています。

ドバイのあるアラブ首長国連邦（UAE）では、3月19日からUAE国民しか入国できなくなり、25日から全旅客便の運航が停止されて、誰も出入国できなくなり、レストラン、カフェ、ショッピングモールなどが全て閉鎖されて、娯楽もなくなり、出勤者を3割以下とする在宅勤務も推奨されて、実際に多くの企業が在宅勤務に移行し、さらに週末と、平日午後8時から午前6時までが、罰則を伴う外出禁止となるなど、インパクトの大きな措置が取られています。ドローンも動員して、国家消毒プログラムなるものも実施され、公共施設、公共交通機関、道路などに対する消毒が行われました。感染者が多い地域に医師団が送られ、住民の検査が実施されたり、一部地域が封鎖されたりもしています。道路にどれだけコロナウイルスがいるのかはよく分かりませんが、全ての道路を消毒するという発想を速やかに実現するUAEの行動力は、さすがに世界一の人工物をいくつも造り出す国だけのことはあり、そのリーダーシップには見るべきものがあるのでした。

カナダ、フランス、ドイツ、イタリア、イギリス、アメリカ。日本を除くG7の全ての国が外務省により危険レベル3とされて、渡航中止勧告となり、世界人口の4割が外出を制限される世界は、通常人の想像の域を超えるものです。人のいない公園、閉ざされたモール、空っぽの電車、真っ暗なオフィス、消毒剤を散布する全身防護服の人間。非日常な日常は、さながらSF世界のようで、1住所あたり布マスク2枚で肉弾戦を挑もうとする日本人も含め、確かに今、人類はウイルスとの全面戦争状態にあるのでした。外出できず、人にも会えず、著名人も含む多くの感染のニュースや訃報に接しながら、見えないウイルスの恐怖に怯えつつ、先行きの見えない状況に不安を募らせる日々は、全くもって不健全で、気持ちは鬱していくばかりですが、その中で敢えて救いを探せば、それは世界全体がひとつの問題に直面し、共にその解決を見いだそうとしていることかもしれません。もしかすると、元々光の環を意味するコロナは、人類の協調と、その協調により試練を乗り越えた先の一層の繁栄を暗示するものなのかもしれないのでした。

洗剤をつけて洗える布マスクが2枚、今度帰国する時には届いているのだろうかと、不覚にもわずかに胸を高鳴らせながら、人類の勝利によるコロナ禍の収束を切に願うのです。

２０２０年5月
コロナ禍と日本人の使命

ラマダンカリームというメッセージと共に、今年もまたラマダンがやって来て、ドバイで３週間続いた外出禁止令は夜間だけになりました。久しぶりに感じたドバイの日差しは、３週間前のそれよりずっと強くなっていて、何の変化もない家の中に留まっている間にも、時は流れ、季節が移ろっていたということに驚いたのでした。

当地の緩和措置にもかかわらず、同日の4月24日、日本政府は、ＵＡＥの感染症危険情報をレベル３に引き上げました。これにより、帰国時には、空港で、ＰＣＲ検査が義務付けられることになりました。さらに、（レベル２でもそうですが）健康状態に異状のない者も含め、検疫所長の指定する場所（自宅等）で14日間待機し、空港などからの移動も含め電車、バス、タクシー、国内線航空便などの公共交通機関を使用しないことが要請されます。目的が「自宅待機」である渡航は前代未聞な上に、（たまたま伝記を読んでいた）コロンブスの渡航目的である「新大陸発見」とのスケール差は絶望的であり、布マスク２

枚が届いているかは気になるとしても、今帰国しようという気にはならないのでした。

特にUAEのような厳格なコロナ対策実施国からの帰国者からすれば、恐らく日本の方が危険であるにもかかわらず、公共交通機関不使用と自宅待機を要請されることには、大きな違和感があります。UAEでの感染者数増は、精力的な検査の結果なのです。UAEの人口は1000万人弱で、東京23区の人口とほぼ同じです。UAEは、人口が日本の10分の1以下であるにもかかわらず、毎日約3万件の検査を実施し、検査総数は100万件を超えているのです。他方、東京では、1月15日から4月25日までで、9827人しか検査されていません。なんと東京での4カ月分の検査総数は、UAEの1日分の3分の1なのでした。日本全体でも約4カ月で10万件程度で、UAEにおける3日間の検査数にすぎません。PCR検査を多数行うと医療崩壊するとか、精度が高くないため多くの擬陽性者が出てしまうとかいう問題があるようですが、東京の4カ月分を、数時間で実施する国があることを考えると、さすがに少なすぎるように思われるのでした。

日本は3月2日にWHOが中国以外のコロナ重大懸念国とした4つの国（イタリア、イラン、韓国、日本）のひとつでした。ドバイでも、日本への渡航歴があるとか、日本からの出張者と会ったとか言うと嫌な顔をされ、職場や学校にも行きにくくなっていたのです。その後、４月６日の緊急事態宣言まで無措置が続きましたが、コロナはそれで懸念国から解放してくれるほど優しいものではないと思われるのでした。むしろ東京の満員電車、会社における密集度、欧米より遥かに充実し、国会議員も楽しむ歓楽街といった要素を見れば、朝から夜まで東京の危険度は世界有数であり、日本人が綺麗好きであるとか日本の衛生状態が良いとかいう点を考慮に入れても、東京の感染者数がニューヨークやロンドンよりずっと少ないとは考えにくかったのでした。

とはいえ、４月26日時点の日本の１００万人あたりの死者数は２・85人で、欧米（ベルギー６０５・58人、スペイン４９０・16人、イタリア４３６・６人、フランス３３７・59人、イギリス３０５・６人、アメリカ１６４・58人など）に比べて圧倒的に少なく、謎は深まりますが、日本人はＢＣＧ日本株により免疫が鍛えられているため、重篤化しにくいというＢＣＧ日本株有効説は傾聴に値するのかもしれません。ＢＣＧ日本株有効説の根拠は、今のところ、国ごとのＢＣＧ接種の有無とコロナによる死者数の多寡には高い相関関係が認められ、特に日本株とソ連株と呼ばれる種類のＢＣＧの接種国では、死者数が少ないというものにすぎません。高い相関関係なら「フェイスブックの利用者数とギリシャの債務残高（２００５~11年）」や「ニコラス・ケイジの年間映画出演本数とアメリカのプールでの年間溺死者数（１９９９~２００９年）」にも認められるのであり、その妥当性については、検証結果を待たなければならないとされますが、少なくともニコラス・ケイジの映画出演本数とプールでの溺死者数の関係よりは、遥かに因果関係の存在を期待させるものなのでした。

ＢＣＧ日本株は、１９２４年にパスツール研究所から分与されたものを、原型に忠実なまま継承し、独自に開発した凍結乾燥技術により、世界最高水準のものとして発展させてきたものです。もし、ＢＣＧ日本株が有効である場合、我々は先人に守られているということなのかもしれません。先人の守護の下、コロナ禍を乗り越える者には、未来のために何かを残す使命がある。腕に残るハンコ注射の跡に勇気付けられながら、再び外の世界へと足を踏み出すのです。

2020年6月
リーダーシップとインシャーラ

インシャーラ（In' Sha Allah）。イスラム世界でよく耳にするその語は、「神が望むなら」という意味のアラビア語で、現地人が約束をする際などに使われます。「打ち合せ、明日10時からでお願いします」「インシャーラ（神が望めば）」。「この訴訟勝てるでしょうか」「インシャーラ（神が望めば）」。「また近いうちに会いましょう」「インシャーラ（神が望めば）」という具合です。「ふざけてるの⁉」「自ら望んで！」「そんなに会いたくないの……？」などと言いたくなりますが、将来のことについては、（神のみが知るのだから）インシャーラという留保なく、約束してはならないというイスラム教の教えに基づくものなのでした。

だからと言ってインシャーラと言われてしまうと、約束できたのかがよく分からない上、約束が破られた場合に「神が望まなかったのである」という逆に守らない方が正義であるかのような究極の抗弁を許すことになってしまい、困ったものですが、インシャーラは、「了解」や「喜んで」というようなポジティヴな意味で使われていると言う現地人もいます。親に宿題をしなさいと言われた子供が「インシャーラ」と言う場合、子供の意図としては、「神様が望めばね」という小生意気なものではなく、「承知したよ、お母さん」なのでした。

コロナ禍の中、UAE連邦政府と各首長国政府は様々な措置を打ち出し、実行していきますが、その発表はいつも急です。「明後日の午後12時からビザ保有者も入国禁止にします」「48時間後からレストラン、カフェ、モールなどの営業は停止とします」「(3月22日夜に)3月25日からエミレーツ航空の全フライトを停止します」「明日以降午後8時から午前6時まで外出禁止にします」「明日から外出禁止を24時間にします」等々。エミレーツ航空の突然の停止には、3月末ということもあって、多くの駐在員が帰任不能に陥りましたし、24時間外出禁止は、前日午後9時頃にニュース配信されたため、朝起きたらいつのまにか完全ロックダウンになっていたという人も少なくなかったのでした。

急であろうが、ころころ変わろうが、政府が決めたのであれば絶対で、国民にそれを批判する権利はありません。さすがの絶対王政ですが、政府が民意を恐れることなく、自らが正しいと判断する措置を迅速に採ることができる制度は、リーダーが優れていれば、むしろ合理的とも感じるのでした。そして、それを世界で一番高いビルや世界で一番大きな人工島が証明しているようにも思えるのでした。

例えば、日本では中々実現しないオンライン授業ですが、UAEでは、3月3日に学校が閉鎖されると同時に、春休みの前倒しと3月22日からのオンライン授業開始が発表され、2週間で先生のトレーニングが行われ、実際、3月22日からオンライン授業となりました。「2週間で、学校と先生が準備を完了するとか無茶でしょ?」「まともな授業にならないのでは?」「PCない子はどうするの?」など、不安要素は幾多も想定されますが、何事も為せば成るのでした。

そして、困った時のインシャーラ。イスラム世界では、起こる出来事は、全て神の計らいであり、受け入れるしかないのです。将来を最終的に神に委ねる考え方は、判断者に思い切りを与え、また、判断の影響を受ける大衆にも、精神的潔さを与えるように思います。確か人事が尽くされた以上、天命を待つしかなく、天命が下れば、従うしかないのです。確かに宗教は、人々に救いを与えるとともに、極めて有効な統治の手段なのでした。

「来週の懇親会ですが、本日中に人数を確定する必要がありますので、ご連絡をお願いいたします」「出席します。インシャーラ」「欠席します。インシャーラ」「出席します。インシャーラ」「一体どっちなんだよ！」。何事も一長一短ですが、神の加護を信じ、人知の及ばない部分はさっさと神に委ねて、次々と新しい措置を繰り出すリーダーの思想は「おれには天がついている」――そうした自負心を持ち、命を懸けて新時代を創った明治維新の英雄たちの思想とも通じるようにも思えるのでした。コロナが変化を加速させた世界。取り残されないためには、迅速な判断が必要です。ウイルスに怯えながら、判子を押すためだけに会社に行かなければならない国は、今後も世界の最先端に位置できるのでしょうか。インシャーラ。いえ、このままでは、その国の未来は神様でなくても見通せるように思えるのでした。

２０２０年７月
紫色の世界

連日最高気温が40度を超える日々。益々強くなる日差しの中で、人為的に植えられた植物たちは、微風を受けて、苦しげに葉を揺らしています。紫外線や温度や湿度に弱いといわれるコロナウイルス。ＳＡＲＳやインフルエンザのように、夏に向けての沈静化が期待されたものの、ＵＡＥを含む湾岸諸国では、35度を超え始めた４月以降も、感染者数は増加の一途で、夏になることによる収束の期待は、既に打ち砕かれていたのでした。確かに、外が暑すぎる分、ＵＡＥの室内はエアコンが強烈に効いてむしろ寒いくらいであり、コロナの活動場所は失われていなかったのです。

ＵＡＥは人口あたりの検査数が世界最高であり、毎日３万件から４万件という大規模な検査が行われていますが、感染者数は中々減りません。その主な理由として、低賃金の外国人労働者が部屋を共有しつつ、密集して住む地域の存在があります。ＵＡＥの人口の５割以上を占める南アジア人（２０１９年のある統計では、インド人28％、パキスタン人13％、バングラデシュ人7％、ネパール人3％、スリランカ人3％）の多くは、複数人で部屋を共有して住んでいます。そのため、1人が感染すれば、同居人が皆感染し、隣の部屋にも伝染し、という具合にねずみ講式に感染者が増加する環境があるのでした。シンガポールでも、コロナ患者の9割超が同様の状況にある低賃金の外国人労働者であるという報道がありましたし、最近感染が大爆発しているインドでも、貧困層が密集して生活するスラムでの感染者が多いと言われています。コロナ感染リスクの程度は、貧富の差により、異なるのです。

UAEの外国人として4番目に多いフィリピン人（6％）も同様です。先日「フィリピンの高校に通う18歳のいとこのボーイフレンドは、95歳の日本人です」という驚くべき話をフィリピン人から聞きましたが、フレンドかもしれないものの、確実にボーイ（少年）ではない日本人の彼と、フィリピン人の彼女の間を取り持つのも、貧富の差であり、グローバル化により、世界の平準化が進み、格差は縮まりつつあるとは言え、問題視すべき貧富の差は今なお厳然と存在しているのでした。

外務省による感染症危険レベルを示す世界地図を見ると、全て濃い紫色と薄い紫色で塗りつぶされており、世界の終わりを連想させます。濃い紫はレベル3（渡航は止めてください）、薄い紫はレベル2（不要不急の渡航は止めてください）ですが、ほとんどの国が濃い紫となる中で、レベル2を誇っている国は、指導力か医療水準がよほど優れているのだろうかと見ていくと、中東では「イエメン、シリア、イスラエル、ヨルダン」、アフリカでは「リビア、スーダン、チャド、マリ、ソマリア、コンゴ共和国、ニジェール……（略。30カ国）」と、イスラエルとヨルダンを除き、逆に、データがきちんと取れていない国や、十分な検査ができず、感染者を把握できていないであろう国だったのでした。東アジアに目を移せば、未だ感染者数ゼロの奇跡の国北朝鮮だけが、唯一薄紫色を誇っています。各国による公表データを基準に当てはめた結果でしょうが、「イギリスやフランスに行ってはいけないのに、内戦中のシリアとイエメンに行って良い」とか「韓国や台湾に行ってはいけないのに、北朝鮮には行って良い」というのは、どう考えても不合理なので、この際一律にレベル3にすれば良いのにと思うのでした。

健康と経済のどちらを優先するかに苦慮する各国ですが、夏場の観光ビジネスの機会を重視したスペインやトルコは、ＰＣＲ検査も入国後の隔離も不要として、大胆に国を開けることを選択しました。そして、観光が主要産業であるドバイも、7月7日からの外国人の受け入れを決定したのです。これはそのわずか3日前にＵＡＥ政府が出したＵＡＥ国民・居住者に対する入国緩和措置の内容を完全に覆すもので、「ＵＡＥ政府とドバイ政府の関係一体どうなってるの！　すり合わせして！」というざわめきを引き起こしましたが、コロナ拡散防止と経済の両立という難題に対して、なるほど確かにという合理的結論を出してくるのは、さすがドバイなのでした。具体的には、入国者は、入国前96時間以内か、ドバイの空港でのＰＣＲ検査が義務付けられ、陰性であれば、隔離なく活動可能できるとされる一方、陽性であれば14日間隔離というものです。アプリのダウンロードが義務付けられ、入国者は追跡されるため、陽性者が市中でウイルスを拡散させるという事態も相当程度防止できるのでした。

そして、時を合わせて、ついにエミレーツ航空の日本便が復旧することになりました。「早くコロナが収まりますように」――7月7日七夕の夜に、久しぶりに日本の空を飛ぶエミレーツの飛行機。翼を取り戻した英知の結晶が、再び空に轟音を響かせれば、それはウイルスへの反撃の合図なのです。

2020年

2020年8月
王のビジョン

東京でオリンピックが行われる日々が何事もなく過ぎ去る中、UAEは、今年も日本人駐在員が日本に向けて気温自慢をし始める季節を迎えました。ウイルスも暑さに耐えかねるのか、7月に入ってから、明らかに感染者数は減っています。人口あたり世界最多の検査数を誇るUAEの1日あたりの検査数は、3万〜5万件で、人口規模が同等の東京の約10倍に及びますが、感染者数は、東京と同程度の200〜300人台に留まっており、重症者はわずかです。相棒のインド人ドライバーも「コロナ、フィニッシュ。コロナ、フィニッシュ」と繰り返す状況になり、華美なパーティードレスを着た女性たちを目にすることも増えてきたのでした。

アブダビと違って、石油はほとんど採れず、観光を主産業とするドバイにとって、観光客の往来が止まることは、血液の循環停止とも言い得る大問題であるはずです。しかし、ドバイは、気温上昇により、自然収束するのではないかという期待もまだあった3月下旬から4月上旬に、外国人の入国禁止、旅客便の全便運航停止、24時間完全外出禁止と思い切った措置を次々と取ったのでした。連邦制を採用し、7つの首長国によって構成されるUAEですが、コロナに対する措置は、基本的に首長国ごとに取られています。UAEの中で、完全ロックダウン措置を採ったのは、ドバイ首長国だけでした。ドバイは、4月初旬、感染者数が多かった外国人労働者が密集して住むエリアを速やかに閉鎖し、住民について、6千件以上の強制検査を行い、1カ月でそのエリアの感染者数をゼロにして、閉鎖を解きました。ロックダウン解除後、外出規制や飲食店やショッピングモールの営業制限も徐々に解除し、7月には予定通り、エミレーツ航空を大幅に復旧させたのです。外国人の入国も認められるようになり、PCR検査で陰性なら隔離の必要もありません。ドバイは今、海外との往来自由、PCR検査で陰性である限り、入国後の隔離不要という、世界の中でも、先進的な状況にあるのでした。他首長国では、引き続き入国後に14日の自主隔離が必要であり、ドバイだけが進んでいます。

現在のドバイの状況は、政府の迅速かつ大胆な意思決定の成果と見るべきと思えます。ビジネスでもスポーツでも、優れたリーダーは、傍からは博打的とも見える采配を次々と成果に繋げるものです。１９９０年代まで高層ビルも何もなかったドバイを、世界的な未来都市に変えた現在のドバイ首長は、今回のコロナ禍における対応を見ても、只ならぬと感じるのでした。

７月20日。今回でちょうど丸３年となるドバイ便りが、もはやコロナ便りとなってしまっていることが激しく憂慮される中、天候不良で２度打ち上げが延期されたアラブ諸国初の惑星間探査機が、無事打ち上げられました。火星探査機を開発したのはＵＡＥで、打ち上げたのは三菱重工のＨ２Ａロケットです。このミッションを主導したのも、やはりドバイ首長なのでした。ドバイ首長は、２１１７年までに火星に最初の都市を建設し、人類を移住させるという計画すら有しています。軽井沢移住計画やハワイ移住計画ではありません。火星移住計画です。そのスケールは、一首長国の王というより、もはや人類の王なのでした。宇宙産業どころか、製造業すらこれからというＵＡＥで火星移住計画とは、野心的に過ぎるのですが、そうも明確に宣言されるとどこか現実味を帯びてくるのでした。実際、２０１７年の計画発表から３年後に、ＵＡＥの火星探査機が宇宙に飛び立ったことを思えば、単なる夢物語ではないのかもしれません。石油が採れないドバイの発展は、オイルマネーによるものではなく、王様の示すビジョンによるものなのです。たった一人の人間の示す道標が、世の中を変え得るのだということを、ドバイは教えてくれるのでした。

種子島から日本製のロケットで飛び立った火星探査機はその名も「ＨＯＰＥ」。コロナ禍で疲弊した世界を脱し、別世界に向かおうとする探査機の存在は、まさに希望なのでした。ＵＡＥがその大きな一歩を踏み出すパートナーに選んだのは、日本です。希望がないと言われて久しい日本ですが、日本には、他国の希望を担うだけの力があるのでした。コロナで花火を打ち上げられなくなっても、ロケットを打ち上げることはできる！　大志を抱くことができるのは、王様だけではありません。多くの日本人が人類的規模の志を抱くことができるなら、日本は、再び世界への際立った貢献を果たせるに違いないのです。

2020年9月繋がるようになった電話

コロナ禍で明るいニュースが中々届かない中、数カ月前から届くようになったのは、トランプ大統領からのメールでした。「会いましょう」「こんなお願いをするのは初めてです」などと、米国大統領が一民間人に送るにしては大胆なタイトルが付され、やや物憂げなトランプ大統領の顔写真が付されたそのメールは、「あなたが選ばれました」「今日がラストチャンス」などという、およそ大統領が発するものとは思えない言葉と共に、必ず献金を求めてくるのでした。時に「父があなたを必要としています」として、「Donald Trump Jr.」からメールが送られてくることもあります。突っ込みどころしかない、明らかなフィッシングメールですが、定期的に送られてくるところを見ると、引っかかる人もいるのでしょうか。確かに、メールに貼り付けられたトランプ大統領の写真を見ていると、この人ならこんなメールを送ってくることもあり得るかもしれないという気はしてくるのでした。

2020年8月13日。そのトランプ大統領の仲介で、イスラエルとUAEが国交正常化に合意しました。これまでアラブ諸国でイスラエルと国交があったのは、イスラエルの隣国であるエジプトとヨルダンだけでしたが、湾岸諸国の中で、ＵＡＥが初めてイスラエルと国交を正常化させることになったのでした。突然の発表に当事国であるＵＡＥでも驚きが広がりましたが、今回の合意は、ＵＡＥにおけるビジネスという観点からは、思わず献金リンクをクリックしてしまいそうになるほど、喜ばしいものです。多くの外国企業は、ドバイに中東アフリカの統括拠点を置いていますが、これまでは直行便もなく、ドバイからイスラエルをカバーすることは容易ではありませんでした。今後直行便の運航が開始することになれば、ドバイに中東統括拠点を置く合理性は一層高まるものと思われるのでした。

もっとも、中東情勢は、これで平和が促進されるというほど単純ではなく、パレスチナ暫定自治政府は、ＵＡＥに強い非難を表明し、イスラエルともアラブとも対立するイランや、イスラエルと国交を有するものの、パレスチナ支援に力を入れているトルコも、「戦略的愚策」「偽善的行為」などと過激な言葉で否定的な意見を表明したのでした。「パレスチナの大義を裏切るＵＡＥの偽善的行為を歴史は忘れず、決して許さないだろう」などと、予言含みで仰々しく激怒するトルコについては、「おい、君たちもイスラエルと国交を有しているだろう！」と言いたくなるところですが、宗教や民族だけでなく、近隣国との関係性も含めて、諸利害が複雑に絡み合う中東における完全和平の実現は、そう容易なものではないということを改めて感じたのでした。

世界を驚かす唐突な合意でしたが、ＵＡＥは近年イスラエルとの融和を図ろうとしており、コロナ禍の中でも、両国の接近は顕在化していました。まず5月に、ＵＡＥからイスラエルへ歴史上初めて直行便が飛び、パレスチナ支援のための医療物資がイスラエルに届けられ（もっとも、パレスチナ側はＵＡＥがイスラエル側との事前調整しかしなかったことに怒り、受け取り拒否）、また、6月には、コロナウイルス対策を含む中東地域の保健セキュリティの向上に資する分野におけるＵＡＥ・イスラエル両国企業の協力が発表されていたのです。

国際電話における国番号が９７１のＵＡＥと、９７２のイスラエル。番号が隣り合うにもかかわらず、繋がらなかった電話は、ついに通話が可能になりました。両国の国交正常化により、今後何が起きていくのかは定かではありませんが、コロナ対策でも高く評価されている両国の協調は、中東情勢を次の段階に進め、人類の未来にも貢献し得るものになるかもしれません。前進したはずのアラブとユダヤの関係。パレスチナには裏切りと罵られた今回の国交正常化ですが、長期的に見れば、パレスチナ問題の解決にも資する可能性もあります。971と隣り合うもうひとつの国番号は970。現在未使用のその番号は、パレスチナ自治政府の予約番号なのでした。奇しくもパレスチナとイスラエルの間にあるUAEの国番号。それはUAEが、イスラエルとパレスチナの架け橋となる宿命を暗示しているのかもしれません。

2020年10月
ドバイの鳩

空の端を橙色に染めながら、東から昇りつつある太陽が、土漠に突き出た高層の建造物群を照らし始め、地球が誕生して以来、何度繰り返されたか分からない一日が、また始まりを迎えます。気付けば、朝の空気は、心地よいと感じられるほどの温度になっていて、太陽の軌道も変わり、部屋の中のこれまで日が当たらなかった場所に、光が射しているのでした。

朝日を浴びた建物の屋根の上で、数羽の鳩が、毛繕いをしています。世界中のどこにでもいる鳩ですが、ドバイで毛繕いをする鳩が、なぜこの過酷な環境下で生を送ることになったのか。それは恐らくただの歴史的偶然であり、いつかドバイに居ついた先祖たちが、子孫たちの現在を運命付けたものなのでしょう。

ドバイの9割を占める外国人。異国人である彼らであり我々がこの地にいる必然性はありませんが、やはり先祖か自らにご縁があり、この地で暮らすことになったのです。ドバイで異なる国籍の人たちが出会い、結婚して家庭を持つ例も少なくありませんが、そもそもが、混血であったりして、例えば、同じフィリピン人といっても、先祖に白人がいたり、東アジア人がいたりしますし、カナダ人であるものの、ルーツはレバノンだという人に出会ったりもするのでした。

いつか世界に国という枠組みがなくなることもあるのかもしれませんが、各国の生活水準が上がり、世界のどこででも豊かな生活を送れるようになれば、自国以外の国で暮らすことはより増えるでしょうか。既にドバイでは、職を探す者が極めて多国籍であるのみならず、その経歴も、ひとつの国に留まらず、複数の国にわたるのが普通なのでした。

8月。久しぶりに訪れたドバイの空港には、ほとんど人はおらず、コロナ対策のため、透明なついたてが立てられたカウンターには、制服を着た白人の男性が座っています。「行き先はどこですか?」「成田です」「ＰＣＲ検査の結果は?」。日本渡航にＰＣＲ検査は求められないはずですが、日々状況が変わりますので、にわかに狼狽します。「必要ないはずですが……」「必要です」。男性はそう断定するのです。「嘘だ。誰が言っているのですか」「日本政府」「日本政府はそんなこと言ってない！」「いや、言ってるって」あたかも日本政府から直接聞いたかのような自信に溢れた物言いは、一層の不安を煽るものでした。男性は嘲るような笑みを浮かべながら、どこかに電話をかけます。「まさか飛行機に乗れないのか……」ところが、男性は電話を終えると、何も言わずに発券を行い、そのまま無言でチケットを差し出したのでした。ドバイだとあまり違和感はありませんが、仮に、成田空港で「お客様、スペイン入国にはPCR検査が必要とされております」「誰が言っているのですか？」「スペイン政府でございます（勝ち誇ったように。しかし、実は嘘）」という会話を平然と行う職員がいた場合、社会問題化しかねない重大事になるでしょう。

UAE帰国時。ドバイでは、8月から、出発前96時間以内の検査によるCOVID-19陰性証明が要求されており、検査を受ける必要がありました。近くの病院が実施するのは唾液検査で、国によっては、唾液検査を受け付けないとも聞きましたが、「ドバイの場合、仮にそうであったとしても必ず入国できる」と思い、唾液検査を受けたのでした。UAE帰国後、たまたまドバイの総領事館から来たUAE入国時の注意事項を見ると、「検査はP

CR検査（鼻腔検体からのポリメラーゼ連鎖反応検査、Polymerase chain reaction（PCR）swab test）である必要があり、唾液や抗体検査等は受け付けられません」とあるではないですか。「まさか……。でもやっぱり入国できた……」。さらに、注意事項には「また、UAE国外からドバイに渡航する際には新型コロナウイルスの治療費を賄える海外旅行保険に加入していること、健康申告書に記入すること、専用アプリをインストールすることなどが求められます」とあるのですが、確かに機内で申告書は渡されたものの、ドバイでの提出機会はなく、アプリのインストールも求められなかったのです。記入を求められるのに、提出を求められない申告書は、初めて見ましたが、それでもやはりドバイではあまり違和感はないのでした。

コロナで国家間の移動が困難になり、アゼルバイジャンとアルメニアが領土を巡って争うなど、国という垣根はまだ厳然と存在し、各国には個性があり、PCR検査が不要なのに必要だと言われたりもします。しかし、それでも人類は、国を超え、融和する方向に進んでいるのでした。

少し高く昇った日の光を浴びて、またどこからともなく鳩が飛来し、屋根の上に止まりました。鳩は、コロナ禍であろうがなかろうが、気ままに空を飛び、それが世界のどこであれ、気に入った場所に住処を作るのです。そうです。鳩には、別に昔から国境なんて存在しないのでした。

2020年

２０２０年11月
フェイスシールド

季節感乏しく、時がのっぺりと流れていくドバイでの1年は、日本の1年よりも短い感じがしますが、コロナ禍の中での時の流れは一層速く、気付けば今年も終わりが近づいているのでした。この1年にしたことと言えば、手洗いとうがいばかりで、人に会い、新たな機会に接することができないもどかしさに、気持ちが鬱したりもするのでした。

コロナ禍の中、ＺｏｏｍやＴｅａｍｓなどのオンラインでの面談が一般化し、参加者の居場所にかかわらず、協議を行えるようになったことは良いことですが、人間に備わるオーラのようなものを伝達できる技術はなく、映像と音声を通じたコミュニケーションでは、空気や間合いの把握も難しく、やはり対面でなければ伝えにくいものや、伝わりにくいものもあるのでした。

「フェイスシールドをして飲みましょう」とは、日本帰国時に、ご家族のコロナ対策が厳格な方から頂いたご提案でしたが、もし会っていただけるのであれば、喜んでと思ったのでした。ただでさえフェイスシールドを着けながら外食をすることには、覚悟が必要でしたが、その後、店が「鴨鍋屋」になったことで、イベントとしてのハードルは一層上がりました。鍋は、フェイスシールドを着けながらする食事の中で、最も難度が高いものかもしれません。立ち上る湯気で、真っ白に曇ったフェイスシールドを装着し、ふうふうと鴨肉を口に運ぶ二人組は、どう考えても常人に見える余地はないのでしたが、それでも会わなければ共有できないものがあるのでした。

秋が深まり、冬が近づき、予想されていたように、世界中でコロナ感染者が激増してきました。皆がフェイスシールドを着けて、鍋をつつく世界であれば、こうはならなかったかもしれませんが、世の中はそう単純ではないのでした。再びロックダウンに入る国もある中、逆にドバイでは、パーティーに関する人数制限が弱まり、結婚式は200名まで、ホームパーティーは30名まで可能と、日本人感覚では、あってないような規模の制限になりました。ＵＡＥの感染者数は増えているものの、それは、対人口比世界一のＰＣＲ検査数のせいでもあり、検査数は現在1日10万件以上に達し、ついにその総数は1千万件を超えて、

ＵＡＥは世界で初めてＰＣＲ検査総数が人口の数を超えた国になったのでした。

世界初のコロナワクチンは、ロシアのスプートニクＶでした。その名は、１９５７年にソ連が打ち上げに成功し、西側諸国にスプートニク・ショックと呼ばれた衝撃を与えた世界初の人工衛星の名前にちなんだものです。わずか被験者数38人で国家承認されたともいわれ、「大統領の娘も接種したから問題ない」と安全性を強調されるそのワクチンは、63年前とは異なる意味で、世界に新たなスプートニク・ショックを起こしました。その効果はまだ定かではありませんが、ＵＡＥはこれにも迅速に反応し、ロシア以外で、スプートニクＶの臨床試験を行う世界で2番目の国になったのでした。

コロナ禍でも、ＵＡＥには不思議と勢いがあるのです。7月に、アラブ初の火星探査機の打ち上げに成功すると、9月には、２０２４年までにＵＡＥ人とＵＡＥ製の月面探査機を月に送る計画を発表しました。8月13日には、イスラエルとの国交正常化合意を公表しましたが、両国は9月15日に二国間協定に署名を行い、平和と経済分野での協力を約束しました。

10月12日には、ドバイの港を出航した貨物船が、イスラエルの港に歴史上初めて到着し、10月19日には、UAEアブダビを本拠地とするエティハド航空の旅客機が、こちらも旅客機として初めてイスラエルのテルアビブに到着しました。来年1月からは、両国間で本格的に直行旅客便が運航を開始することが予定されています。傍からはトランプ大統領のパフォーマンスにすぎないようにも見えた両国間の国交樹立は、賛否両論の中、早速活発な交流を生み出し、アラブとユダヤの関係は、明らかに新しい段階に進んでいるのでした。

奇しくも、10月23日、日本でも来年、13年ぶりに宇宙飛行士が募集されることが発表されました。米国主導の有人月探査計画「アルテミス計画」への参加のためであり〝選ばれる方は〟日本人として初めて月面着陸する可能性もあるようです。コロナが終わった後に必要になるのは、鴨鍋用のフェイスシールドではなく、月面用のフェイスシールド。新時代への下準備はきっとそろそろ終わるのです。

2020年12月
冷やし中華と天下泰平

　ある日、引き寄せの法則により、願っていただけで、ピアノを2台も無料で入手したという書き込みをネットで見て、引き寄せの法則ってやっぱりあるんですねと、お昼に秘書さんにその話をしました。空腹の絶頂にあり、冷やし中華が食べたくなったため、「冷やし中華、引き寄せられないかな」と呟いてみたのですが、そう容易に引き寄せられるはずもなく、「弁当屋」と言う名前の弁当以外も売っているドバイの和食屋に、冷やし中華を注文したのでした。

　ところが、冷やし中華を注文したにもかかわらず、ちらし寿司が届きました。電話すると、フィリピン人の女性店員が出て「あなたが頼んだのは、チラシジューシです。ヒヤシチューカではありません」と言うではありませんか。日本人感覚では、「ちらし寿司」と「冷やし中華」を聞き間違えることは、まずないと思われましたが、「チラシジューシ」と「ヒヤシチューカ」と言われてみると、確かに、どことなく似ている気もするのです。

う、うーむと、酌量の余地が生まれましたが、やはりちらし寿司と、冷やし中華は、カテゴリーがご飯物なのか麺類なのかというところから、絶対的に違うものですので、「言い間違えるなんて、あり得ない。そもそも『チラシジューシ』じゃなく『チラシズーシ』だ」と反論したのです。その結果、「ごめんなさい。では、次回ヒヤシチューカを無償で提供させていただきます」ということになりました。結果として、後日とはいえ、また、数十万はするであろうピアノに比して、麺類という随分些細なものではあるものの、無償で冷やし中華を入手することはでき、引き寄せの法則の成功事例となったのでした。

ちょうど1年前。本連載2020年1月「救いを得るもの」で、キリスト教徒のフィリピン人女性とイスラム教徒のパキスタン人男性や、南アフリカのキリスト教徒のジャックに、神に祈ることで、奇跡がたくさん起こると教えてもらったことを書きました。彼らが語る奇跡とは絶対にもっと高尚なものでしょうが、実際に、冷やし中華を引き寄せられたことからしても、確かに願うことで、奇跡が起こることはあるのだと思います。念ずれば、時に叶うのです。

昼食用冷やし中華には、どう考えても明らかに公益性は認められませんが、経験上、念ずれば叶うという現象は、公益的なものを願った時に、より働くような気がします。公益的なものを願うとは、世の中に対する自己の使命を認識し、その達成を願い、行動する時と言い換えられるかもしれません。例えば、松下幸之助氏は、その使命を、日本から貧困をなくすために、生活物資を水道の水のごとく無尽蔵たらしめることに設定し、それを実現しましたが、丁稚から経営の神様とまで言われるようになった奇跡的成功は、そうした使命感が、他力を働かせた結果なのではないかとも思えるのでした。また、徳川家康公は、「厭離穢土欣求浄土《おんりえどごんぐじょうど》」を戦の際の旗印にしていました。「けがれた地を離れて、極楽浄土を求める」というこの語は、聖戦による殉死で天国行きが保証されると考えるイスラム教徒の自爆テロ集団のスローガンかとも思えますが、家康公は、「厭離穢土欣求浄土」を、戦乱の世を終わらせて、泰平の世を到来させるという絶対的使命を表すものとして掲げていたのでした。徳川家康公の天下統一は、もっぱら強運によるものと言われることもありますが、ここで運と呼ばれるものは、実はそうした使命感が引き寄せた必然であり、利他的な天下泰平の使命感を強く抱いていた家康公だからこそ、その恩恵に預かれたのではないかとも思えるのでした。

関ケ原で敗れた石田光成の旗印は「大一大万大吉」で、「一人が万民のために、万人が一人のために尽くせば、皆幸せになれる」というような意味のようですが、自らが必ず戦国時代を終わらせて、泰平の世を築くという決意を表明する「厭離穢土欣求浄土」とは、使命感の度合いが全く異なり、その観点からも、見えない力が味方するのは、東軍であるはずなのです。

コロナ禍で、現実を悲観しがちな日々が続きますが、自らの使命を見定め、その達成に向けて、行動すれば、恐らく病に打ち負けることもなく、その使命は果たされるのでした。私心によって、引き寄せてしまった冷やし中華を思い出しながら、来年は、中華だれに浸った麺のように、己を没する覚悟で奉公しなければと、決意を新たにするのです。

2021年

letters from Dubai

2021年1月
初老からの世界帝国

コロナウイルスで、世の中が停滞する中でも、時は容赦なく進行し、また新たな年がやって来ました。年末に「迫りくる老いを語りましょう」というメッセージと共に「お誘い：新年初老の会」と題するメールが来て、2021年最初の会合は「新年初老の会」となりました。「初老の会」に声がかかるようになったのかと愕然としましたが、調べてみれば、初老とは本来40歳のことを意味するようで、実のところ自分は全くの初老だったのでした。

弁護士になりたての頃、同じチームに「先生みたいなお兄ちゃんが欲しかった」と20代の私に言ってくださる50代の女性弁護士の先生がいらっしゃいました。先生は時折、オフィスの私の部屋の前にお越しになり、「私もう年なのよ……。ちょっとこのお仕事手伝ってくださらない？ゼイゼイ」と、荒い呼吸音を演出されながら、おっしゃるのでした。「昨日も朝5時まで働いていたのよ。この年で……。なんとかしてくださらない……。ゼイゼイ」。そんなこと言われたら、断るわけにもいかず、先生とはよくお仕事をご一緒したのでした。[illegible]でばったり先生に会うと、先生は「聞いてくださる？」と、唐突に「道を歩いていたらめまいがして側溝に落ちて、足をくじいた」というお話を始められました。「お医者さんに『歩いていて、側溝に落ちるなんて初めて』と言ったら、『これからは初めてのことばっかりですよ』って言われたのよ[illegible]よ」。自虐的大爆笑を放たれながらも、老いに対する恐れと落胆を垣間見せられた先生。その時は全く他人事だった老いるということが、既に我が身のこととは、光陰矢の如しも甚だしなのでした。

初老の会に呼ばれるようになってしまったし、この先、年月を経ることで、肉体の機能を失い続け、時に側溝にも落ちるようになるとすれば、絶望的でしかありませんが、米国CIAの調査によると、２０２０年の日本の平均年齢は48・６歳であり、40代前半であれば、日本ではまだまだ平均以下なのでした。この日本の平均年齢はモナコの55・４歳に次いで世界2位なのですが、同じくCIA調査による人口千人あたりの出生者数のランキングでは、日本は7・３人で、世界２２６位であり、世界ワースト4位なのです。日本は驚異的な少子高齢化社会を経験中であり、何らかの対策が必要ではないかと思われる状況にあるのです。40代で老いを嘆いて、活力を失っている場合ではないのでした。

何歳からでも活躍できるという例として、65歳でフランチャイズビジネスを始めて世界的な大成功を収めたケンタッキーのサンダース氏の話が有名ですが、ファーストネームだけで世界史に名を轟かすことができる大偉人、預言者ムハンマドが神の啓示を受けるようになったのは40歳頃だということも、老いつつある人々に希望を与えるかもしれません。

預言者としての活動を開始する前、ムハンマドは、メッカで家族と共に普通の生活を送っていただけだったのです。それが、610年頃、サウジアラビアのとある洞窟で天使の声を聞き、徐々に使命に目覚めたのでした。その後の活動により、彼の言行は、1400年経った今でも、人々に大きな影響力を持つものとなり、布教開始後の3年で30名ほどだったといわれるイスラム教徒は、今や18億人に達し、なお増加の一途を辿っているのでした。ドバイでイスラム教徒に会えば、その多くがムハンマド氏で、電話で「ムハンマドです」と言われても、「どちらのムハンマドさんですか！」となるのですが、現在、男性の名前として、世界で一番多いのはムハンマドなのでした。

人間の平等を説いたイスラム教は、裕福な大商人が支配層だったメッカでは歓迎されるものではなく、ムハンマドは、迫害を受けました。その結果６２２年に、メッカからメディナに移住せざるを得なくなります。一見不遇な移住ですが、メディナへの移住後、イスラム教は発展し、その移住は聖遷（ヒジュラ）と呼ばれ、６２２年はイスラム暦の元年とされます。ムハンマドはメディナでウンマと呼ばれる共同体を形成して、イスラム教の戒律を確立させると共に、信者を増やしました。その後、いくつかの戦いを経て、６３０年にメッカを奪還し、他部族も従えたムハンマドは、史上初めてアラビア半島を統一するのです。やがてイスラム教徒は、大帝国を築くことになります。

聖遷時、既に50代であったムハンマドが、人生後半で成し遂げた世界史的大偉業を想えば、人は、年齢にかかわらず、その役割に邁進するのみなのでした。６２２年を1年目とすれば、２０２１年は聖遷からちょうど１４００年目の特別な年です。ムハンマドが初老で使命に目覚め、偉業を成したことからすれば、「新年初老の会」でこの1年を始めるのは、実は比較的正しいのではないかとも思えてきたのでした。

２０２１年２月
江戸時代だった日本

日本では、帰省者に石が投げつけられ、その家の壁に落書きがされたりする中、「盛大な花火は軒並み中止、鑑賞は自宅で　世界の年越し様相一変」という見出しで、世界各都市での年越しイベントの中止を伝えるＣＮＮ日本語版のウェブサイト。「英ロンドン『英イングランドに厳格な外出制限がかけられる中、ロンドンを彩るテムズ川上空の花火は中止になった』」「米ニューヨーク『タイムズスクエアでは毎年恒例のボールドロップや祝賀イベントが実施されるが、一般客の立ち入りはできない』」「ブラジル・リオデジャネイロ『花火は中止になり、人混みを避けるためにビーチへの立ち入りは、有名なコパカバーナも含めて規制される』」「フランス・パリ『パリでは年越しイベントは行われない』」などと残念な内容が続く中、ひとつだけ明らかにトーンが違う都市がありました。

「アラブ首長国連邦ドバイ『31日の夜は少なくとも11カ所で夜空を彩る花火が鑑賞できる』」

驚異の都市ドバイ。「盛大な花火は軒並み中止」されるどころか、逆に「少なくとも11カ所」で、軒並み実施されている状況であり、「年越し様相」は一変したというか、かえって激化し、UAEでは、年越し花火の打ち上げに関し、なんと5つものギネス記録を達成していたのでした。

コロナ禍でも、世界有数の勢いを示すUAEですが、最高気温が25度程度というベストシーズンということもあり、開放策の下、外国人観光客も増え、ホテルもレストランも混んでいます。12月は千人程度で推移していた感染者数は、年明け以降、急激に増加して、毎日3500人程度となり、4000人になろうかとしています。日本であれば、政府のコロナ対策を批判する報道が溢れ、自粛違反をしている政治家や芸能人を吊し上げて、「最初は2、3人でした」などと言わせながら、謝らせたりするところでしょうが、UAEでは政府批判は許されません。そのため、基本的に政府の措置に否定的な報道はなく、感染者数が増えても、「精力的な検査の成果である」とか「4日間合計の回復者数が最高記録を達成した」などと、ポジティブなトーンで報道されたりするのでした。感染者数が日々最高記録を更新し続けていれば、もちろん回復者数も増えるのですが、さらに「UAEにおける感染者の回復率は世界有数である」とか「ＵＡＥにおける感染者の致死率０・３％も世界有数である」などと、畳み掛けられれば、もうＵＡＥに対する感謝しかなくなり、コロナを持ち込む外国人旅行者を石で打ち払おうなどという考えも湧いてこないのでした。

ＵＡＥの強みは、絶対君主政下での高度な意思決定力であり、外部コンサルタントの意見も取り入れて、少人数による大胆かつ柔軟な意思決定が可能なことだと思います。30年ほど前まで、ほとんど土漠だった国を、世界に名を轟かす未来国家にしたものは、国民の努力ではなく、リーダーの意思決定力なのでした。ＵＡＥは、コロナ禍でも、アラブ初の火星探査機だけでなく、年越し花火も盛大に打ち上げ、世界で初めて人口数を上回るＰＣＲ検査数を達成し、ワクチンの接種も迅速に進めて、居住者のワクチン接種率は、現在イスラエルに次ぐ世界2位なのです。その意思決定力は、民族的タブーをも打ち破り、イスラエルと国交を樹立してしまうほどです。

ＵＡＥが、次から次へと新たなアクションを起こす中、オンライン授業はできない、ＰＣＲ検査数は増やせない、病床数も増やせない、銀座通いもやめられない。できないだらけの日本を見れば、実はまだ江戸時代だったのではないかという錯覚を禁じ得ないのでした。そして、コロナ禍前の、UAE当局での現地人との会話を思い出すのです。「東京に行ってびっくりしたよ。もっと新しいものがたくさんあるのかと思っていたら、ドバイにないものは何もなかったんだ」。しょうがない。だって日本は今、江戸時代なのだから。その後、彼はこう続けたのです。「ソウルは凄かったよ。また行ってみたいね」

近隣国も含め、第四次産業革命ともいわれる技術革新によって、急激に変わりゆく世界。令和時代になったはずなのに、いつの間にか第二次江戸時代が始まっていた日本が、世界の流れに取り残されず、本当の新時代を迎えるために必要なもの。それは恐らく、何者かへの忖度を差し挟まず、必要なことを迅速に決め抜く意思決定力なのでした。

2021年3月
ラーメン愛から学ぶ中東ビジネスの要点

2月末時点で、PCR検査数は既に人口の3倍の3千万件以上に達し、ワクチン接種も人口の6割の600万回を達成しているコロナ対応先進国のUAEですが、感染者数は1日約3千人から中々減りません。UAEで、接種されているワクチンは、これまでのところ、主に米国のファイザー社のものと中国のシノファーム社のものですが、ファイザー社のワクチンは、60歳以上など一定のカテゴリーに該当しないと接種することはできず、ほとんどの人はシノファーム社のワクチンを接種しているのでした。

シノファーム社のワクチンは、日本にも密かに持ち込まれ、一部の富裕層が接種しているというニュースが年始にありましたが、UAEでは、日本人でも、1月から無償で接種を受けることができたのです。73種類もの副反応があるともいわれ、副反応のデパートメントストアの異名を取る（取っていません）一方、UAEで出回っているのは生理食塩水なのではともいわれているシノファームワクチン。接種する日本人も増えてきていますが、日本人界隈から聞こえてくるのは、「接種しましたが、抗体検査をしたら、抗体はありませんでした」、とか「会社のパキスタン人が接種しましたが、2週間後にコロナにかかりましてね」といったものなのでした。

開放策によって、コロナ感染者数が増加したことを受け、ドバイでは、1月27日からレストランは1テーブル7名まで、結婚式、ソーシャルイベント、プライベートパーティーは、ホテルか自宅を問わず、1親等内の親戚に限り、10名までに限定されています。ただ、飲食店の営業時間短縮は、午前3時までが午前1時までとなっただけであり、攻めの姿勢は必ずしも失われていないのでした。

ここで問題なのは、「1親等内の親戚に限り、10名まで」です。兄弟姉妹は2親等となるため、全参加者がそれぞれ1親等以内でなければならないとすると、要件を満たせるのは、両親と子供1人の場合のみなのではないかと思え、「であれば、最大数は10名ではなく3名では……」「親子3人で実施するソーシャルイベントって何……?」などと、解けない知恵の輪に取り組んでいるようなモヤモヤに直面するのです。それに、レストランの場合は、親戚でなくとも1テーブル7名まで許容されるのに、なぜ、自宅では1親等内という驚異的狭範囲の親戚しか集まれないのだろうという疑問も湧いてくるのでした。

もっとも、長くUAEにいれば、形式的にルールがあろうとも、必ずしも恐れるに足りないことが、分かってきます。「そんな意味分からないルールはあってないようなものだ」と言い放ち、ラーメン会を開催するドバイ歴10年以上の日本人の方もいるのでした。違反者に対する罰金は、主催者約150万円、参加者約30万円と高額に設定されていることを考慮すれば、恐るべきラーメン愛と言わざる得ません。日本であれば、ラーメンもろとも自粛警察の格好の餌食になりそうな事例ですが、実のところ、その方の非遵法的気概は、中東でビジネスをする日本企業が見習うべきものを孕んでいると思います。

すなわち、パーティーではなく食事会であれば、レストランのルールとの均衡上、許容性があるべきだという実質的思考力。万が一の場合には、警察との小競り合いも辞さない勇気と覚悟。そして、その際には、ただ議論をもって戦おうとするのではなく、ドバイ一とも言われるラーメンの味をもって、警察を黙らせてやろうというユーモアセンスと人間力。もし、ラーメンが通用しないとすれば（なお、イスラムご法度の豚肉チャーシューのせいで、逆にマイナス作用の恐れあり）、その際は潔く罰金を支払うという胆力。そのどれもが中東でビジネスをするためには、必要と思われるものなのでした。

当地では、法律の内容と実務が異なることは少なくなく、規制当局の言うことも人によって異なり、時期によっても異なり、特に当局運用が読めない新規分野については、弁護士アドバイスとしても、「当局に刺されたら黒ですが、刺されなかったら白です。やってみなければ分からないので、とりあえずやってみましょう」というものにならざるを得なかったりするのです。コンプライアンス上、クリアに白でなければ、実行できないというのは全く正しい姿勢ですが、そんなことを言っていては、いつまでも自家製チャーシュー付きの美味しいラーメンを食べることはできないのでした。

必要なのは説明でも書類でもなく、判断者が現地に足を運び、生の情報を得た上で、自ら考えること。さあ、合議をやめて、現地の空気を感じに、空港に向かうのです。

2021年4月
さらばシノファーム

日中の気温が30度を超え始めて既に1カ月が経った3月後半。時折吹く風はまだ涼気を孕んでいて、遠景に珍しく湧き出た雲を望みながら、空を舞う野鳥は心地良さげです。夜になれば、気温も25度前後に下がり、屋外で食事をするのに最高の季節。海辺のレストランで、夜風にあたりながら、体に悪そうな真っ赤なカクテルを片手に夜空を見上げれば、日本で見るのと同じ綺麗な満月なのでした。

屋外での食事に最高の季節であるものの、コロナ禍での問題は水煙草（シーシャ）かもしれません。ドバイには、水煙草を吸える店が多いのですが、水煙草の楽しみのひとつは、いかに多くの煙をいちどきに吐き出せるかです。水煙草をぶくぶくと吸った後、口から夥しい量の白煙を発すれば、深呼吸効果も相まって、爽快感を味わうことができます。シーシャが吸える店に行けば、コロナ禍であろうと、多くの人が、ぷうぷうと全力で白煙を吐き出すため、次から次へと煙が襲ってくることになります。もし、コロナ罹患者がいた場合、煙の中にウイルスは含まれているいるのだろうか……。そんなことを考え始めると、四方八方から人々が次々と吐き出す煙の襲い来る状況は、誰が一番コロナウイルスをばらまけるかを競うコロナ拡散合戦にも見えてきて、落ち着いて食事を楽しむどころの騒ぎではないのでした。

水煙草の難から逃れて、朝オフィスに行けば、ビルの受付の陽気なパキスタン人女性が「おはよう。ワクチンは打った？」と尋ねてきます。「まだだよ」と答えると、「私は昨日2回目を打ち終えた」と喜色を浮かべて言うのです。「どこの？」「チャイナ」「シノファーム？」「多分それ。私は今日から中国人よ。チャオチャオ」。彼女なりの中華風動作と言語を伴いながら豪胆な爆笑を放つ彼女に、「いやそれはイタリア人では？」と思いながら、「チャオチャオ」と返して、エレベーターに乗り込むのでした。

ドバイでは、ワクチンを打つ打たないの会話が日常的に行われるようになり、3月2日には、いつの間にか、これまで60歳以上とされていたファイザー社のワクチンが40歳以上から打てるようになったという発表がなされていました。そうかと思えば、20代や30代でも、既にファイザーワクチンの接種を受け終わったという人が増えており、接種済みの方に、その理由を尋ねると「一時期、誰でもファイザーを打てる時期があったんですよ」（どんな時期？）、「ワクチン接種が奨励される基礎疾患があることにしたら、打てるんですよ」（あることにして良いの？）、「特に年齢とか関係ないみたいですよ」（なぜ40歳以上と発表した？）など様々でしたが、結論としては、既にファイザー社のワクチンは16歳以上、アストラゼネカ社のワクチンは18歳以上であれば、接種できるようになっているのでした。

ワクチン接種は保健局のアプリで申し込みますが、来週にでもと思って検索すると、再来週以降でないと見つかりません。そんな中で、今日から毎日いつでも接種できるところが見つかり、「すごすぎる。なぜ？」と思って良く見ると、「SINOPHARM VACCINATION ROOM 1」とあり、接種できるのが、副反応のデパートメントストアの異名を取り（取っていません）、パキスタン人の彼女が接種後中華風挙動と共に「チャオチャオ」と連呼するようになったシノファームワクチンだったのでした。

去年の今頃、ドバイは迅速な判断により、エミレーツ航空を含む全旅客機を停止させ、

3週間のロックダウンを行いました。あのかごの中のハムスターのような生活からもう1年。誕生日を迎えてまた1つ年を取り、コロナ禍では特に時が経つのが早いと驚きつつ、時が経つのが早いと、ファイザーワクチンという言葉でふと思い出したのは、大学1年生の時に石橋くんに借りたファイナルファンタジーⅦを返さねばと思ったまま返せないで、既に23年ということなのでした。「いやあ、こんなに返せないことになるとは全くもってファンタジーだなあ」と思いながら、ファイザーワクチンを打ちにクリニックに向かうのです。

2021年5月
ファイザーマン

コロナのせいで、オンラインで開かれたようである月観測委員会（moon sighting committee）による新月の観測と共に、今年もまたラマダンが始まりました。1年が約354日の太陰暦を採用するイスラム暦では、9番目の月を意味するラマダンの開始は、毎年約10日ずつ早まり、UAEでは、今年のラマダン初日は4月13日となったのでした。

ドバイに来た当初は、尋常ならぬ苦行かと思われたラマダンですが、UAEでは、労働時間も2時間短縮されて、お昼過ぎには仕事が終わるし、ラマダンセールもやっているし、夜は、断食後の夕飯（イフタール）から夜明け前の食事（スフール）まで、ぶっ通しでイベントが開催されているし、現地人たちは夜遅くまで団らんし、朝遅くまで睡眠するという、大層なお祭り月なのでした。

とは言え禁欲が大原則のラマダン。コロナ禍の今年、コロナとラマダンが重なれば、娯楽などなくなるのではと危惧されるところですが、自宅でのイフタールとスフールは、家族に限定され、集会も禁止されているものの、レストランでのイフタールやスフールのイベントは行われています。非イスラム教徒は断食する必要はないところ、ドバイでは、朝からお酒を飲める店もあり、集会が禁止されている割には、海上でボートパーティーをすることはなぜか許されており、35度を超え、既に真夏のような太陽を浴びながら、シャンパン片手に海に飛び込むこともできるのでした。例年に比べると人は少ないものの、コロナ禍のラマダンでも、ドバイは〝らしさ〟を失っておらず、引き続き世界で最もコロナ禍の影響を感じさせない場所のひとつなのです。

ドバイの開放策を支えるのは、禁酒令や見回り隊といった江戸時代どころか縄文時代でも実現可能な前近代的施策ではなく、積極的なワクチン接種策です。その接種回数は既に1千万件以上となって、人口を超えており、住民の接種率はイスラエルに次いで世界2位といわれ、ドバイに住む日本人の多くも既にワクチン接種を完了しているのでした。現在ドバイで広く接種されているのは、シノファームワクチンとファイザーワクチンですが、シノファームワクチンが従来型の不活化ワクチンであるのに対し、ファイザーワクチンは、人類史上初めて実用化されるメッセンジャーRNAワクチンで、その安全性には不確かな部分が残るとも言われます。因果関係不明とされるものの、厚生労働省の資料によれば、日本でも、3月以降、既に19名がファイザーワクチン接種後に亡くなったと報告されているようで、そんな情報に接してしまえば、23年前に借りたファイナルファンタジーⅦを永遠に返せないままとなるリスクを抱えて接種して良いのかと、予約していたファイザーワクチンの接種を躊躇うことにもなるのでした。

接種を迷っていると、どうしてか予約日当日、突然予約がキャンセルされ、3日後に延期になりました。時間を確認すると、予約時間は午後11時です。そんな遅い時間までワクチン接種体制のあるドバイに感心しながらも、これは受けるべきではないという神様の啓示かと考えました。安全性を志向するのであれば、従来型の不活化ワクチンであるというか、実は生理食塩水である可能性もあって、もしそうであれば、ただの水ゆえ安全性が極めて高いとも考えられるシノファームワクチンを選択すべきなのではないか、などとも真剣に考え始め、もはや何のためにワクチンを受けるのかも分からなくなってしまったのでした。

しかし、ドバイで既にファイザーワクチンを接種し終えた面々を思い出してみれば、長期的な影響が未知とされるRNAワクチンの副反応で10年後、20年後に全滅するようなメンバーとはとても思えず、知人友人が接種する中、自らの命惜しさに接種を回避するのは、一種の裏切りでもあり、奉公の精神にもとるものであると決意し、受けることにしたのでした。翌日の夜から38度台の熱が出て、倦怠《けんたい》感がどうしようもなく、明らかに体に悪いワクチンであることを確信することになりましたが、それが治癒した後は、これでコロナ禍とも決別かと一区切りついたような気持ちにもなるのでした。

もっとも、ワクチンを接種したとしても、UAEから日本に帰国しようと思えば、渡航前に1回、成田空港で1回、成田のホテルで3日間隔離された後また1回と、約5日間で3回もPCR検査を受けなければならず、さらに（成田隔離の3日を含めて）14日間の隔離と公共交通機関の使用禁止が求められてしまうのでした。ホテルでは行動を監視され、部屋から一歩も出られないのです。「首相や政府要人は隔離不要というのは一体どういうことなんだろうなあ、一部のビジネスマンの海外出張は政府要人の外遊より、よほど日本にとって有益なはずだけどなあ」などと思いながら、日本で速やかにワクチン接種が進むことを願うのでした。

2021年

２０２１年６月
紙地獄

日本入国にあたっては、出発地におけるコロナの陰性証明書を求められますが、４月19日以降、日本政府が指定する全ての記載事項を満たした有効な検査証明を所持していない場合、出発地での航空機への搭乗が拒否され、仮に搭乗できたとしても、日本の空港到着時に判明すれば、上陸が認められないとされることとなりました。

ＰＣＲ検査を受けて陰性証明をもらっているにもかかわらず、記載事項が足りないだけで上陸拒否などと、ゴジラ級の扱いを受け、出発地に送り戻されることになるとは、記載事項恐るべしです。記載事項の漏れを防止するために、日本政府指定の書式があり、病院に記入してもらうことで、上陸拒否リスクを除くことができるのですが、リスクの重大性を考慮すれば、政府指定書式の利用を半ば強いられることになるのでした。

ドバイでは、病院でＰＣＲ検査を受ければ、結果が判明し次第、ＳＭＳで速やかに通知されるとともに、証明書がメールで届きます。しかし、日本政府指定の書式は、医師による手書きの記載と署名押印が求められており、結果判明後、証明書の取得のために、再び病院を訪れる必要が生じるのでした。コロナに怯えながら判子を押すためだけに会社に行かなければならないどこかの国の会社員みたいと思いながら、判子をもらいに病院に行くことになるのです。そして、病院に行ってみれば、結局のところ、必要な医師の記載と署名押印は、事務スタッフが代行しており、これなら元の証明書の方が良いのではとの疑問も禁じ得ないのでした。

ドバイでPCR検査後、政府指定書式の陰性証明書を入手して成田空港に到着すれば、またPCR検査です。前回の帰国時より防疫態勢が強化されており、これから司法試験でも始まるのかというくらいたくさんの書類が渡され、記載を求められました。「思えば、司法試験はまさにこの時期であったなあ」などという感慨を抱くことにはならず、ただただ配られる紙の量と、配備されたスタッフの多さに驚くことになるのですが、さらに驚いたのは、既に帰国前に厚労省のウェブサイトで入力したはずの情報が要記載となっており、まさかと思ってスタッフの方に聞くと「紙でもいただく必要があります」という答えが返ってきたことなのでした。

書類に記載をした後は、オリエンテーリングなのかと思うほど、いくつのもチェックポイントをクリアする必要があり、各場所で書類を差し出して、不足がないかを確認してもらったり、「証明書あり」のスタンプを押してもらったり、赤ペンでチェックしてもらったり、「済」の印を押してもらったりして、書類によるコロナ撃退を狙うのです。「済」の判子を押すだけの推定50代男性や、日付の判子が押されているかを確認し「はい、結構でーす」とおっしゃるだけの推定60代男性を見れば、そんな役目で、コロナリスクに晒さないでと思うのでした。

もし、オリンピックを行うのであれば、対コロナ手続きのペーパーレス化やＡＩ化を推進して、世界に技術大国ぶりを示す絶好の機会かもしれませんし、そもそも対コロナ手続きは、感染拡大を防ぐべく、人を減らし、書類を減らし、手続きもできるだけ速やかに終わるようにすべきだと思われるのですが、実際には、感染者かもしれない人がぺたぺた触った多数の紙を、配備された多くのスタッフに順次共有し、ウイルスを拡散させせんとするものとも評価可能な世界有数の紙地獄だったのでした。

推定60代男性に「はい、結構でーす」と言っていただき、全ての手続きが終わったのは20時すぎ。強制隔離先のホテルまでのバスは21時と言われるものの、結局バスが来たのは21時半です。ホテルにはすぐ着いたものの、バスから降りられず、なぜだろうと思って、待つこと30分。突然、女性が乗り込んできて、「チェックインにひとり10分かかりますが、まだ30人ほど待ってますので、少なくともあと1時間半はバスの中で待機していただきます」と言うのでした。

「チェックインに10分ってどんな手続き……」と思いながら、ようやく24時頃にチェックインの順番が回ってきて受付に行くと、始まったのは、やっぱりまた紙地獄だったのでした。

2021年8月
ドクターブラザー

常時40度を超えるドバイの真夏。デスクワークに追われる単調で余暇のない毎日の中で、「ドバイ便り」の材料を探すのは簡単ではなく、仕方がないから、ふと思い出した、医師に初めての診察で「やあ兄弟」と言われた話でも書くしかないかと思っていると、手首が痛み始めて、テニスにも野球にも支障が出始めたのです。加齢とともに体の不具合が多くなるという知人との会話を思い出しながら、憂鬱に満ちて病院に行くと、こともあろうにその医師が出て来たのでした。「ブ、ブラザー！」

ドバイで外科に行くのは初めてだと思っていましたが、よくよく思い返してみると、以前、野球で突き指をした際に、ドクターブラザーに診てもらったことがあったのでした。まさかの再会に「やあ兄弟」に対して「おう兄弟」と応える万全の準備を整えましたが、ブラザーは「久しぶりだな。前回は野球で怪我したんだったよな。覚えているよ」と医師になる上でも役立ったであろう抜群の記憶力を発揮しながらも、決して「やあ兄弟」とは言ってくれなかったのでした。

病院からの帰り、相棒のインド人運転手に「また兄弟と呼んでくる医者だったよ」と言うと、「きっとエジプト人さ。エジプト人はみんなブラザーって呼んでくるからね」と言うのです。そういうものかと次の診察時に「ドクター、ひとつだけ教えてほしいことがあるんです。あなたはエジプト人ですか」と聞いてみると、「エジプト人ですが何か」とのことであり、確かにエジプト人だったのでした。

エジプトと言えば、10数年前、東京で激務に追われていた頃、オフィスで寝るためにネットで寝袋を探していて、「ツタンカーメン寝袋」という寝袋を見つけたことがあります。「王の証　ツタンカーメン寝袋～ファラオの寝心地～」という、少々くどい当時のキャッチコピーのまま、今なお販売されているようであるツタンカーメン寝袋ですが、ツタンカーメン王の棺を模しており、チャックを上げて顔を覆えば、あたかも黄金マスクを装着したツタンカーメン王にしか見えない状態となるのでした。当時の執務室は個室だったため、実際にオフィスでツタンカーメン寝袋を使って眠ることは十分可能でした。朝、秘書が執務室の扉を開けると、僅かに差し込んできた日の光に照り映えた金色のツタンカーメン王が床に転がっていて、悲鳴が上がる。そんな場面を思い描きながら、寝袋を買うかどうかを迷っていたのです。

かつては、それくらいしか接点がなかったエジプトでしたが、エジプト人医師に兄弟と呼ばれる日が来るとは、人生とは分からないものです。東京五輪が開催されることも、それが無観客となることも、その時ドバイにいることにも、過去から見れば、全く分からないものでしたが、ドバイでオリンピックを楽しむことが、容易ではないことも、また分からないものでありました。

ドバイの自宅では、アラビア語のチャンネルを中心に100近いテレビチャンネルが見られるのですが、オリンピックは有料チャンネルでないと見られないのか、稀にあるUAE国民の試合以外、ほとんど放映されていないのです。UAE国民が出場している種目は極めて限られており、メダル候補者などもいないのでした。

ようやくオリンピックの試合を見つけて喜べば、なぜか9年前のロンドン五輪の男子バレーボールの試合ですし、次に見つけたエジプトの番組では、放映権の問題か、エジプトチームの何かしらの種目のスコアだけが左下に表示されて更新されていくものの、画面は、スタジオでのアラビア語解説と、試合とは全く無関係の他の何らかの種目のエジプト人選手のインタビューだけで、肝心の試合は見られなかったのでした。

つまり、UAEでオリンピックの雰囲気は感じられず、国全体を盛り上げるために、いかにテレビが重要かが分かるのでした。テレビを何気なくつければオリンピックが放映されているために、人々の関心が向かうのであって、きっとYouTubeだけではこうはいかないのです。

それでも、何とかして五輪気分を味わえないものかと考えていると、右手首の痛みのせいか、1984年のロサンゼルス五輪柔道男子無差別級決勝で、山下泰裕選手の負傷した右足を狙うことなく、正々堂々勝負して敗れたエジプト人ラシュワン選手のことが思い出されました。実際には右足を攻めていると、フェアプレー性を否定する人もいるようですが、時間稼ぎをしたり、右足を集中攻撃したりしなかったのは、やはりフェアプレーだったのです。五輪気分を味わうために、残された選択肢。それはもう37年前のロサンゼルス五輪の話でドクターブラザーと盛り上がることくらいなのでした。診療室で、当時を再現しようと提案すれば、ドクターブラザーはきっと言うでしょう。「ちょうど良い。なぜなら君は今、右手を負傷しているのだからね」

2021年

２０２１年９月
カープの15番

「今日は広島の日だ」新聞で読んだのかラジオで聞いたのか、インド人の相棒が言いました。日本人でありながら、その日が８月６日であることに気付いていなかったことをにわかに恥じながら、76年がたった今でも、世界が広島を忘れていないことに、人類としての安堵《あんど》を感じたのでした。

その翌日、東京オリンピック野球競技決勝の舞台で、広島東洋カープの森下投手が背番号15を着けて米国チームに対峙《たいじ》していました。驚いたのは、背番号15番の森下投手は、２カ月前にもアメリカ戦に登板していたということなのでした。「MASATO MORISHITA」と「MASAO MORISHITA」。アルファベットにするとほとんど同姓同名のその投手とは、まさかの筆者だったのです。ドバイの日本人会野球部で、時折行われる米国チームとの対抗戦で、人手不足により、米国戦のマウンドに上がったのは２０２１年６月19日。今シーズン、米国戦に登板した背番号15の森下投手は、広島カープの森下投手と、ドバイワンダラーズの森下投手の2人だけかもしれないと、全く不必要に胸を高鳴らせながら、決勝戦への当事者意識を高めたのでした。

広島東洋カープが、ただのプロ野球チームではないことに気付いたのは、1975年の広島初優勝を特集する番組ででした。当時の監督だった古葉氏が涙ぐまれながら、優勝パレードで、多くの方が遺影を掲げていたという話をされる場面。その場面は、パレードに、広島市民85万人のうちの30万人が参加したという事実と相まって、広島カープが、いかに戦後の復興期における広島市民の救いであり、希望であったのかを如実に物語っていました。1975年は、原爆投下からちょうど30年目の節目の年ですが、万年Bクラスで、前年まで3年連続最下位だったカープが、その年に突如優勝するのはただの偶然だったのでしょうか。広島市民球場があったのは、原爆ドームのすぐ目の前。カープの選手が野球をしていたのはまさに爆心地にほど近い場所だったのです。

2016年5月27日。オバマ氏が現職の米国大統領として、史上初めて広島を訪問しました。世界中で歴史的な出来事と報じられた訪問でしたが、その年、広島東洋カープは25

年ぶりに優勝し、そして1975年以来41年ぶりに地元広島での優勝パレードを行うことになるのです。偶然ですが、偶然なのでしょうか。2016年9月10日。広島カープが優勝を決めたその試合の先発は、前年に、20億円以上の年俸を蹴って、約束通りヤンキースから戻ってきたエース黒田投手でした。アメリカよりも広島。その黒田投手の背番号もやっぱり15番なのですが、カープ優勝の日、その優勝には何か世界史的な意味があるかもしれないと思って調べてみれば、前日2016年9月9日に、北朝鮮が初めての核実験に成功していたのでした。

歴史には、不思議な因縁が働くことがあるようです。関ケ原の戦いで西軍の総大将に担がれた毛利輝元は、関ケ原の戦いでの敗戦の結果、領土を大幅に削減され、拠点としていた広島城を追われて、1604年に現在の山口県の萩に拠点を移します。関ケ原の戦いから260年が経った幕末。毛利輝元が築城した萩城の徒歩圏内に、吉田松陰、高杉晋作、木戸孝允、伊藤博文らが、雲霞《うんか》の如く出現し、革命への一大潮流を生み出しました。そして、江戸幕府を打倒し、初代内閣総理大臣には伊藤博文が就任することになるのです。

8月7日の米国戦。先発して勝ち投手となったのは、広島東洋カープの森下投手でしたが、優勝を決める最終回のマウンドに登ったのも広島カープの栗林投手でした。さらに、日本チームの四番バッターもまた広島カープの鈴木誠也選手であり、米国戦における日本の戦力の中心は、広島カープの選手だったのです。鈴木選手は決勝まで不調で、四番を外すべきだという世論もあったようですが、8月7日の米国戦の日本の四番は、どうしてもカープの選手でなければなりませんでした。閃光《せんこう》に消えた何万もの命、焼けただれた人間、白骨化した両親、黒焦げの我が子、抜け落ちる髪の毛、終わりのない後遺症、何の罪もない人々。それでも我々が求めなければならないものは、武力による復讐《ふくしゅう》ではなく、平和なのでした。原爆投下後、75年間草も生えないと言われた広島は、見事に復興し、76年目の夏、あの日の翌日に、飽くまで平和的にアメリカを打ち破ったのです。

広島東洋カープの15番。その番号は、奇しくもオバマ大統領の広島来訪の年に、黒田選手の引退とともに、永久欠番になりました。人類史上初めての原爆が広島上空で炸裂したのは、午前8時15分。オバマ大統領の広島来訪で、怒りを鎮めたように見えた15番は、しかし、8月7日のアメリカ戦で、再びカープの選手に宿り、核廃絶と永遠の戦争放棄を、人類に強く求めていたのです。

2021年

２０２１年10月
学生たちの情熱

タリバンがアフガニスタンの首都カブールに迫った時、ガニ大統領が「逃げていない」と言いながら、アラブ首長国連邦に逃亡してきました。前日には米国務長官との会談で、「私はタリバンと死ぬ覚悟で戦う」と言っていたのに、その翌日には、大統領まで上り詰めた大成功者の行動力と判断力をいかんなく発揮して、早くもＵＡＥにやって来たのです。他方、ガニ大統領の弟は、ドバイにも子会社を持つガニグループの会長ですが、こちらはこちらで、タリバンがカブールを制圧した日に、早々とタリバンに忠誠を誓い、タリバン指導部と笑顔で記念撮影をするなど、大成功者特有の卓抜した処世術を披露しながら、身の安全を確保することに成功していたのでした。

アラビア語で「学生たち」を意味するタリバンは、ソ連侵攻に伴い難民化していた若者たちに、イスラム教の宗教学校で教育を行い、イスラム的観点から祖国救済の情熱を高めることで生み出されました。その宗教学校の多くは、元々米国の支援を受けたパキスタンが、ソ連侵攻に対抗するためのムジャヘディン（聖戦士）を育成するために各地に設置したものです。国内で一大勢力となったムジャヘディンは、ソ連撤退後、内部抗争状態に陥り、指導層もひどく腐敗していました。それを討伐し、内戦状態を終わらせて、まっとうなイスラム教国家を実現するためにタリバンは立ち上がったのでした。若者の情熱を原動力とし、目指すは正しい国家の実現。タリバンは善であり、正義だったのです。ギャバン、シャリバン、タリバン。１９８２年から１９８５年まで、宇宙犯罪組織マクーから地球と銀河を守るために日本を中心に活動していた銀河連邦警察所属の正義の味方と並べてみても、確かにあまり違和感はないのでした。

若者たちが、命を懸けて正しい国家の実現のために戦おうとする姿は、あたかも幕末の志士たちのようです。１８６８年1月5日、維新政府軍との鳥羽・伏見の戦いにおいて、情勢芳しくない中、「大坂城を断固死守するのだ。私が死んでもその志は江戸城に継がれる」と多くの家臣の前で感動的な大演説を行った徳川慶喜公が、大坂城を脱出して江戸に向かったのはまさかのその翌日。ガニ大統領は、ほとんど同様のシナリオを採用するアフガン版慶喜公であり、アフガニスタンで起きていることは、決して日本人が理解できないことではないのでした。

10月1日から、ついに中東初の万博であるドバイ万博が始まりました。今年は、1971年に英国保護領から独立を果たしたアラブ首長国連邦の建国50周年の記念の年であり、UAEは、最高のタイミングで、万博の誘致に成功したのでした。ドバイ万博は、2025年に予定される大阪・関西万博の約1850億円の約4倍、70億ドル（約7800億円。当時）を投じたとされます。

残念ながら、コロナ禍での開催となりましたが、2020年末も、コロナ禍にもかかわらず、50周年を祝うために、例年以上に大規模な年越し花火を断行し、しっかりギネス記録（しかも複数）を打ち立てていく常識破りのUAEですので、万博も自粛とは無縁であり、世界中からの参加者を強く求めているのでした。その結果、コロナ変異株の万国博覧会になろうとも、ドバイは受けて立つのです。

人口の9割以上が外国人であるにもかかわらず、皇太子が「ドバイには外国人はいません」などと言い、コロナ禍でも外国人に等しくワクチン接種や医療機会を提供するドバイは、新しい世界の姿を示しているようにも見えます。UAEは、イスラムの寛容性を全面に出し、仇敵だったイスラエルも含め、あらゆるものを受け入れ、その共存を奨励しているのです。約190の国と地域が参加するドバイ万博ですが、そこから感じるべきことは、民族や主義や思想を超え、国境を設定する必要のない新たな世界の始まりなのでした。

ドバイ万博の会場には、アフガニスタン館もあります。そこには、ガニ前大統領が常駐し、日本館の隣にあるスシローから取り寄せたお寿司を片手に演説をしているのです。「逃げたのではない。私がUAEに来たのは万博を盛り上げるためなのだ」。そういきみながら言うガニ前大統領が力強く主張するのは、欧米とイスラムの対立の終了と、民族や思想などによって憎しみ合う必要のない世界の構築。そして、車4台分の現金をまき散らしながら、敵から逃げる必要のない平和な世界の実現なのでした。残念ながら、冗談ですが、憎しみと争いから解放され、全ての若者の情熱が、正しく全人類の向上に反映されるような世界の到来は、この中東であっても強く求められているのです。

２０２１年11月
地獄大国日本

感染者数は減っていないにもかかわらず、世界はコロナと共存し始めており、ドバイから日本に向かう途中に経由したカタールのドーハ国際空港には、トランジットのために世界中からの夥しい数の人がいたのでした。しかし、成田空港に着いてみると、相も変わらず、世界最高の日本の製紙技術を誇示するための紙地獄が待ち構えていて、オンラインで入力済みの情報も含め、大量の紙への記載が求められるのです。

以前は紙地獄の後に存在していた、アプリを４つもダウンロードしなければ部屋から出してもらえないというアプリダウンロード地獄は、アプリが１つにまとめられ、また事前のダウンロードが求められるようになった結果、消滅していたものの、新たな地獄としてバス地獄が用意されていたのでした。

バス地獄とは、紙地獄とＰＣＲ検査の結果待ちのせいで、既に到着から、４時間以上が経過し23時を過ぎた頃、中々来なかったバスがようやく現れて、これでホテルで寝られると安堵《あんど》した矢先に、バスの運転手から「ホテルまでの所要時間は1時間ほどとなります」と告げられ、見知らぬ人同士が思わず顔を見合わせて、車内が騒然とすることから始まる地獄なのです。

ホテルでの強制隔離は、一部の国からの帰国者にしか求められていませんが、ＵＡＥは、日本よりも検査数に対する感染者率が遙かに低いにもかかわらず、変異種流行国と認定され、ホテルでの強制隔離が求められる国であるために、バス地獄があるのです。仮にＵＡＥから帰国したとしても、隔離先ホテルが成田市内になる場合には、バスで10分程度であり、その場合は、ただのバス移動となり、バス地獄ではありませんので、バス地獄は帰国者のうちのごく一部のみが経験できる珍しい地獄であると考えられます。

バス地獄の真に地獄たる所以は、1時間も移動すれば、既に東京であり、それどころかもはや東京駅が目と鼻の先で、自宅まで車で約20分の距離まで近づいているにもかかわらず、隔離終了後、そこから自宅に直接帰宅することは許されず、再びバスに乗せられて、成田空港まで戻らされるところにあるのでした。そして、成田空港から（公共交通機関の使用が許されないため）3万円を払って、ハイヤーで再度東京を目指す必要があるのです。「ここから自宅に戻る方が近いので、ホテルにハイヤーを呼んでも宜しいでしょうか」ホテルの受付でそう尋ねると「いえ、成田に戻って頂いただく必要があります。当ホテルには200名以上の宿泊者がおり、皆さんがハイヤーを呼ばれると大変なことになりますので」と言われ、それは確かにと納得したものの、実際に隔離を終えて、バスに乗ってみると、乗客はわずか約10名だったのでした。

UAE帰国時。ドバイやドーハの空港と違って、人がいない成田空港では、店もレストランもほぼ開いておらず、ラウンジもやっていません。エミレーツ航空のカウンターでラウンジの代わりですと3千円分の食事券を渡されるものの、「申し訳ございませんが、現在営業しているのは吉野家とスターバックスのみとなります。お釣りは出ません」とのことで、いやそれなら食事券は千円で十分だろうと思うのでした。

ドバイに戻ってみると、PCR検査もなく、陰性証明書の確認もなく、無論、紙地獄もバス地獄もありません。外に出れば、10月にもかかわらず、刺すような日差しで、ここが本来、人が住めなかった場所であることを思い出しますが、その地はここ30年で急激な発展を遂げて、今、世界１９０カ国以上の参加国・地域を集めて、中東初の万博が行われているのです。

ドバイの次の万博は大阪。そのため、大阪府知事以下のメンバーがドバイ万博の視察を検討したところ、帰国後の14日間の隔離が妨げになることに気付いたというのです。

実際、それは想像以上に不公平なもので、ワクチン接種済みである上に、出発前、成田空港、ホテル隔離後と、１週間の間に3回連続でＰＣＲ検査で陰性になっているにもかかわらず、バス地獄に入れられ、14日間、公共交通機関の使用も、外出も禁じられ、位置確認アプリでの監視に加え、知らないおばさんから「ビデオ通話をオンにして顔を見せてください」などとストーカーまがいの電話が不定期にかかってきたり、人気ＹｏｕＴｕｂｅｒよろしく毎日30秒の動画の自撮りを強要されたりと、ほとんど犯罪者並みの扱いを受けるのです。日本ではＰＣＲ検査数が極度に抑えられ、感染者を敢えて市中拡散する政策が採られており、コロナにかかり、自宅療養となる方についても、何らの監視もなく、その気になれば移動し放題だというのにです。

しかし、大阪の皆さんの日本政府への申し入れも功を奏したのか、ついにビジネス目的の場合、日本での隔離期間が３日になるとの発表がなされました。残るは紙地獄だけ。日本の国際的経済活動が本格再開する今、生まれる新たな出会いが時代を変えていくのです。

2021年

２０２１年12月
太陽の塔

１９７０年に開催された大阪万博。小学校2年生まで、その開催地の比較的近くに住んでいた私は、毎週のように、家族で自転車に乗り、その跡地である万博公園に通っていました。当時は「万博」が何を意味するのかも知らず、「わんぱく公園」が「ばんぱく公園」と聞こえているのだろうかと思ったりしながら、ただ太陽の塔があって、全力でフリスビーを投げたり、ビニールシートを敷いてピクニックをしたりできる広場がある大きな公園が、万博公園だったのでした。

隣に見えるエキスポランドのジェットコースターと観覧車は、子供心をこの上なく高揚させるものでしたが、我が家が「うちにはお金がない」をモットーとしていたこともあり、有料のエキスポランドに入れることはなく、ここから入ったらもしかしてエキスポランドに行けたりしてと思いながら、いくつもの茂みを通り抜けてみたものの、茂みの先もやっぱり万博公園だったのでした。

大阪万博の象徴だった太陽の塔。その太陽の塔という題の小説でデビューしたのは、森見登美彦氏ですが、ボケを基調としながら、自虐的日常を明治大正期の文豪たちを思わす美しい文体で表現する斬新な同氏の技法に感銘を受けたものでした。

２０１０年、かつて森見氏の存在を教えてくれた秘書さんと、数年ぶりにたまたま連絡を取ると、「いま私が気になっていることは、森見さんのブログに出てくる弁護士さんが、うちの事務所にいたら良いなってことなんです」と返ってきました。「妄想は休み休みにして」と返信しつつ、念の為、その秘書さんに当事務所の弁護士のうち、森見氏の出身大学である京都大学出身の弁護士を調べてもらったところ、すぐに「7人しかいません」と映画『七人の侍』を連想させるせいか、妙な高揚感を伴う回答が返ってきたのでした。

そのうちのひとりが赤鹿弁護士でした。その期の弁護士の中で、唯一仕事を一緒にしたことがあったご縁のある弁護士でしたが、その時ふと思い出したのでした。その半年ほど前の事務所の所内報クリスマス特別号において、「教えて先生」という所員さんの法律相談に弁護士が答えるというコーナーがあったことがありました。他の弁護士が、高尚な回答を披露する中、（確か）お堅い法律事務所の社内報にあるまじき「コンビニで雑誌の袋とじを破って読んだらどうなるか」というような反社会的法律相談に対して、（忘れましたが多分）「安心してください。私の地元の茨城ではコンビニの袋とじは破られているのが普通です」と言ったようなとぼけた回答をして空回りしている横で、もうひとりだけ同じようなトーンで回答を書いていた弁護士。それが赤鹿弁護士だったのです。

そして、その文章が森見氏の文体だったのでした。森見氏のブログに出てくる親友弁護士の名は「明石さん」でした。「アカシカさん」と「アカシさん」。結局、妄想は現実で、『太陽の塔』の飾磨氏のモデルであり、「美女と竹林」という森見氏のシュールなエッセイで、森見氏と共に竹を刈っていた友人は、同じ法律事務所の赤鹿弁護士だったのであり、その後、我々は森見氏と赤鹿弁護士との竹林での対談に成功することとなったのでした。

大阪万博からちょうど50年後の万博は、ドバイ万博でした。子供の頃よく行った万博公園には、もはや太陽の塔しかありませんでしたが、ドバイの万博会場には世界190カ国以上の参加国・地域のパビリオンが立ち並び、コロナ禍にもかかわらず、賑わいを見せているのでした。パビリオンは、それぞれに各国の魅力を表現しており、そのひとつに入れば、他のパビリオンにも行きたくなります。世界をひとつの場所に集めるようなこの野心的なイベントは、費用対効果の問題はあれど、確かに開催に値するものなのでした。

１９７０年の大阪万博のテーマは「人類の進歩と調和（Progress and Harmony for Mankind)」でした。太陽の塔は、50年前から、万博公園の真ん中で、あんなに気むずかしそうな顔をしながらも、人類の進歩と調和を願っていたのでした。それに対して、ドバイ万博のテーマは「心をつなぎ、未来を創る（Connecting Minds, Creating the Future)」です。

大阪万博はアジア初の万博でしたが、ドバイ万博は中東初の万博です。地域の雄として、国家の威信を懸けた2つの万博のテーマは、いずれも人類の協調的発展なのでした。人類の目指しているものは、50年前から変わっておらず、この先も変わらないのです。

2022年

letters from Dubai

2022年1月
聖なる金曜日

中東イスラム諸国では、金曜日が安息日とされ、現行のUAE労働法でも、金曜日は休日とされています。金曜日が安息日なのは、預言者ムハンマドが、メッカに入城した日である630年1月11日が金曜日だったからなのでした。イスラム教下では、金曜日は、およそ1400年前から聖なる日であり、安息日であるわけですが、UAEでは、2021年12月7日に、唐突に「グローバルマーケットに合わせるため、公共セクターでは、2022年1月1日から、金曜日半日と土日を週末とすることにします」という発表がなされたのでした。日本で言えば、大化の改新くらいからの1400年もの歴史を振り切り、安息日を平日にするUAE。その思い切りも、さすが多くの常識を打ち破ってきたUAEならではなのですが、そんな重大事を何の前触れもなく、「え、3週間後から⁉」と住民に冗談のような衝撃を与えつつ、実施直前に発表することもまた、さすがUAEなのでした。

元々中東イスラム世界では、木金が週末であり、それが国際社会に合わせるために、金土に変更されたのですが（ＵＡＥは２００６年から。ＧＣＣ諸国ではサウジアラビアが一番遅く２０１３年から。イランでは、引き続き木金が週末）、ＵＡＥは口火を切って、土日週末への移行を宣言したのでした。もっとも、問題は毎週金曜日のお昼頃に行われるイスラム教徒にとって極めて重要な集団礼拝で、それを無視することはできない結果、金曜日は半日だけが休みとなり、週休２・５日が採用されることとなったのです。しかし、金曜日は、午前7時半から12時までの半日勤務となるところ、それでは、ロンドンの午前８時には、ＵＡＥの業務は既に終わることになり、一方ニューヨークは、その時間帯は、午後10時半から午前３時なのであって、グローバルマーケットに合わせるという趣旨が全うされているのかについては、甚だ疑問も残るところなのでした。

ＵＡＥの伝統や慣習に囚われず、成果を出すために良いと思えば、変化を許容する柔軟姿勢は、まさに革命的で、クリスマスブランチでは、ワインもシャンパンも飲み放題な上、白人のミニスカサンタがプレゼントをばらまきながら、踊り狂ったりしているし、年越しも、イスラム教は音楽を禁止していると解釈し、「鳥の鳴き声すら違法」などという無茶な主張を展開するタリバンからすれば、到底許容できない大音響とともに、カウントダウンを執り行ったりしているのでした。

柔軟で合理的なドバイでは、ワクチン接種も迅速に行われ、外国人も含め、3回目のブースターショットの接種が進んでいます。ドバイ健康局から携帯電話に接種を促すメッセージが来て、皆に連絡がきているのかと思えば、40代だから先に連絡が来ていたことが分かって、落ち込むことになり、さらに接種してみれば、約10日にわたり、体の調子も落ち込むことになってしまったのでした。

今まで体験したことがない体調のおかしさなので、何らかの薬を得るべきかと薬局に行き、痰がひどいと言うと、レジにいた薬剤師のインド人女性に、シロップのような薬を手渡されました。「ワクチンを打ったばかりなのですが、大丈夫でしょうか」「大丈夫に決まってるじゃない」と気だるそうに言われるものの、不安が残ります。購入後、「1日2回だからね」と、先生が生徒に言うような口調で、念押しする薬剤師に、「OK」と言って、パッケージを見ると、「1日3回」と書いてあったのでした。

レジと言えば、先月空港に行った際、お土産を買おうとすると、いつも通り「ボーディングパス」と、店員の黒人女性に搭乗券の提示を求められました。搭乗券を示したところ、印字が薄すぎて、バーコードが読み取れません。携帯電話で電子チケットを示したものの、それも機能せず、これではお土産が買えないし、飛行機にも遅れてしまうと、二重の焦りを感じた時、店員の女性は、さりげなく「ボーディングパス」と言って、次に並んでいた顧客に搭乗券を差し出させ、そのバーコードを読み取ったのでした。勿論、その顧客は自分の買う商品のために搭乗券をスキャンされたと思っているのですが、実際に完了していたのは、私の会計だったのでした。

ドバイにいる人は皆自由ですが、ドバイの人口の9割は外国人であり、つまりこれが世界なのです。ドバイ到着前、エミレーツ航空の機内で「空港で陰性証明書を確認されますので、証明書をご準備ください」というアナウンスが流れたとしても、ドバイの空港に陰性証明書を確認する人なんて誰もいませんので、ご安心ください。

オミクロン株も恐れず、開放政策を持続する年末のドバイには驚くほど多くの人が、押し寄せており、船の上で、男性が光りながらくるくる回る踊りを見ながら、ケバブを貪ったり、砂漠で日没を眺めながら、シャンパンを飲んだりした後、世界有数の派手さで年を越します。

2022年1月7日。再び鎖国してしまった日本では、オミクロン対策のためにも、無病息災効果があるという七草粥を食べることが奨励される中、UAEでは、世界中から集まった人々が、UAE建国後、初めて平日となった金曜日の夜を華やかに過ごすのです。

2022年

2022年2月
その土地に眠るもの

私が、茨城県南部の龍ケ崎市に引っ越したのは、小学校5年生の時でした。引っ越して驚いたのは、最寄りの小学校まで徒歩45分（なのに通学路はほぼ直線）であるということに加え、PTAにおいて、旧住民対新住民という対立が存在していたことでした。当時ドーナツ化現象により、東京からその近郊地域へと人々の居住圏が移動する中、さらに埼玉や千葉から移転を決めたファミリーが、茨城県南部に移転してきて、クラスの半数を占めるようになり、地元民と相争うに至っていたのです。それは大人の冷たい戦争でしたが、子供は大人に影響されるもので、隣のクラスのスギさんなどは、卒業文集で「僕が龍ケ崎に引っ越して来て良かったのは、空気がきれいだから寿命が延びたことくらいです」などと、「まだ小学生なんだし、寿命が延びたかどうかとか全然分かんないだろ」という根本的な突っ込みどころはもとより、およそ卒業文集に似つかわしくない、スギさんだけに立つ鳥後を濁しすぎの、とんでもない爆弾メッセージを書き残したりしていたのでした。

2020年の都道府県魅力度ランキングで、8年連続最下位を回避した茨城県でしたが、2021年のランキングでは5ランク落とし、再び定位置に沈み、これで同調査始まって以来、13回中11回最下位となったのでした。確かに、小学生のスギさんに「引っ越して来て良かったのは、空気がきれいだから寿命が延びたことくらいです」などと言い放たれ、目立った観光地も少なく、代名詞が嫌いな人の多い「納豆」という県であり、しかも、47もある都道府県の中で、13回中11回が最下位なのですから、茨城県がある種のネガティブな印象を纏った県であることは、水戸が納豆の産地であるのと同じくらい、どう考えても認めざるを得ないと思うのでした。

しかしながら、実は、茨城県は、日本を担い得る密かな魅力を有しているのです。群馬と栃木と共に北関東と総称されながらも、確かに関東の一部を構成し、常磐線の取手駅から上野駅まではわずか40分、龍ケ崎市から、成田空港までも車で45分であって、首都東京、いや世界までの意外な近さは大きな強みであり、それでいながら農業産出額は全国3位（少し前まで2位）で、メロンをはじめ多くの農産物で生産量日本一を誇り、ビールの生産まで日本一なのです。のみならず、2万人超の研究者を抱える日本最大の研究開発拠点、筑

2022年

波研究学園都市を擁し、ゴルフ場も多い上、Ｊリーグ最多優勝回数を誇る鹿島アントラーズの本拠地まであるのでした。さらには、高さは自由の女神像の3倍で、なんと奈良の大仏を文鳥のようにその手のひらに乗せることができるという大仏界のまさに巨像、世界最大１２０メートルのブロンズ立像である牛久大仏まであります。こうなってくると、もう茨城県は、日本のドバイといっても過言ではないパワースポットなのでした。

日本史を見ても、平安中期の腐敗した貴族社会を打破すべく、茨城を中心に関東一円に、自らを新皇とする王朝を築き上げた、日本史上随一の革命児・平将門は、茨城出身であるし、宿命により平将門を討たざるを得なかった将門の旧友で、同じく茨城出身の平貞盛の直系の子孫が平清盛であって、極めて強引に言えば、ある意味、鎌倉時代への移行の引き金を引いたのは茨城なのでした。また、その鎌倉時代に、仏教に変革が起こる中、現在日本最大の宗派である浄土真宗を起こした親鸞聖人が約20年も家族と共に住んだ場所も茨城なのです。さらに、明治維新の思想的柱となった尊王攘夷思想は、水戸藩発祥であるし、江戸時代の最後の将軍は水戸藩出身の徳川慶喜。こちらは強引に言わずとも、ある意味、江戸時代を終わらせたのは、茨城なのでした。そして、大正時代から昭和時代、茨城には、東洋一の大航空基地、霞ヶ浦海軍航空隊があり、世界史を転換させかけた日本の空の英雄の多くは茨城から飛び立ったのです。実は歴史の変わり目で、茨城は表舞台に登場し、際立った役割を果たしていたのでした。

先日、日本からドバイに戻る際、エミレーツ航空の機内でたまたま『天外者』という映画を見ることになりました。それは、前日に偶然目にした『コンフィデンスマンＪＰ』に出ていた三浦青年が主演の映画で、奇遇にも2日連続で彼が目の前に現れたことに伴い、何かしらの天声に耳を傾けたのでした。三浦青年は、私の母高である茨城県立土浦第一高校に隣接している真鍋小学校、そして、そこから徒歩10分の土浦第二中学校を卒業されており、茨城、特に土浦に縁がある人にとっては、ただならぬ英雄なのです。

三浦青年は、幕末の偉人五代友厚という役を通じて、「誰もが夢を持てる国を作りたい」と、主張していました。「私は夢のある未来が欲しいだけだ」という台詞もありましたが、夢が持てないと言われて久しいのは、現代の日本であり、映画の舞台は幕末であるものの、その叫びは今の時代に響くもののように感じました。

美しい若者が、敢えて命を絶った後、スクリーンに現れることで果たしたかった使命は、「誰もが夢を持て、皆が生き良い、新しい日本を作っていこう」と、国民に呼びかけることだったのかもしれません。

また茨城から日本史が動こうとしている。茨城にご縁がある皆さま、「僕が龍ケ崎に引っ越して来て良かったのは、空気がきれいだから寿命が延びたことくらいです」なんて言わず、平将門の時代から土地に眠る革命精神を呼び覚まし、いざ日本を変えるのです。

2022年

２０２２年３月
時代遅れの侵略者

２０２１年７月23日。母国開催のオリンピックの開会式は、キーウで迎えることになりました。日本と時差７時間のキーウは、開会式が始まる頃、ちょうどお昼時で、北国の夏の心地よい陽気の中、友人がキーウで一番と言うウクライナ料理店のテラス席で、ナイフを入れるとバターが溶け出てくるチキンキエフと、サワークリーム入りのボルシチを前に、ＹｏｕＴｕｂｅで開会式を見たのでした。その地は、平和の祭典の開会式を見るにふさわしい場所でした。

キーウに住むその友人との出会いは、ドバイでのある会合の二次会でした。当時、私にはフライドポテトが目の前にあると電光石火の速さで食べ始め、食べ終わってしまうという悪癖がありました。その日は、目の前にひと山のポテトが現れ、しかも、それが二度揚げで美味しさが倍増するベルギーポテトであったため、普段の二倍の速さで食べ終わってしまったのです。「ポテトはうまかったけど、これはまずい。初対面の方の前で、一心不乱に食べ過ぎた」と赤面しそうになりながら、恐る恐る顔を上げてみたところ、なんと目の前にいた男性が、にやりと微笑を浮かべながら、全く同じタイミングで、ひと山のポテトを食べ終わったところだったのでした。「只者ではない……」恐らくその瞬間、我々は一生の友人になっていたのです。実際に彼は只者ではなく、アジア人として初めてジャグリングの世界大会を制した男だったのでした。

キーウの街には、そこかしこに貸し出し用の電動キックボードがあり、アプリで簡単に借りられました。ウクライナでは、マスク規制が解除されていたため、1年数カ月ぶりにマスクなしで外に繰り出し、キックボードに乗って、フレシチャーテイク通り、独立広場、聖アンドリーイ教会、フェリス観覧車、聖ウラジーミル大聖堂、キーウ大学、黄金の門、友好のアーチなどを巡りながら、街中を軽快に疾走し、早食い競争はしなかったものの、若者や観光客で賑わうドニエプル川沿いで、夕闇に映えるパーク橋を眺めながら、ポテトを食べたりしたのです。

その翌日。既にキーウ滞在最終日でしたが、友人の友人で、曲芸師として世界的に活躍するウクライナ人のボブが、週末の午前中にもかかわらず、キーウ市内を案内してくれました。ボブが連れて行ってくれたのは、第2次世界大戦の戦死者を慰霊する無名戦士の記念碑、世界遺産のペチェールシク大修道院、そして、大祖国戦争博物館のある公園でした。その公園には、高さ102メートルの世界最大の女性像「祖国の母の像」がそびえ、大祖国戦争におけるソ連の勝利を記念しています。

大祖国戦争とは、ソ連における第2次世界大戦の通称です。日本の犠牲者数の9倍、約2700万人ともいわれる世界最大の犠牲者数を出したソ連にとって、第2次世界大戦における独ソ戦は、祖国の存亡を懸けた世界史上最も悲惨な防衛戦だったのでした。

1941年6月、スラブ民族の根絶を企図するバルバロッサ作戦に基づき、独ソ不可侵条約を一方的に破棄して、ソ連に攻め込んで来たドイツ軍に立ちはだかった都市がキーウでした。1941年8月23日から9月26日。ソビエト赤軍が約60万もの捕虜を取られ、ヒトラーが史上最大の戦いと評したキーウでの激戦により、ドイツ軍のモスクワ到着は遅れて、冬になり、モスクワは陥落を免れたのでした。モスクワは、広大なロシアのかなり西の方に位置しており、キーウからの距離は、東京から広島よりも近い750キロ程度しかなく、飛行機なら1時間程度です。キーウがなければ、第2次世界大戦序盤において、モスクワは、パリのように陥落していたかもしれなかったのでした。

ロシアにとって、その安全保障上の要地であり、ロシアの起源とされるキエフ公国の中心地が、西側陣営に組み込まれることは、国家の滅亡さえも連想させる、歴史的大汚点となるのです。

しかし、そもそも広島、長崎で世界大戦が二度とあり得ないことを知り、冷戦が終結して30年の年月が経って、国際的な移動が益々容易になり、インターネットやSNSも発達して、他民族の顔が見えた今もなお、西側陣営、イスラム圏、共産主義勢力などと言って、不信や対立を前提に人類が存在しなければならない理由は何なのでしょう。人口の9割が外国人である超国際都市ドバイでは、ロシア人もウクライナ人もアメリカ人も中国人もインド人もパキスタン人もアラブ人もイラン人もユダヤ人もキリスト教徒もイスラム教徒もユダヤ教徒も仏教徒も、皆共に働き、一緒にポテトを食べたりしながら、仲良く暮らしているのです。

大祖国戦争博物館のある公園に展示されていた、２０１４年のクリミア危機の際に使われた戦車の前で、ボブが言いました。「両国には、クリミアで、同世代の若者と殺し合わなければならなかったことで、今も心を病んでいる人がたくさんいるんだ」

ウクライナ侵攻により、世界中を敵に回したロシアですが、ウクライナ兵や世界中から集まった義勇兵が、正義のために敵として戦う相手も、愛する両親に大切に育てられ、純粋に自国の正義を信じる未来あるべき若者たちなのでした。

人類が殺しあう時代は終わったはず。ドバイ万博のウクライナ館に入ると、誰が始めたのか、万博を訪れた世界中の人たちによる、戦争反対と平和への願いが書かれた色とりどりの紙片が、壁一面を覆い尽くしていました。

2022年

2022年4月
許される虐殺

ドバイでは、コロナ関連の規制がほとんどなくなり、3月からは、外ではマスクもしなくても良くなり、ワクチン接種証明書があれば、ドバイ入国時のPCR検査すらも不要になりました。既に35度を超えるものの、まだ過ごしやすいドバイはハイシーズンを迎えており、万博が行われていたこともあって、ホテルには多くの人がひしめいていました。

ホテルでコーヒーを頼もうと、スタッフに声をかけようとしたところ、アバヤという黒い民族衣装で全身を覆った女性が「ホットチョコレート、プリーズ」と注文をしました。恰幅《かっぷく》の良いアラビア女性。「朝からチョコレートのがぶ飲みは控えた方が良いのでは……」と思った矢先、彼女は言ったのです。

「砂糖なしで」

であれば、注文すべきはホットチョコレートではないのでは……と思うものの、各人類には、各人類なりの嗜好や流儀があるのでした。

そうした中、2022年3月18日に、シリアのアサド大統領がUAEにやって来て、アブダビの皇太子とドバイの王様と会談をしたのです。アサド大統領による他のアラブ諸国訪問は、シリア内戦により、2011年11月にアラブ連盟の参加資格を停止されて以来初めてのことでした。

コロナ禍のため、世界中で、年越しイベントが自粛される中、2021年の年越しでは、アブダビでもドバイでも、むしろ火力を上げて花火に関する複数のギネス記録を打ち立てにいくし、2022年も、ドバイの万博会場では、各ステージにおける12人のスターDJによる世界最長13時間連続年越しイベントという、完全コロナ無視の狂人的企画が粛然と実行されていたし、その型に全くはまらない大胆な意思決定が魅力のUAEですが、それは外交分野でも発揮されているのでした。2020年8月には、アラブの宿敵イスラエルと電撃的に国交を樹立したり、今年2022年2月25日の国連安保理によるウクライナ侵攻に関するロシア非難決議については、中国、インドと共に棄権したりしているのです。

今回のUAEのアサド大統領の訪問受け入れは、米欧からの批判に晒されました。残酷な虐殺や拷問を繰り返し、推定60万人以上とされる死者と、約660万人といわれる世界最多の難民を生み出した諸悪の根源である非人道王アサド大統領を自国に招いて会談し、その国際舞台への復帰を後押しすることなど、あってはならないはずなのです。しかし、恐らく、UAEは、内戦におけるアサド政権の勝利が確実となる中、関係改善を図ることが、地域の安定化のためになると判断したのでした。それにより、アサド政権を支援するイランの影響力の増大を抑え、また、反政府勢力の再台頭による内戦再開も防止することができるのでした。

2011年に始まったシリア内戦は、それぞれの思惑から各国の介入を許して、代理戦争の様相を呈し、米欧やサウジアラビア、トルコらが付いた反政府側が有利な時期もありましたが、2015年9月のロシアの軍事介入により、形成が逆転し、政権側の軍事的優位が確固たるものになりました。今回のウクライナ侵攻で、ロシアにより用いられている都市包囲、民間インフラ攻撃、人道回廊設置（とその後の破滅的総攻撃）といった戦術は、シリアの内戦で既に用いられていたものであり、ロシアはシリアでも、病院や学校を含む民間の建造物を攻撃対象にしていたのでした。ロシアは、国連安保理のシリア関連決議については、常に拒否権を行使し、非人道工を守っており、当然、シリアは3月の国連総会のウクライナ侵攻に関するロシア非難決議について、反対を表明していたのです。

ホットチョコレートに砂糖を加えることも選択肢となるなど、人々の嗜好が多様化し、善悪の判断も相対化した今日であるとは言え、この世には、決して許されない悪事は存在するのです。しかし、人類はまだ、たったひとりの絶対的権力者に、世界を乱され、多くの人が惨殺されるのを防げず、それどころかそうした人物が影響力のある地位に留まることを許してしまう、未発展な段階にあるのでした。

3月31日に中東アフリカ南アジア地域で初めての歴史的な万国博覧会が終わりました。誉れ高いイベントの最後にふさわしく、華やかに演出された閉会式では、人類の協調と発展を願うメッセージが続きましたが、人類が、対立ではなく、調和を求めていることは明らかなのでした。式典の半ばで、半年間万博会場に掲げられていた万博旗が、日本の万博大臣と大阪府知事に手渡されました。

人類が次のステージに向かう過渡期に日本に手渡された万博旗は、日本がそこで果たすべき役割を暗示するものにも見えました。世界に非核三原則を持つ国は、２つしかありません。それは日本と、そしてウクライナなのでした。両国は、暴力に対置する存在であることを宿命づけられており、真の世界平和にとって、特別な国なのです。

2022年

2022年5月
ご縁と奉公

今年も、ラマダン月がやって来ました。以前は、断食中のイスラム教徒の前で、日中飲食することは憚られたものでしたが、年々ドバイのラマダン中の雰囲気が緩やかになることもあって、あまり気を遣うことはなくなってしまい、会議でイスラム教徒の弁護士が目の前に現れても、コーヒーを口に運ぶ手を止めることなど、もはやできないのでした。

ドバイに来て9回目のラマダンを迎え、長くなったドバイ生活ですが、ドバイに来て最も良かったことは、出会いに恵まれることでした。約3千人という、ほど良いサイズのドバイの日本人コミュニティでは、組織の枠を超えて、人間関係を構築することが容易なのです。その結果、例えば、フェイスブックに、若い女性も含まれる飲み会の写真を連日アップしながら、「奥さんから『いいね』がもらえない」と比較的当然の結果に悩まれる単身赴任の商社マンの先輩や、屋外で飲酒をしているところを警察に咎められたものの、「おれは日本の領事だ」と日本の外交官特有の茶色のパスポートを示して、怪しからん抵抗を試み、しかし、見事に警察を打ち払って、その場にいた仲間を救った某官僚など、人間力の極めて高い優れた人物に次々と出会い、仲を深めることができたのでした。

また、ドバイには、世界中からお金持ちが集まるところ、お金持ちの日本人とご縁ができる機会も多いのでした。著名な個人投資家の方やＹｏｕＴｕｂｅｒ、暗号資産長者、一流スポーツ選手、自らのお顔は大きめであるものの小顔マッサージで有名な方、「ヨーロッパは見所が教会しかなくて、どこの国も同じですから」と言い放たれ、ドバイモールのカフェで、３方向からやって来るポケモンを集めながら、１００億円以上の資金を運用されている方、「友人が暗殺されて落ち込んでる」というメッセージをもらい、「それは落ち込むだろうけど、一体どんな友人なんだよ……」と思いながら後で話を聞いてみると、その友人が北朝鮮のキム・ジョンナム（金正男）だった方など、日本にいればそうはお会いできない方々と、次々出会い、仲間になっていくのでした。

ご縁というのは不思議なもので、以前書いたように、ドバイでの知り合いと、ばったり東京の飲食店で隣の席になったり、渋谷駅で偶然、山手線の車窓越しに出会ったりすることなるのです。東京の赤坂で、ドバイの古い仲間4人で集まった時には、まず他の元ドバイ駐在員の方からたまたま連絡があって合流が決まり、バーでテーブル席を囲んでいると、後から店に入って来られた方が、また別の元ドバイ駐在だった方で驚くことになり、のみならず、さらにその後、店に入って来られた方も、奇しくもまた別の元ドバイ駐在だった方で、ここはドバイなのかという錯覚を覚えざるを得ない状態となったのでした。さすがにお二人は同じテーブルに座られるのだろうと見ていると、それぞれ別のグループで、結局、その時3つだけ埋まっていたバーのテーブルは、いずれも元ドバイ駐在員のテーブルになっていたのでした。

イギリスのケンブリッジで、何となくこちらの道ではない気がして引き返してみると、自転車に乗る日本人男性が現れて、目が合えば、ケンブリッジ大学に留学中のサークルの後輩だったり、ニューヨークで飲み会に30分以上遅れて、摩天楼的絶望を覚えながら、ほとんど全力で走っていると、前から同じようにばささと髪を振り乱しながらほとんど全力で走って来るアジア人女性がいて、なんという奇遇と思っていると、奇遇にもほどがあったことに、サークル同期のニューヨーク駐在銀行員ルンルンだったりして、ご縁のある方とたまたま出会うのは、日本でだけではないのでした。

人と人は、必ずしも偶然に出会い、知り合っているのではないのかもしれず、世界の街角での不思議な再会を考えると、この世が目に見えるものだけで構成されているわけではないことは、ほとんど明らかであるように思われてくるのでした。

「ドン」と大砲の音が鳴って、断食が終わりました。ドバイで、大砲の音が断食の終わりを告げるのは、恐らくブルジュカリファ周辺のエリアだけですが、以前そのエリアに住んでいた時には毎日聞いた大砲の音を聞けば、９年前にその音を聞いた時の景色が脳裏に蘇ってくるのでした。

アラビア料理店で、断食後の夕食であるイフタールのコースを注文すると、ひよこ豆のペースト・フムス、焼き茄子のペースト・ムタッバル、羊肉ミンチの揚げ物・クッベ、鶏肉、牛肉、羊肉などの串料理・ケバブ、アラビア風炊き込みご飯・ビリヤニといったアラビア料理が次々と出てきて、テーブルを満たしました。

歴史のどこかで誰かが考え出したそれらの料理は、人と人との出会いが広めてきたものでしょう。人生を動かすのは出会いであり、人類史を動かすのも、また出会いなのでした。せっかくだからみんなで人類史を動かそう。世界中の人が集まるドバイでのご縁を発展させていけば、ひょっとするとそんなことも可能ではないかと、今日も誰かと出会うのです。

2022年

２０２２年６月
正義の見方

先日、ドバイで、インドのニュース放送局であるＷＩＯＮが主催するグローバルサミットというイベントを傍聴する機会がありました。オベロイホテルというインド系のホテルのボールルームで開催されたそのイベントには、日本の元国会議員や元大使の方も含め、世界各国からパネラーが集まり、世界平和について議論をしていたのです。

興味深かったのは、冒頭で、イランのアフマディネジャド元大統領の映像が出て来て、20分以上にわたり、戦争と平和と人類について、哲学的に語り始めたことでした。同氏は、戦争加害国が拒否権を有する国連安保理の不合理や、覇権国による韓国、ベトナム、パレスチナ、アフガニスタン、イラク、シリア、イエメン、アフリカ諸国での戦争、世界における富や武器の偏在などを批判し、全ての人間が愛され、尊敬され、平等に権利を享受し、富を共有できる秩序の確立に触れつつ、戦争や侵略による貧困と略奪の根絶等を願う発言をしていたのです。

アフマディネジャド氏は、２００５年から13年まで、イランの大統領を務めた人物ですが、「イスラエルは地図から抹消されるべき」などと言い、核兵器開発に繋がるウラン濃縮活動の停止についての英・仏・独との合意（パリ合意）を反故にして濃縮活動を再開し、欧米がイランに対する経済制裁を最高レベルまで引き上げる要因を作った人物であり、欧米側から見た彼は、世界秩序を乱すとても悪い人だったのでした。

ウクライナ情勢が深刻化し、世界平和が切実に人々の願いとなる中、そんな人物にイベントの冒頭で戦争と平和を語らせるとは、元カレを結婚式で神父に据えるほどの変則人事と驚きましたが、我々は基本的に欧米メディアの立場からしか世界を見ておらず、それは一面的な物の見方にすぎなかったのでした。

中東視点で見ると、確かに欧米は必ずしも正義ではありませんでした。そもそも中東問題は、第１次世界大戦後の英仏による民族分布を無視したオスマン帝国領の利己的分割にも起因するといわれます。また、イスラエル対アラブとイスラムの対立も、欧米が作り出したものでした。

第1次世界大戦後、オスマン帝国領だったパレスチナの地は、イギリスの委任統治領になりました。その後、シオンの丘に帰ろうというシオニズムが盛んになり、パレスチナへのユダヤ人の移住が進み、第2次世界大戦後の1948年に、米国主導の国連決議に基づき、イスラエルが建国されたのです。戦勝者が土地をほしいままにするのは人類史の常としてやむを得ないとはいえ、戦争に直接関係ないユダヤ人の国が建てられて、聖地エルサレムが奪われ、アラブ系住民は先祖代々の土地を追われて、70年以上経った今もなお多くの人が難民キャンプでの生活を強いられているのです。ユダヤ人は、131年から135年のローマ帝国との間の第2次ユダヤ戦争で敗れて、エルサレムに入ることを禁じられて以降、世界中に離散することになり、ユダヤ人がパレスチナを本拠としていたのは、2000年近くも前なのでした。日本に置き換えると、弥生時代に日本に住んでいた民族に「ここは約束の地だ。そして、その丘は我々の丘だ」などと言われて、国を奪われるようなものであり、そう考えると、アラブやイスラム側の欧米諸国への憤りは当然のものと思えるのでした。

また、アメリカの中東政策は、目先の自国利益重視の場当たり的なものでした。例えば、アメリカは、ソ連の影響力が高まっていたイラクを牽制するために、元々はイランを支援していたものの、1979年のイラン革命によりイランが反米となると、イラン・イラク戦争（1980～88年）においては、逆にイラク支援に回り、その結果として強大化したイラクが1990年にクウェートを侵攻すると、今度は多国籍軍を率いてイラクを叩いたのでした。

その後、テロを事前に把握していたともいわれるブッシュ政権は、9・11の後「テロとの戦い」を掲げ、早速2001年10月に、タリバンがビンラディンを匿っているとしてアフガニスタンに侵攻し、さらに2003年には、根拠不明のまま、イラクの大量破壊兵器開発を口実として、イラク戦争を起こしたのです。アフガン侵攻とイラク戦争はアメリカの軍需産業や石油産業を潤し、それらと繋がりの深いブッシュ氏やブッシュ政権の閣僚も潤したともいわれますが、未だ根強い9・11陰謀説の真偽は不明として、米国によるベトナム戦争本格介入のきっかけとなったトンキン湾事件が米国による捏造《ねつぞう》であったり、ケネディ大統領が承認しなかったものの、キューバのカストロ政権を転覆させるための米国政府による米国内テロの偽装計画であるノースウッズ作戦（陰謀説支持者は、9・11は同作戦を模したものと主張するのでした）が存在したことなど、米国が目的のために手段を選ばないことは、確かにあったのでした。

あれ、アフマディネジャド氏がむしろ正義に見えてきた。世界を多角的に見る必要を改めて感じ、ＹｏｕＴｕｂｅでＷＩＯＮチャンネルを見てみると、ＷＩＯＮの顔であり、ドバイのイベントでも司会を務めていた女性が日本にいて「私たちには皆、お気に入りのポケモンがいる」「ポケモンは日本から世界への贈り物」「ポケモンセンターに入ると、ポケモンパラダイス」などと、世界情勢を伝えるいつもの表情と全く違った明るい表情で、想像の遥か上を行くポケモン大絶賛をしており、いやあ日本はインドから見ても良い国なんだなあと、なんだか泣けてきたのでした。

2022年

2022年7月
みそ汁しかつかない牛丼

中東でも欧州でも東南アジアでも、世界各国の空港に人々が戻る中、いつまでも床をぴかぴかと光らせながら閑散としている成田空港。エミレーツ航空のラウンジも閉ざされており、エミレーツ航空のチェックインカウンターでは、ラウンジの代わりに成田空港の飲食店全てで利用できるという3千円分のバウチャーが渡されていたのです。しかし、ただでさえ営業していない店は、エミレーツ航空の出発時間近くになると、吉野家とスターバックスだけとなってしまい、3千円を使い切るのは至難の業となり、また一定の精神力が必要だったのでした。

例えば、牛丼、牛皿、うな重、生野菜サラダ、玉子、納豆、みそ汁、とん汁、あさり汁、しじみ汁、Qooリンゴ味を全て頼んでみても、なお3千円には及ばず、牛丼1杯で2千円はするであろうドバイとの対比の中で、日本の物価が安すぎることに、危機感を感じることにもなったのです。

先日、今日は吉野家でいくら分頼めるだろうかと楽しみにしながら、成田空港に向かったところ、もはやバウチャーはもらえませんでした。JALのラウンジが再開しており、エミレーツ航空の乗客もJALのラウンジが使えるようになっていたのです。今思えば、吉野家3千円注文し放題というのは、一種の偉大なエンターテイメントだったのであり、せめてと思い、JALのラウンジで牛丼を食べてみたものの、味が違う上、みそ汁に加えて、とん汁、あさり汁、しじみ汁がつかない状況に、逆に虚しさが募るだけであり、終わった時代は戻って来なかったのでした。日本出発前に、若い女性店員とおじいさんの「申し訳ございません。うな重なんですが、うなぎが切れちゃいまして」「その辺で釣ってきてよ」「承知いたしました」などという、江戸時代からうなぎが名物の成田ならではの軽快な会話を盗み聞くことも、もうないのです。

コロナコロナと言っている間にも、世界は動いているし、月日は流れており、今年も夏至を過ぎ、日本では、群馬県伊勢崎市で40・2度を記録し、日本観測史上6月に初めての40度台というニュースが流れる中、UAEでは、最高気温40度超えが基本となっており、ドバイの隣のアブダビでは同月に50・7度を記録し、「日本もまだまだだな」と当地駐在員特有の謎の優越感を抱くことになる季節となっているのでした。炎天下に放置されたペットボトルの水はお湯になり、救いを求めて水道の蛇口をひねっても、お湯が出てきて、いつのまにか辺りが温泉街とはまた別種のお湯地獄と化していたことを認識し、絶望を覚えるも、しかし、なぜか我々日本人は、このような劣悪な気候下でも、「暑さに負けるわけにはいかない」などと言って、不必要な戦いを繰り広げながら、引き続き野球やサッカーやゴルフやテニスといったスポーツを屋外で行っており、他民族に比して強い精神性を図らずも示しているのでした。

こうした暑さにもかかわらず、先進諸国から敵視されたロシア人とロシアのお金は引き続きドバイに集まって、不動産価格は高騰し、賃料も上がり、日本人駐在員の生活にも影響を与えているし、給付金詐欺の主犯格や暴露系ＹｏｕＴｕｂｅｒの方が、潜伏先としてドバイを選ぶなど、ドバイは、どことなくグレーな印象を強めながら、世界の興味を引く場所になっているのです。

ドバイのあるＵＡＥは、３月にマネーロンダリングやテロ資金供与対策に関する国際組織である金融活動作業部会（Financial Action Task Force：FATF）により、マネーロンダリング対策不十分として、監視対象国リスト（グレーリスト）に入れられるなど、確かにグレーな場所なのですが、中東から世界を眺めて見ると、どうも世界は全体的にまだまだグレーのようなのでした。

感染者は中々減らないものの、世界的にはコロナ禍が終わりつつある中、待たれるべき新秩序下の世界は、ラウンジの高級牛丼しか食べないような一部の人間が富や権力を独占し、国家や世界をほしいままにする世界ではなく、皆が吉野家で3千円分の牛丼などを欲しいままに頼めることに大きな幸せを感じる世界。そんなことを思いながら、次回帰国時には、吉野家に行って、せめて牛丼と玉子ととん汁だけでも食べようと、心に決めたのでした。

2022年8月
エジプトのナポレオン

「エジプトはとても運転がしやすいよ。なぜなら車線なんてあってないようなものだからな」。ハンドルを左右に切り放題の50代後半と思しきエジプト人男性運転手は、そう言って、高速道路を常時140キロでぶっ飛ばし、前方に車が現れれば、目いっぱい近づいてパッシングをした後、急ハンドルでかわしながら、アレクサンドリアからカイロへの道を爆走したのでした。それは、あたかも224年前の同じ月に始まったエジプト遠征時のナポレオンの猛気が乗り移ったかのようで、いつしか私は彼のことをボナパルトと呼んでいたのです。1798年7月アレクサンドリアに到着したナポレオン率いるフランス軍は、カイロへの真夏の砂漠移動中、暑さと渇きにより、多くの兵を失いましたが、確かにそこは妙に喉が渇く土地なのでした。もっとも、カイロの7月の平均最高気温は35度程度で、平均最低気温は23度程度であるのに対し、ドバイの平均最高気温は41度、平均最低気温30度であり、エジプトの夏はUAEの夏よりは過ごしやすく、特に地中海に面したアレクサンドリアの夜は、時折寒くすらあるのでした。

紀元前332年に建設され、現在は500万人以上の人口を擁するエジプト第2の都市アレクサンドリアは、アレキサンダー大王が自らの名前を冠してオリエント各地に建設した多くのアレクサンドリアの中で、今も名前がそのまま残る唯一の都市なのでした。その後、古代エジプト最後の王朝であるプトレマイオス朝の首都として栄え、紀元前60年頃には世界史上初めての百万都市にまでなったのです。「クレオパトラ石鹸」がドバイ土産のひとつとなり、我が家の近くには「クレオパトラランドリー」や「クレオパトラスイミングアカデミー」があり、また、例えば、イタリアには「クレオパトラピザ」なるピザ屋があったり、ロシアでは「クレオパトラ」というレーザー脱毛店が複数店舗を構えるなど、2000年以上が経った今でも、世界中でその名を実に多様に轟かすクレオパトラは、プトレマイオス朝の最後の女王であり、アレクサンドリアを本拠としていたのです。

一時期、世界史の中心地であったアレクサンドリアですが、東ローマ帝国の支配下にあった641年に、イスラム帝国ウマイヤ朝の初代カリフ・ムアーウィアの盟友アムル・イブン・アルアース率いるアラブ軍により攻略されて以来、イスラム勢力の支配に服し、長らく欧州から忘れられていたのでした。1798年7月1日、オスマン帝国領だったその地に突如現れたのが、50代後半のエジプト人ドライバーではない、弱冠29歳のボナパルト率いるフランス軍だったのです。

ナポレオンは、アレキサンダー大王にならいエジプト遠征に160名以上の考古学者、科学者、技術者、建築家、画家などの学術調査団を同行させていました。この時に発見されたロゼッタ・ストーンの碑文解読を手がかりに、古代エジプト文字のひとつであるヒエログリフが解明されて、エジプト学が発展することとなり、また、ナポレオンが調査団にまとめさせた全22巻の『エジプト誌』によって、大エジプトブームが起こって、遺跡の発掘や調査が進み、古代エジプト文明が明らかにされたのです。

世界中に流出した古代遺跡からの出土品ですが、カイロでは、エジプト考古学博物館に集められました。手荷物預り所では、言い値で料金が決まり、1枚お札を渡すと「もう1枚?」と追加を求められたり、出口付近のカフェでは、カード決済時に20%以上のチップが勝手に入力されて「チップ、サー」と言われ、「高すぎる」と返すと「強制ではありません。サー」「サー次第です。サー」「でも、みんな払います。サー」と懇願の眼差しで見つめられたりするなど、その博物館は、中は古代エジプト展、外は体験型現代エジプト習俗展という特殊な博物館だったのでした。

博物館の展示品の多くが、ピラミッド付近に今年2022年にオープン予定の大エジプト博物館に移される中、最大の見ものであるツタンカーメンの黄金のマスクは、そこだけ冷房がよく効いた特別室に、まだ存在していました。ツタンカーメンといえば、ドバイに「ツタンカーメン建設」という会社があったり、日本でも、有楽町に「蕎麦《そば》とコーヒー ツタンカーメン」があり、通販で「ツタンカーメン寝袋」が売られていたりと、クレオパトラに劣らず、3300年以上前の人物とは思えない抜群の知名度を誇る人物ですが、16から19歳頃に亡くなったとされるツタンカーメン王には、「エジプトのナポレオン」とも呼ばれるトトメス3世（時系列上、むしろ3000年以上後輩のナポレオンが「フランスのトトメス3世」と呼ばれるべきようには思われるものの）などと違って、目立った功績はないのでした。その知名度の高さは、王墓が盗掘を免れて、奇跡的にほぼ手つかずの状態で見つかり、黄金のマスクをはじめ、絢爛《けんらん》豪華な埋葬品が多数今日に伝わったということに、もっぱら起因するのです。

昨日完成したばかりと言われてもあまり違和感のない、凜々しい表情の目映い金色のマスクは、３３００年前を身近に感じさせるものでした。キン肉マンに出てきた黄金のマスクもこんな感じなのだろうか。３３００年前に思いを馳せる過程で、うっかり35年前に寄り道をしてしまいながら、この上なく時の不思議を感じたのです。

2022年

2022年9月
あなたの剣をもとの所におさめなさい。剣をとる者はみな、剣で滅びる。

聖地エルサレムで迎えた朝。古いホテルの最上階4階の窓から、晴れ渡る青い空と木々の緑に夏を感じながら、アラブ風の朝食を取り、部屋に戻ってしばらくすると、バンバンッと銃声と思しき音が聞こえてきました。

寂れたバルコニーに出て見ると、建物に遮られて、街の様子はほとんど確認できないものの、バンバンッ、バババンッと、確かに銃声のような音がいくつかの方面から聞こえてきて、止む気配はありません。音に驚いた鳥が一斉に飛び立ち、避難して来ます。ニュースを調べてみると、前の晩、ホテルのある東エルサレムで、ひとりのユダヤ系旅行者が銃殺されており、それを端緒として、本格的な戦闘が開始されたのだろうかと、壁際に身を潜めたのでした。

世界遺産であるエルサレム旧市街は、東エルサレムにあります。三大一神教全ての聖地であるエルサレム旧市街ほど聖地と呼ぶにふさわしい場所はないと、神聖な空気を期待して訪れてみれば、概ね中東諸国でよく目にする商店街で、石造りの道の両側に、多様な商店がひしめき、雑貨、土産物、食品、家電、洋服、人形、中国製玩具、PS4のソフトなど、様々な商品がびっしりと並べられ、路肩で着衣の上から下着を試着する暴挙に出るおばさんも目につくなど、むしろ商店街の聖地だったのかと思わされるような、世俗的な場所だったのでした。もっとも、元々ゴルゴダの丘があり、イエス様のお墓があったとされる場所に建つ聖墳墓教会の内部は、聖域度が高く、入口からすぐの所にあるイエス様が十字架から降ろされて、横たえられたとされる赤みを帯びた大理石盤に、右手の指を3本置いて祈ったところ、30分後に、その3本指は、なくしたはずのイヤホンをバッグの中から探し当てることとなり、ささやかな奇跡を感じたのでした。

その後、偶然訪れたのは、エルサレムから南へ10キロ弱のところにあるベツレヘムでした。ベツレヘムは、新約聖書でイエス様が生まれたとされる町ですが、パレスチナ自治区に属しており、今年7月15日にバイデン米大統領がパレスチナ自治政府のアッバス議長と会談したのも、ベツレヘムだったのでした。ゲートを超えて、パレスチナに入ると、急に貧しい街並みが広がるのかと思えば、そんなことはなく、道路は綺麗に舗装され、行き交う車も、エジプトやイランなどと異なり、新しいものが多い上、高級車も目につき、街並みも整然としていて、抱いていたパレスチナのイメージとは違ったのでした。雑貨屋のプリングルスの品揃えも凄まじく、ひと棚を丸々埋め尽くす10種類ほどの当方史上最大の大プリングルス群の中から、チーズ味を選んで買ってみれば、20％増量版だったとは言え、10シェケル（現在の円安下で約４５０円。当時）もして、昨年の7年ぶりの値上げ後の吉野家の牛丼よりも高かったのでした。

但し、そこは壁の手前でした。ベツレヘムを含むヨルダン川西岸地区では、イスラエルによって建てられた分離壁がイスラエルとパレスチナを隔てているところ、壁はパレスチナ領を侵食するかのように、本来のイスラエル領より、パレスチナ側に設置されているのです。

分離壁の建設は、パレスチナ人による攻撃からイスラエル人を守るためと説明されます。

移動の自由を大きく制限されるパレスチナ側からは、人種差別の壁と言われ、国際的にも非難を浴びている分離壁ですが、確かに分離壁の設置後、イスラエル人の脅威となっていた自爆攻撃は激減しているのでした。

バスやレストラン、繁華街などの人が集まるところを狙った自爆攻撃で、イスラエルの一般市民に多くの犠牲者が出ていたことからは、やむを得ない措置とも考えられますが、壁の向こうにいるパレスチナ人のほとんどは無害な人たちで、イスラエルに対して、攻撃を行い、テロリストと評価されるパレスチナ人とて、その行為が、同胞の故郷からの追放、国際法違反の占領、移動の自由の剥奪、家族を含む民間人殺害等への抵抗だと言われてみれば、それを悪だと断じることは必ずしも容易ではないのでした。自爆攻撃を行っていたのは、恐ろしい顔をしたテロリストではなく、イスラエルの攻撃により、兄弟や婚約者を失い絶望した女学生だったりしたのです。とはいえ、もし、その憎しみが、大義あるものとして、正当化されるのであれば、パレスチナ人の攻撃による被害に対して、イスラエル人が持つ憎しみも、また正当化されてしまうのでした。

その晩、ベツレヘムでは、各所から、ささやかな花火が上がりました。気付けば、その日は、イスラム暦における新年で、朝の銃声のような音も、恐らくお祝いの花火だったのでした。パレスチナで迎えたイスラムの新年。それは世界のどこででもそうであるような喜びと希望に満ちた1年の始まりで、パレスチナ問題とは、遠い昔のことのように感じられました。まさか、そのわずか6日後に、もうひとつのパレスチナ自治区であるガザ地区で、イスラエルによる空爆が行われるとは、想像できないことでした。

2022年

2022年10月
最高の武器

ドバイ国際航空のターミナル3から飛び立ったLCCフライドバイの飛行機は、どこも経由することなく、3時間半後にテルアビブのベングリオン国際空港に着陸しました。両国建国以来一切国交のなかった二国間における2020年8月の歴史的国交樹立後、UAEとイスラエルの間には、直行便が就航していたのでした。アメリカ留学中以来だったか、ベングリオン空港への着陸時には、乗客から拍手と歓声が起こり、そのためかは定かではないものの、イスラエルとアメリカの深い関係を感じる一方で、それは新たな時代が始まったことを祝うものであるかのようにも感じられたのでした。

2019年以来のテルアビブは、わずか数年の間に、高層ビルが増えており、訪れた法律事務所のいくつかは、先進的な内装で、シリコンバレーのオフィスのような雰囲気を持ち、グーグルやアマゾンも入るお洒落オフィスビルの高層階から眺めた景色からは、地中海に沈もうとする太陽の眩しさも相まって、明らかな勢いを感じたのでした。様々な店舗が集まる大型のショッピングモールは、平日でも、いけいけの洋楽が流れる中、多くの人で賑わい、好調な経済を伺わせました。米マーサー社による2022年世界生計費調査では、テルアビブの生計費は、世界227都市中6位とされて、中東一であり（中東2位のドバイは31位、東京は9位）、世界有数に生計費が高い都市となっているのでした。

イスラエルがこの地に建国されることで、憎しみが生まれ、多くの命が失われました。しかし、明らかに優秀なユダヤ人は、この地に世界的に際立った都市を築いており、優れた人材が生み出す技術やお金は、アラブ諸国とて、その恩恵を考慮すべきものになっているのでした。ゆえにアブラハム合意により、UAEはイスラエルとの国交を樹立し、そこから生み出される経済的利益と技術的利益を狙ったのです（なお、アブラハムとは、ノア、モーセ、イエス、ムハンマドと共に五大預言者を構成し、ユダヤ教では、ユダヤ人の系譜上の父とされ、かつ、イスラム教でも、アラブ人の系譜上の父とされるという、中東世界における父の中の父なのでした）。つまり、この地に完全な平和が訪れる場合、イスラエルは、アラブ諸国にとって、有意義な経済的貢献を果たせる可能性が十分にあるということだと思われるのです。

もはやイスラエルとパレスチナのいずれかを消し去ることなどできない今、平和の実現のために必要なのは、復讐《ふくしゅう》ではありませんでした。「右の頬を叩かれたなら、左の頬を差し出しなさい」（マタイ福音書5章39）つまり、「慈愛によって敵を許し、報復を放棄しなければならず、悪に対して、むしろ善で報いなければならない」と、イエス様は言うのです。右頬を打たれた後、砂漠の熱砂のようになったその頬を嬉しそうにさすりながら、「さあ私の左の頬も叩きなさい」と笑みを浮かべて言う。これは、恐らく通常人にとって容易ではありません。

愛する我が子が目の前で殺された時、「さあ、殺しなさい」などと言って、二人目の子供を差し出す者はおらず、むしろ、その相手を憎み、いつか相手にこの世で最も残酷な方法で復讐することこそが正義であり、我が宿命、などと考える方が人間なのでした。そして、その憎しみは民族に共有されていくのです。

許すことは、時に困難であるとして、非暴力こそが、神が人間に与えた最高の武器であるとし、暴力を伴わない抵抗で、英国の植民地支配に立ち向かったのは、20世紀最大の偉人ともいわれるガンディーでした。そして、ガンディーに感銘を受けたキング牧師も、米国における黒人差別に対して、非暴力で抵抗しました。やがてインドは独立を達成し、米国では、黒人も含む全ての人が平等であることを認める公民権法が成立したのです。

ガンディーは、「ひとつのインド」を目指し、ヒンドゥー教徒とイスラム教徒の融和に努めましたが、統一インドが叶わず、インドとパキスタンが分離して独立した翌年1948年に、ヒンドゥー至上主義者の30代後半の男性に、暗殺されてしまいました。暗殺者は、ガンディーによるイスラム教徒との融和とヒンドゥー教徒の非暴力が、多くのヒンドゥー教徒の犠牲を生み、パキスタン独立を招いたとして、ガンディーを「インドの父」ではなく、「パキスタンの父」だと言ったのです。

ガンディーの座右の書であったヒンドゥー教の聖典のひとつ「バガヴァッド・ギーター」にガンディーの思想的根拠を探そうとすると、戦争で敵方となった親戚や友人と戦いたくないと悲嘆に暮れる戦士アルジュナに対して、御者である神の化身クリシュナが、「魂は無限で不滅だから、親戚なんていくら殺しても何ら問題はない。臆せず、どんどん殺せ」

というようなことを言うなど、千言万語を費やして執拗《しつよう》に戦うことを勧めていて、非暴力と全く逆の暴力大奨励に驚くことになりますが、そこから、人は結果に囚われず、各々の使命を果たすべきといった教えを導き出し得るのは、魂の不滅と輪廻《りんね》転生を前提とするインドならではなのでした。

ガンディーの魂も、また誰かに宿り、非暴力で人々を平和に導くだろうか。そう思って、ふと気付くと、今日はガンディーの誕生日だったのでした。

2022年

2022年11月
Asia is One

イスラム教国であるドバイでは、免許のある飲食店でないとお酒を提供できず、免許を取れるのは原則としてホテル内のレストランであって、概ねホテルに入っている飲食店のみがお酒を提供できるということになるのですが、ホテル内のレストランは、通常、値段が高く、さらにドバイでは、お酒にかかる税金が高い結果（但し、酒税は2023年に停止）、お酒は一層高くなるため、ドバイで、安価な宴会を開催するのは、必ずしも容易ではないのでした。

ドバイで宴会を安く済ませようとする場合の選択肢は主に2つで、どなたかのお宅で開催するか、違法中華、違法韓国又は違法火鍋で、開催するかでした。違法中華、違法韓国又は違法火鍋とは、免許を有していないにもかかわらず、こっそり個室で、お酒を提供し、また、無料でのお酒の持ち込みも許容するという対当局攻撃的中華料理店、韓国料理店又は火鍋店のことでした。見つかれば罰金が科せられるため、取り締りが厳しい時期には、壁に白々しく「飲酒禁止」という紙が貼られたり、持ち込んだビールやワインもやかんに移し替えられて、「お茶」を装わされたりするのです。ビールや白ワインは、やかんから出てきても、外見上の違和感はさほどありませんが、赤ワインはさすがに無理があろうと思われつつ、ボルドー産の高級赤ワインも、容赦なくやかんに移し替えられ、湯飲みで赤いお茶として、飲むことが求められるのでした。

先日、攻撃的違法火鍋店の個室で、日本人5人で火鍋を食べていると、カタールで今月から行われるワールドカップの話になりました。「行かれます?」とどなたかが尋ねると、驚いたことに、5人全員が行く予定になっていたのですが、「何戦ですか?」と聞けば、「コスタリカ」「私もコスタリカ」「僕も」「コスタリカです」「コスタリカですわ」「えー」という結果となり、さらに驚くことになったのでした。その2日後にドバイの日本人会野球部でお会いした方と、またワールドカップの話になって、もしかしてと思いながら「コスタリカ戦行きますか?」と聞くと、案の定「行きます」とのことであり、もはやドバイ中の日本人が、2022年11月27日日曜日（週末なので行きやすい）に、ドーハのアル・ラーヤン・スタジアムに押し寄せる恐れが生じていたのです。

中東で初めて開催されるワールドカップへの期待が高まる中、中国の台湾に対する圧力も高まっていますが、「Asia is One（アジアはひとつ）」とは、岡倉天心氏が英語で書いた『東洋の理想（The Ideals of the East）』の冒頭の一文でした。全く余談ながら、「ドバイ便り」を職場の同僚やサークル同期に無断転送している大学サークル同期の栗田くんが始めた「Ｏｎｅ Ａｓｉａ」という法律事務所の名前は、この「Asia is One」に由来するのだそうです。

『東洋の理想』が出版された１９０３年から１２０年が経っても、アジアはひとつではありませんでした。天心氏が『東洋の理想』の原稿を書き終えたインドでも、ガンディーが目指した「ひとつのインド」は実現せず、インドとパキスタンに分かれてしまいました。東アジアに目を移してみても、北朝鮮は、時折、核実験を行いつつ、日本海に向けて、飛ばないミサイルとして一世を風靡《ふうび》したテポドンよりだいぶ高性能になった弾道ミサイルを撃ち込んでくるし、中国が台湾への圧力を強め、日本と中国と韓国もそれぞれが必ずしも良好とは言い難い関係にあるなど、「ひとつの東アジア」にすらほど遠かったのでした。

東アジア人同士が争うことがいかに馬鹿げているかを感じたのは、２０１１年７月にニューヨークの大学の外国人向けサマースクールに参加した時のことでした。初日のランチタイム。世界各国から集まった約90人の学生が、テーブルを全く自由に選択できたにもかかわらず、そして、テーブルの真ん中に火鍋が置いてあったわけでもないにもかかわらず、私が座ったテーブルには、東アジア人しかいませんでした。欧州や南米から来た華やかな白人たちが、楽しげにいくつかのテーブルを囲む中、無意識的にも意識的にもそこに入ることができない東アジア人は、残された端っこのテーブルに、いつの間にか集結していたのです。中国人、台湾人、韓国人、日本人で構成されたそのテーブルは、世界的視野で見れば、我々が仲間でしかないことを示していました。国は違えど、世界から見れば区別はつかず、例えば、戦後日本の国民的大ヒーローであった力道山氏は北朝鮮人、王貞治氏は中華民国人であって、日本語を話せば、皆日本人なのでした。

中東における各国間の紛争も、距離が近く、お互いを意識せざるを得ないために起こるもので、離れていれば、別にアラブ人とペルシャ人とユダヤ人が対立することはありませんでした。近隣諸国が摩擦を抱えるのは、やむを得ないものなのです。しかし、それは兄弟のようなものかもしれず、常に同居するがゆえに、しばしば悪感情を抱き合い、暴力すら振るい合い、仲直りをしても、またすぐ喧嘩を始めたりするものの、結局は、仲睦まじく、共に成長して行く宿命にあるのでした。

中国とインドの成長著しい21世紀は、アジアの世紀と言われます。そのことを裏付けるかのように、米国では、初めてのインド系の副大統領が誕生し、英国でも、初めてのインド系の首相が誕生しました。

アジアはひとつ。

今世紀、アジア人は、国を超えて、力を合わせ、皆で人類を次のステージへと導いていくのです。

2022年

２０２２年12月 帰って来た17番

サッカー日本代表が、１９９４年W杯アジア最終予選イラク戦で、試合終了まであと数秒というところで失点し、W杯出場を逃した１９９３年10月28日は、いつの間にか約30年前となり、「ドーハの悲劇」という言葉に感慨を抱くのは、もはやおじさんとおばさんとおじいさんとおばあさんだけとなってしまっていて、また違った悲劇が生み出されていたのです。

その時、中学3年生だった私は、自室で、こぼした白い絵の具混じりの絨毯の上に寝そべり、茨城の豊富な雑草の中で心置きなく生を育む秋の虫の声と共に、ラジオでその試合の経過を聞いていたような記憶があるのです。しかし、ひとつ思い出し切れないことがあって、それは、その時、私はもしかすると日本ではなくイラクを応援していたかもしれないということでした。

1993年は、Jリーグが開幕した年で、サッカー熱が高まり、私が好きな野球の人気への悪影響が危惧され始めた時期だったのでした。日本がW杯に出場してしまえば、益々サッカー人気が高まる恐れがあるため、日本野球界の将来のために、私は日本に勝ってもらっては困ると思っていたかもしれず、現に、同様に白色絵の具混じりの絨毯に寝そべりながらラジオで聞いていた1994年W杯アジア最終予選第2戦で、イランが日本相手にゴールを決めた際には、喜んだような記憶があるのです。そうであれば、日本の中学生にとってイランとほとんど区別不能なイラクも応援していた可能性は高いのではないかと思われるのでした。

そのような人物に、サッカー日本代表を応援する資格はあるべきではなく、代表戦の生観戦などもっての他ですが、ドバイにいれば、サッカーの代表戦の観戦機会は自ずと訪れ、UAEのみならず、オマーンやサウジアラビアにまで観戦に行ったりし、本意ではないものの、時には友人によって頬に日の丸を描かれたりしながら、もはや人一倍熱心なサッカー日本代表ファンのような様相を呈してしまっていたのでした。W杯直前の親善試合日本対カナダ戦も、自宅からほど近いスタジアムで行われるということで、後半から出向いて、最前列で観戦した上、ドバイ中の日本人駐在員が押し寄せる恐れのあった11月27日（日）のコスタリカ戦を見るために日帰りでドーハに向かうことにもなったのです。

その日、ドバイのアル・マクトゥーム国際空港では、朝6時台にもかかわらず、既に何名かのドバイ在住の知り合いに出会うこととなり、「やっぱり押し寄せてるなあ」と思うことになったのでした。ドバイ首長家の名前を冠したアル・マクトゥーム国際空港は、万博会場に比較的近く、本来、万博前には、ドバイ国際空港に代わり、ドバイ第一の空港になるはずだったのです。しかし、将来のことは神のみぞが知るイスラム世界では、人間の計画通りに事が進むものでは必ずしもなく、万博が終わった今でも、引き続きドバイのメイン空港は、ドバイ国際空港だったのでした。

アル・マクトゥーム国際空港の特徴は、本来ドバイ国際空港を代替する世界最大規模の空港であるにもかかわらず、現在、そこを発つ旅客便は、ほぼドーハ行きであり、まさかの世界最大のドーハ専用空港となっているということでした。特に、ドーハ便が増えているW杯期間中は驚くべきドーハ専用空港となっており、出発便を示すスクリーンに表示されていた29便のうちの28便はドーハ行きであり、同じ時間に2本ドーハ便があったり、5分後に次のドーハ便が出たりするなど、24時間ドーハ便を飛ばし続けていたのでした。

ドーハにおける宿泊施設不足が深刻に問題となる中、ドバイに滞在しつつ、アル・マクトゥーム国際空港を利用して、日帰りで観戦に行かれる方も多く、空港では、その日試合が予定されている各国のユニフォームを着た人々が、開催直前にスタジアムで販売されないことが発表されたビールの飲みだめをしたり、時に唸り声を上げたりしながら、応援への士気を高めていたのでした。

飛行機に乗って1時間ほどでドーハに着き、日本製の快適な地下鉄に乗って、スタジアムに到着してみれば、片方のゴールの裏に陣取った日本サポーターの数は夥しく、ドンドンドンドンッと日本の応援独特の太鼓の音が響いて、ホームでの試合のような状態になっていました。

驚いたのは、4万人以上も観客がいるのに、隣の席がたまたまドバイの野球部の方だったことと、コスタリカの応援に「ニーポ」に似ている音が含まれており、周囲の結構な数のコスタリカ人が、日本人による「ニーポ、ニーポ、ニーポーン」に便乗していたことで、もはやコスタリカの選手も日本の応援をコスタリカの応援と勘違いしている可能性があったのでした。

そのせいなのか、コスタリカがワンチャンスを生かして勝利してしまいましたが、日本は、優勝候補だったドイツとスペイン相手に2つも歴史的勝利を収めて予選リーグを1位で突破したのです。

苛烈な批判に晒されながらも、指揮を執り続けた監督は、背番号17をつけて、1993年10月28日にプレーし、敗戦後、うなだれながらピッチを去った選手でした。その後、日本サッカー界の発展を願い、そのために日々考え続ける監督の閃きが、約30年後に、奇跡と呼ばれる必然を生んだのでした。

日本サッカー史を、新たなステージに到達させたスペイン戦。何者かの執念がそうさせたかのように、ゴールラインぎりぎりからゴール前に浮いたボールを、ゴールに叩き込んだ選手の背番号も17番でした。

あの敗戦は、悲劇ではなく、布石。帰って来た17番は、因縁の地で、ドラマチックに歴史を拓いたのです。

2023年

letters from Dubai

2023年1月
ザビエルのミッション

ある日、同僚のインド人弁護士が、インドでの結婚式に招待してくれたのでした。結婚式の場所は、ゴアというインド西岸のリゾート地で、ドバイからは直行便で3時間半ほどでした。しかしながら、ひどく酔っぱらった夜に飛行機を予約したところ、予約されていたのは、ドバイではなく、シャルジャというドバイの隣の首長国から出る飛行機で、しかも、行きも帰りも、インド国内で1回乗り継ぎをしなければならないものだったのでした。

機内で、インド市場向けのスパイスの効いた日清カップヌードルを買って食べ、アムリトサルというインド北部のシーク教の聖地に到着すると、どうしてか外国人用の入国審査場への進入は禁止されていたのです。しかし、見渡す限り、Foreignersの表示はそこにしかなく、普通に考えれば、外国人はそちらに並ぶべきと思われるので、ベルトの下を潜って、なぜかそこにある（侵入者と思われる人々で構成される）列に並んだのでした。すると、前方に黒褐色のおばあさんがいて、飛行機の中でもらったという入国用の紙をひらっかせているのです。いやそんなものはもらっていないと、周囲を見渡すと、Formという表示がある場所がありました。行ってみると、壁際のデスクの上に、子供が遊び散らかした後か、ヒステリックな主婦が旦那への不満をぶちまけた後であるかのように、入国用の用紙が無秩序に散乱していたのでした。

やがて審査官がやって来て、審査が始まりました。そもそも列を成すことが禁止されているように見える場所で審査が始まるのもよく分からない上、外国人用の列に並んでいる人々は一見インド人風で、外国人ではない可能性もあるし、気付けばどこから現れたのか、中規模の一団が列の前に割り込んでいて、もう秩序も何もないと思うのでした。ようやく審査官の前に辿り着くと、セロテープで支柱が補強された小型カメラは、斜めになっており、それを審査官が懸命に手で真っすぐにしようとするものの、中年の震える手では定まらず、結局、カメラは斜めのまま写真撮影が完了したのでした。

アムリトサルを発ち、深夜にゴアの空港に着いて、もしかしたらW杯の日本対スペインの後半を空港で見られるかもしれないという淡い期待を抱きましたが、預けた荷物が異常に出て来ない間に、日本が2点を入れてしまったのです。空港の外に出てみると、12月なのに蒸し暑かったのですが、それは、Ｙａｈｏｏ！スポーツで、日本の2得点を確認して、胸が熱くなったせいではなく、確かに自然の暑さでした。翌日の日中は、さらに暑く、アプリで気温を調べてみると32度あって、ドバイの29度よりも暑かったのでした。

車に乗ると、運転手が「明日はお祭りで、街は混みすぎて車では行けない」と言うのでした。「行くのは今日だから関係ない」と思いながら、調べて見ると、そのお祭りは、フランシスコ・ザビエルのお祭りで、毎年ザビエルの命日に開催されているものだったのです。

ザビエルは、教科書に使われている肖像画のせいで、頭頂部に注目が集まり、ザビエルというキャッチーな響きと相まって、小学生には、絶大な人気があり、その結果、肖像画を示して「誰でしょう」と日本人に問う場合、正答率が最も高い問題となる可能性がある人物ですが、実際にはあのような髪型ではなかったという説もあるというか、恐らくあのような髪型ではなかったのでした。しかし、頭頂部における毛髪の有無より、歴史的に圧倒的に重要なことは、ザビエルが、インド西海岸のゴアに拠点を構えて、キリスト教の布教活動を行っていたということでした。そして、ザビエルの遺体は、黄金の輝きが鈍く、彫刻の作りも粗い、欧州各国で見た教会とはやや趣の異なるゴアの教会に今も安置されているのです。

スペイン北部のナバラ王国のザビエル家の御曹司であったザビエルは、パリ大学で勉強中、軍人あがりの学生ロヨラに出会って、信仰の尊さを知り、１５３４年8月15日にモンマルトルの聖堂において、パリ大学の学友ロヨラ他5名と計7名で、神に生涯を捧げるという誓い（モンマルトルの誓い）をすることにより、イエズス会を創ることになったのです。ちょうど勃興したプロテスタントに、カトリックが対抗する中で、東方布教の流れが生まれましたが、ザビエルは本来そこに向かうべき人物ではありませんでした。派遣予定だったボバティィリャという人物がゴアへの出発直前に熱病に倒れた結果、ザビエルが行くことになったのです。その後、ザビエルは、マラッカで布教中に、日本人のヤジローと出会い、ヤジローに連れられて、１５４９年8月15日、奇しくもイエズス会結成と同じ日に、鹿児島に辿り着くことになったのでした。

ザビエルが、イエズス会の結成者となったのも、ゴアに行くことになったのも、日本に行くことになったのも、全て偶然だったのです。しかし、偶然こそが導きであり、宣教師ザビエルは、いつしかカトリックの東方布教を使命と感じ、聖パウロを超えるほどの人をキリスト教に導き、東洋の使徒と呼ばれるまでになったのでした。

ザビエルが、異教徒の中で最高の民族と評したのは、日本人ですが、また日本に行きたいという思いも含め、志半ばで倒れたザビエルが見たら驚くであろうものは、日本のクリスマスでした。日本では、ザビエルによる布教の結果、ザビエルが亡くなった1552年12月に山口で初めて祝われたとされるクリスマスは、やや本旨とは異なるものの、現代日本にすっかり定着していたのです。

使命を知り、覚悟を決めた人間の志は死してなお生きる。ザビエルにおいて注目すべきは、頭頂部では決してなく、その強烈な使命感なのでした。

2023年

2023年2月
東方の楽園

ザビエルが眠るインドのゴアで迎えたザビエルの命日。布教のために中国にいたザビエルは、寒さもあって病に倒れ、そのまま46歳という若さで亡くなってしまいますが、その後、マラッカを経て、ゴアまで運ばれ、教会に安置されたのでした。恐らく470年前のその日もそうであったように、ゴアは、30度を超えており、（インドの結婚式にしては短いらしい）3日3晩続く同僚のインド人の結婚式の2日目は、12月とは思えない汗ばむ陽気の中で行われたのです。

初日の夜のパーティーの後、宴の終わりを知らない残党たちと共に、朝5時頃まで踊っていたという新郎は、しかし、その疲れを一切見せずに、2日目の昼の部の会場に現れ、再び踊り始めたのです。インドの民族衣装がドレスコードとされ、椰子の木など熱帯地方の草木に囲まれた芝生の広場で行われた2日目の昼の部は、基本的には初日の夜と同様、音楽が流れる中、食べて飲んで、そして踊りたければ踊るというスタイルだったのです。

夏のような太陽の下、瑞々しい木々や草花に囲まれて、色とりどりの衣装に身を包んだ人々が、思い思いに食事や会話を楽しみ、踊ったりしている様は、まさに楽園だったのでした。その楽園の中で、快楽に耽る人々を横目に見ながら、ザビエルの命日にゴアにいられることはもうないだろうと、キンドルでザビエルの伝記を貪るように読んでいたのは、恐らく私だけでした。

午後4時過ぎまで続いた昼の部が終わった後、午後7時から夜の部が予定されていたのです。新郎が「インドでは1時間くらい遅れて来るのがちょうど良い」と言うので、日本の分刻みのスケジュールの披露宴とは随分違うものだなと思い、ザビエルの伝記を読みながら、のんびりしていたら、うっかり1時間半ほど遅れてしまったのでした。「大事なところを見逃したかもしれない」とやや悔いながら会場に行くと、新郎新婦はまだ来ておらず、さらに30分くらいが経った後にようやく現れて、むしろ2時間ほど遅れて来るのが正しかったことに気付くことになったのでした。

日本の披露宴と同じように、円卓が並ぶホテルの大広間で行われた夜の部ですが、時間が全然気にされていない模様である他、座席は決まっておらず、飲み物はバーカウンターまで取りに行く必要があり、食べ物はスタッフがフィンガーフードを次から次へと勧めてくるというスタイルだった点などが、日本とは違ったのです。さらに、会場の外ではビュッフェで食べ放題という、食事面において、贅沢な二段構えになっており、インドの結婚式の昼も夜も至れり尽くせりの楽園ぶりに改めて感嘆することになったのですが、ひとつ気になったことは、どうも結婚式の参加者ではない一般客がビュッフェに紛れているようだったことでした。

新郎新婦が登場して1時間くらい経ち、外のビュッフェがもはや無法地帯と化している恐れが生じ始めた頃、会場前方のステージでは、新婦の友人と思われる5人組の女性が踊り始めたのです。インドでも友人代表による余興のようなものがあるのだなと思ったら、その後には、親戚代表のような集団が踊り始めたりし、結局、代表も何もなく、最終的には会場にいた（参加者が千人を超えることもざらのインドの結婚式にしてはかなり少ないらしい）約250人のうちの半数くらいが、壇上で次から次へとダンスを披露したのでした。

恐らくそれはインド独特のボリウッドダンスと呼ばれるダンスで、キャッチーなインド音楽に合わせて踊られるそのダンスは、見る者を大いに魅了し、1時間ほどがあっという間に過ぎ去ったのでした。

新郎新婦も数度ステージに登場し、そのたびにそれなりの完成度の踊りを披露していたため、ドバイに帰った後、新郎に練習が大変だったのではないかと聞いてみると、1カ月間練習したと言うのでした。彼は準備のためだと言って結婚式の1カ月半前からインドに帰国していたのですが、どうやら主にダンスの練習のためだったようなのでした。「結婚式におけるダンスの重要度高すぎだろ」と感想を伝えると、「男女の対抗戦だったから」と彼は言ったのです。「全然気付かなかった。ということは、誰か審査する人がいたの？」「いや誰も」「それじゃ勝敗が分からないじゃないか」

インド哲学の下では、勝敗のない勝負こそが真の勝負だったりするのだろうかなどと悩みながら、ＹｏｕＴｕｂｅでボリウッドダンスを検索してみると、映画の一場面のようである大迫力のダンスがいくつも出てきたのです。結婚式の余興レベルでも満足していたにもかかわらず、それを遙かに超える凄まじいダンスは、かっこ良いだけでなく、かわいらしさとひょうきんさも併せ持った陽気なもので、こんな踊りをみんなで踊っていたら、インドとパキスタンの仲もあっという間に良くなるだろうと思われるものだったのでした。

国境に配備すべきは、軍隊ではなくボリウッドダンサー。ルピー札に描かれたガンディーの肖像画を見ながら、非暴力不服従の究極形はこれではないかと、武力に対して、笑顔のダンスで対抗する数万人のボリウッドダンサーを想像したのでした。

2023年

２０２３年３月
イセラエル

２０２０年8月、アブラハム合意により、電撃的にＵＡＥとイスラエルの国交樹立がなされた後、両国間の経済的交流は、確かに活発に行われているのです。パレスチナ問題は引き続き、未だアラブ人としてユダヤ人と親しく交わることは裏切りとも評価され得るものの、お互いをビジネスパートナーと認め合うＵＡＥ・イスラエル両国間においては、民族的な諍いは、過去のものとなっていたのでした。日本もその流れに乗ろうと、昨年12月には、日・ＵＡＥ・イスラエル三極会合が、ＵＡＥのアブダビで開催されたのです。

世界のユダヤ人の人口は、約１４００万人（イスラエルに約６３０万人）といわれますが、ユダヤ人は、世界の富裕層の３分の1を占めるともいわれ、ノーベル賞の約2割を受賞し、米国でもイスラエル・ロビーが立法や政策決定に大きな影響を有するなど、人口に比して、世界における存在感が著しく大きい人々なのでした。

そうしたユダヤ人の一部（約2700年前にアッシリアの侵攻により、カナンの地を追われた10支族の末裔《まつえい》）が、その昔、日本に渡って来て、日本人と同化したという説（一般的には日ユ同祖論なるものに包含される）がありますが、古代イスラエルと日本には、奇妙な類似点が多数見いだされるようなのでした。

例えば、日本語とヘブライ語には似た単語がいくつも存在し、日本の国技である相撲もイスラエルに起源を持つなどと言われ、必ずしも意味が分からないハッケヨイノコッタは、ヘブライ語だと意味が通じ、鼻が高く、お祈りの時に、額に聖句を記した羊皮紙が収められた黒い箱（テフィリン）をつけ、手には律法（トーラー）の書を持ったユダヤ人は、確かに、鼻が高く、額に黒い兜布《ときん》を付け、手に虎（とぉらぁ……）の巻を持った天狗に似ており、ヘブライ語の方言であるアラム語では、入口のことを「トリイ」と言うところ、古代イスラエルの神殿にも、神社における手水舎《ちょうずや》に似た手足を洗う場所や、賽銭箱のような献金箱があり、また神殿内部の構造も神社のそれと類似するというのでした。金で覆われ、2本の棒によって担がれたというユダヤの契約の箱（アーク）は、御神輿にそっくりで、京都の祇園祭は、シオン祭なのではないかともいわれ、平安京は、ヘブライ語では、エルシャローム、すなわちエルサレムであると言われたりするのでした。

先日、天皇家の16弁の菊の家紋（但し、鎌倉時代に後鳥羽上皇が使用し始めたのが起源とされている）は、シュメール王朝やバビロン王朝といった中東の王朝における王家の紋章と酷似しており、エルサレム神殿の門にも同じ紋章があると教えてくださった日本人の方とドバイでお会いした際、たまたまご縁があったとのことで、伊勢市役所の方が同行されており、伊勢神宮の木札を下さったのです。

伊勢神宮は、日本国民の総氏神とされる最高神天照大神を祀り、全神社の頂点に立つという神社ですが、日ユ同祖論者は、伊勢神宮への古代イスラエルの影響も様々指摘するのでした。伊勢神宮に身近な方々が中東にやって来たということは、日ユ同祖論的にこじつければ、約束の地カナンに、10支族の血を引く者が戻る日が、近づいているということなのかもしれなかったのでした。

不思議なことに、その数日後にはオフィス付近で、カナンさんという元同僚の日本人女性にばったりお会いしたのです。カナンさんは、外国育ちであるものの、奇しくもルーツは伊勢神宮のある三重県にあり、たまたまドバイにいらしていた三重県在住のお母さまも含めてお茶をすることになったのでした（余談ながら、何のご縁か、筆者も父方は三重県出身であり、カナンさんのお母さまと父は同じ高校の卒業生だったのです）。

そのちょうど1カ月後、やはり三重県出身である日本一のテニスプレーヤーの方からご連絡があり、ドバイで大会に出る女子プロ（レスラーではなくテニスの）の選手をご紹介くださったのです。ドバイでは、毎年季節の良い2月に、男子も女子もテニスの大会が開かれ、世界的な選手が集まるのでした。

ご紹介を受けた前日アブダビの大会で準決勝を戦ったばかりの世界有数のテニスプレーヤーである加藤選手は、「明日、会場で練習しますか？」とご提案くださったのです。「え、そんなことできるんですか」「できます」。そうこともなげに言った加藤選手は、試合前にもかかわらず、シャンパンをぐびぐび飲まれた後、大会会場のコートで、1時間ほどテニスを教えてくださったのでした。さらに加藤選手はこうも言ったのです。「朝、試合始まる前に他の日本人選手呼んでダブルスしますか」

しかしながら、ドバイにいらっしゃっていた3人の日本人女子選手のダブルスの最高戦績は、それぞれ全豪準優勝、全仏準優勝、全豪ベスト4であって、もはや世界有数のダブルスメンバーであり、そんな中に混じってテニスをするなど、どう考えてもおかしな話だったのでした。

伊勢神宮の木札を得て以来、不思議なことが続いている……。奇妙なことに、男子テニスの国別対抗戦であるデビスカップでは、三重出身のエース選手が率いる日本チームは、抽選によって、重要な次戦をイスラエルでイスラエルチームと戦うことが決まったのでした。

旧約聖書を構成する三大預言書のひとつであるエゼキエル書（バビロン捕囚中、イスラエルの10氏族が失われた後に書かれた）には、イスラエルの12支族が再びひとつになる時、その地に永遠の平和が訪れるというような内容がありますが、10支族の血を引く日本人がイスラエルに戻り、中東和平を実現することが予言されているとしたら。

確かに、近年、ビジネス的観点からの日本人のイスラエルへの注目は、急速に高まり、訪れる日本人も増えているのでした。

2023年4月
南の果ての危険都市

2014年のある日。出向先の社長から、南アフリカ支店の設立のために、書類をヨハネスブルグの弁護士に渡してきてほしいというメールを頂いたのです。南アフリカは世界有数に治安が悪い国とされ、確か、当時ネットで調べたところによれば、ヨハネスブルグでは、1日に平均約40件（ひとクラス分）の殺人事件と約40件（もうひとクラス分）の殺人未遂事件が起きているとされていたのです（という記憶なのですが、今調べると南アフリカ全体の数字だったのかもしれません）。ネットの情報では、南アフリカの中でも、特にヨハネスブルグは世界最悪の犯罪都市といわれるほど危険であり、「軍人上がりの8人なら大丈夫だろうと思っていたら、同じような体格の20人に襲われた」とか「バスに乗れば安全だろうと思っていたら、バスの乗客が全員強盗だった」とのことであり、15秒にひとりが殺されるビル（何のためのビル……）があり、赤信号で停止すると襲撃されるため、赤信号で止まってはならないというのでした（その結果、結局交通事故で死なざるを得ないという……）。

いくらなんでも危険にもほどがありすぎるだろうと思いながら、書類を渡すためだけなら、ＦｅｄＥｘなどのクーリエサービスを利用すべきではないかと社長に意見申し上げたくもなったのでした。そもそも、私は所属事務所の総務課から「カードキーをなくす傾向があるので気を付けてください」という注意を受けたことがあるなど、書類の運搬役としては不適格である可能性も決して低くないというか、むしろ高かったのです。

社長からのご指示メールには、弁護士に書類を渡した後、とんぼ返りしてくださいと書いてあって、「とんぼ返り」というのがどの程度の滞在を許容するご趣旨なのか判然としなかったものの、そのような無法地帯に長く滞在するのも御免であるし、できる限りとんぼ返り感を高めていこうと思い、現地弁護士に書類を手渡し、鉄格子で覆われた中華料理店で、出向先の親会社の南アフリカ支店の皆さんとランチをご一緒した後、直ちにドバイに引き返したのでした。戻ると、社長に『一泊して来れば良かったのに」と言われ、とんぼ返りを厳密に追求する必要はなかったことを認識したのです。

その後、1年くらいして、南アフリカのプロジェクトのための入札準備が始まり、当時の支店長の方にお声がけいただいて、ヨハネスブルグを頻繁に訪れることになったのです。

最初は恐れていたヨハネスブルグ訪問でしたが、ドライバーに「ヨハネスブルグは危険なんでしょ?」と聞くと、「そんなことない。場所を間違えなければ安全で、それは世界中どこだって同じだよ」と言うのでした。凶悪犯罪を含む犯罪件数が世界有数に多く、日本人も巻き込まれたりしているのは確かであり、昼でも外を歩くことは回避すべきとされ、「先日、このレジデンスでアジア系駐在員が殺されました」とか「先週、ここで銃撃戦があり、1名死亡しました」などの説明を受けることはあったものの、赤信号で止まっても、花売りが迫ってくるくらいで、襲撃されることはなく、断続的な数カ月の滞在中には、支店長の方に連れられてマウンテンバイクで自然の中をサイクリングしたり、危険よりも遊びを優先するイケメン駐在員のお誘いで、朝5時までクラブホッピングしたりもできたのでした。

実際のところ、ヨハネスブルグは、自然が豊かで美しく、年中気候が穏やかで、約1750メートルの高地にあるがために、空気が薄く睡眠が取りにくいこと以外は、過ごしやすい環境であり、半年間は気候が劣悪で、自然の乏しいドバイから訪れると、心がときめかざるを得ない場所なのでした。西洋調のお洒落なレストランやカフェも多く、世界的に有名な南アフリカ産のワインと牛肉をはじめ、食べ物も安価で上質であり、自然に囲まれ、よく整備されたゴルフ場も豊富にあったりして、世界最悪の犯罪都市のイメージとは全く異なる優雅な生活が可能なのでした。

先日、9年前に書類を届けた結果、無事開設された元出向先の支店が、閉鎖することになってしまったのです。7年ぶりにヨハネスブルグを訪れることとなり、外務省のウェブサイトで南アフリカの治安情報を調べると、「空港、ショッピングモール等からの追尾強盗、カージャック、偽パトカーによる強盗被害も多く発生していますので、十分注意してください」とあり、引き続き治安はとても悪いようでした。空港到着後、旧知のドライバーとの待ち合わせ場所に行き、車に乗り込むと、警察と思しき制服姿の黒人男性が迫って来て、「ここは駐車禁止だ」と見下すような顔で言うのでした。追尾強盗、カージャック、偽パトカー。典型的危険状況の到来かと思いきや、百戦錬磨のドライバーが、その男性にペットボトル入りのコーラを渡すと、男性は笑みを浮かべ、「よし行け」と我々を即座に解放したのでした。

元出向先の支店がある広大なオフィスパークには、インパラなどのアフリカ動物が放し飼いにされていて、新しいオフィスの在り方ではないかと驚くことになるのですが、新時代に乗り出した元出向先のオフィスは、無念にも閉鎖されてしまうのでした。広大な敷地を散歩し終えた後、最後の支店長の方とオフィスの前で写真撮影をし、「ひとつの時代が終わりますね」と、感傷的に言葉を交わしたのです。

その後、エレベーターの前で、「ちょっとここで失礼します」とおっしゃって、最後の支店長が消えて行かれた先は、男性用のトイレでした。素晴らしき物語が、トイレの前のシーンで終わることは決してないはずで、眼前のトイレの扉は、我々の物語がまだ続くことを暗示していました。いつか必ずこの地にオフィスを復活させましょう。そう念じてエレベーターを降りた後、アフリカ大陸の南の果ての心地よい日差しの中を、次の目的地に向かって、歩き出したのでした。

2023年

2023年5月
過去の栄光

「そんなことないですよ」という言葉を期待しながら「最近老けてきた気がする」と秘書さんに言えば、「まあ40代半ばですからね」と容赦なく全肯定されて、落ち込んでみたとしても事実は事実で、そういえば、かつて、女性に恋愛相談された時に、「燃え盛る家の中に全力で飛び込むようなもの」などと比較的分かりやすい比喩を用いたりしながら、本当のことを言った結果、「もう二度と相談しない」と気を悪くされたことが複数人においてあったことを思い出し、本当のことを言うことが求められない場合もあるのだと、今更ながらやや反省したのでした。

自らの高齢化とともに、知人友人親戚も皆、高齢化が進み、同世代のかつての美少年や美少女もことごとく中年となって、おじさんやおばさんと総称される一存在にすぎなくなり、がちでえぐいなどと若者言葉を駆使しても痛々しいだけとなる中、今年もラマダン中にまたひとつ年を取ってしまったのです。

例年通り、「Eid Mubarak」というメッセージが付き合いのある法律事務所などからたくさん送られてきて、ラマダン後の連休が始まり、ふとしたことから中央アジアに旅に出たのです。着いてみるとそこは、中国系、ロシア系、イラン系、トルコ系、インド系など、多くの民族が混合する場所で、外国人比率が9割で、世界有数の国際都市ともいわれるドバイと比べても、混血も含めた民族的混合度は高いと思えるほどだったのです。古来、シルクロードを通じて、東西の人々が行き交い、また、支配的民族が変遷したこの地域は、ある意味、あらゆる民族が共に生きる未来の人類の在り方を、先取りしたような場所のようにも思われたのでした。いずれも旧ソ連に属しつつ（ゆえにいずれの都市も整然と美しく）も、イスラム教の国であり、こんなところでも「Eid Mubarak」かと、イスラム教の支配領域の広さにも驚くことになるのでした。

中国新疆ウイグル自治区に近いカザフスタン最大の都市アルマトイに着いてみれば、日本人に近い顔をした人たちがいて、「完全に気のせいだけど、2500年ぶりに帰って来た気がする」と思えるほど、不思議と落ち着く雰囲気であり、昔、この辺りにあった弓月国にいたユダヤ人が日本にやって来て、日本人と同化したという説の裏付けは取れなかったものの、日本人の祖先の一部が中央アジアに由来するというのは、確かにそうではないかと思われたのでした。

過密スケジュールゆえ、カザフスタン料理だと思ったらロシア料理だった料理を食べて、すぐさまウズベキスタンに移動し、タシケントで、第2次世界大戦時の日本人捕虜が建設に多大な貢献をしたナヴォイ劇場を訪れ、ラマダン直後の貴重な金曜礼拝を、ホジャ・アフラル・ヴァリー・モスクで、イスラム教徒に紛れて行い、サマルカンドに来てみれば、宿泊先がたまたまティムールの墓所があるグーリ・アミール廟のすぐ近くだったのでした。

ティムールとは、中央アジア史上のみならず、世界史上でも最も際立った人物のひとりであり、破壊や虐殺が問題視されるものの、一代による征服面積は、チンギス・ハンに次いで世界2位という大帝国を、中央アジアから西アジアにかけて築き上げ、1402年のアンカラの戦いでは、隆盛を誇っていたオスマン帝国にも圧勝し、皇帝を捕縛したという傑物なのでした。余談ながら、ティムールの墓が、1941年のソ連支配時に、調査のために暴かれた際、棺には「私が死の眠りから起きた時、世界は恐怖に見舞われるだろう」

という言葉が刻まれており、棺の内側には「墓を暴いた者には、私よりも恐ろしい侵略者を解き放つ」と書いてあったところ、墓が暴かれた数日後に、バルバロッサ作戦によるドイツのソ連侵攻が始まり、ソ連に著しい犠牲者が生まれた（その後、埋葬し直したところ、ソ連有利に戦局が変わった）、などという記事が日英を問わずインターネットで多数出てくるのです。

サマルカンドは、ティムール朝の都であり、1220年にチンギス・ハンに破壊された街を1370年頃にティムールが復興させたものでした。ティムールが、遠征先から優れた者を連れて来て造らせた建造物は、他に類のない独特のもので、建物を覆う繊細な模様の青色タイルと真っ青な空によって特徴付けられたその街は、青の都と呼ばれ、世界で最も美しい街とも言われたのでした。レギスタン広場に立ち並ぶ店の前では、「ドウゾ」「ミルダケ」「イチビョウ」などと、「ヤスイヨ」「ナンデヤネン」「オカチマチ」などという語が用いられるドバイのオールドスークとはまた違った片言の日本語による客引きも行われ、コロナ以降、日本人は見なくなったということであるものの、多くの日本人が訪れていたことを伺わせるのでした。

今世紀、世界の中心と理解されている場所のどこからも遠い中央アジアに、かつて世界的な繁栄を誇った都があったというのは、信じ難いことですが、それはあたかも、今の若者にとって、我々中年世代に、少年時代や青年時代があったことを信じられないことと同じようなことなのかもしれません。

かつての相対的繁栄を取り戻したくても取り戻せず、むしろただ滅びゆく我々。しかし、600年以上前の青の都は、今もその姿を残しており、その当時から変わらないであろう青い空や新緑、暖かい日差し、小鳥の囀《さえず》りなどとともに、普遍的な美を放っているのでした。だとすれば、たとえ滅びゆく身だとしても、後世に残る何かを必ずみんなでやっていこうやと、まずは同僚に呼びかける練習から始めることにしたのです。

2023年

2023年6月
決まっていた未来

随分前のある日のこと、所属事務所のオフィスの二人用の個室で、同部屋だった先輩に質問をすると、先輩は「ああ、その分野はA先生が詳しいから、A先生に聞くと良いよ。事務所で一番優しい先生だから」と言ったのです。持つべきものは先輩と思い、ひとつ下のフロアのA先生の個室に行き、質問をすると、先生のご機嫌は必ずしも良くなさそうで、少なくとも一番優しそうな先生には見えなかったのでした。それでもご助言を頂き、持つべきものはやはり先輩と思いながら、別の先輩弁護士の部屋に行き、A先生から頂いたご助言を伝えたのです。

「A先生に教えていただきました」と言うと、その先輩は「え、A先生に」と大変驚かれたのでした。「はい、A先生に」「よく聞けたね」「え?」「A先生は、怖くて有名で、普通質問なんてできないよ」「えー」

「先生、A先生が事務所で一番優しい先生って嘘じゃないですか」部屋に戻り、先輩弁護士に憤ったものの、先輩は自分が聞けと言ったのに「ほんとにA先生に聞いたんだ?」と言って、にやにや笑うだけだったのです。とんだいたずら好きの先輩だったと、つい先日のことのように思い出すものの、実のところ、それはもはや19年も前の話で、もし、先輩に騙されている間に、生まれた赤ん坊がいたとすれば、その彼か彼女も、もう大学生だったのでした。

時は恐ろしいほどに流れ、当時弁護士が200名ほどだった所属事務所は、19年の間に、世界中に800名以上の弁護士を擁し、19のオフィスを構えるようになったのでした。

所属事務所の創業者の先生が、事務所を開設したのは、1966年12月のことでした。1964年にニューヨークに留学し、その後、米国法律事務所のニューヨークオフィスとシカゴオフィスで勤務した先生は、恐らく、米国法律事務所の規模とその国際性に驚き、日本にも米国法律事務所と伍《ご》する国際法律事務所が必要だと、強く認識したのです。1964年とは、東京オリンピックが開催された年ですが、その2年前、ニューヨークでは、ソニーが五番街にショールームをオープンさせ、そこに掲げられた日章旗が、多くの日本人を感動させていました。敗戦後、日本が復興し、日本人が自信を取り戻しつつある。そんな時代のことでした。

松下電器（当時）の創業者の松下氏が初めて渡米したのは1951年、ソニーの創業者の盛田氏が初めて渡米したのは1953年のことでした。お二人とも、アメリカの圧倒的繁栄に衝撃を受け、恐らく半ば絶望しつつも、世界市場で戦う覚悟を決めたのです。その覚悟が実を結び、やがて、日本企業は電機産業において世界をリードするまでになったのでした。恐らく、創業者の先生も同じように、アメリカで受けた衝撃を覚悟に変え、世界市場で英米法律事務所と伍する日本の法律事務所を目指すことを決めたのでした。

ちょうどその頃、ドバイでは、王様が、当時わずか人口3万人ほどの漁村にすぎなかったドバイをその発展のために中東地域のハブにしようと決意していました。漁村だとすれば、王様というより、むしろ村長と言った方が適切かもしれません。当時まだ石油も発見されておらず、お金もなかったドバイですが、村長はそれでもそう決意したのです。誰もが戯言だと思い、いやいや田舎の村長が何を言っているんだと、嘲笑った者もいたかもしれません。その当時、ドバイには電気も通っていなかったのです。しかし、その決意は、本当にドバイを地域のハブとして著しく発展させ、50年後、ドバイの人口は100倍となり、世界の主要都市に伍する国際都市へと大成長したのでした。

成果のために重要なのは、覚悟を持った人間の決意でした。誰かが決意しなければ、何も起こらず、しかし、必ず実現させるという意志をもって、決意をすれば、常人には、実現不可能と思われることも、実現できるということなのでした。

偉大な決意は、偉人の死後もなお作用し、ドバイの王様の死後も、ドバイは地域のハブとして益々発展し、創業者の先生が亡くなって16年が経った今も、所属事務所は、確かに、先生が目指した方向に向かっているようなのでした。先月には、所属事務所のマレーシアオフィスの開設と、シンガポールオフィスの11周年を祝うパーティーが、クアラルンプールとシンガポールで行われたのです。シンガポールでのパーティーで、シンガポールオフィスの代表弁護士によるスピーチの際に、壇上に立っていたもうひとりの代表弁護士は、いたずら好きのあの先輩でした。

先輩と過ごした二人部屋の窓から毎日見えた景色の中で、特に目についたのは、隣にあったホテルオークラとその少し先にあった東京タワーでした。日本人としての気概の結晶のような2つの建造物は、世界に伍する日本の法律事務所の実現に尽力すべき我々の未来を何となく暗示していたのかもしれませんよ、先輩。などと、取って付けたように思いながら、先人の決意を、みんなで未来に繋ぐのでした。

2023年

2023年7月
新時代のガブリエル

最高気温ではなく、最低気温が連日30度を超えるようになったドバイの6月末。コーラン（クルアーン）において、イスラム教徒の義務とされる5つの行為（五行）のひとつであるメッカへの巡礼（ハッジ）のため、イスラム世界は休日となり、世界中のイスラム教徒がメッカに向かったのでした。

預言者ムハンマドが初めて神の言葉を授かったのは、610年。毎年9番目の月であるラマダンに、瞑想《めいそう》のために通っていたサウジアラビアのヒラー山の洞窟の中のことでした。ある夜、ムハンマドが洞窟の中で眠っていると、大天使ガブリエルが降臨したというのです。ガブリエルは書物を示し、「読め！」と命じたのでした。しかし、読み書きができなかったムハンマドは「読めません……」と答えたのです。すると、ガブリエルはムハンマドにがぶり寄り、ムハンマドを締め上げたのでした。「読め！」「読めません……」「読め！」。同じことを繰り返すガブリエルから解放されたい一心で、ムハンマドが「何を読めば良いでしょうか……」と尋ねると、ガブリエルはムハンマドに最初の啓示を与えたのです。

この時、ムハンマドは40歳であったといわれます。生まれる前に父を亡くし、6歳の時に母をも亡くして、孤児として育てられた後、商人となっていた世俗の人ムハンマドでしたが、この出来事以来、神の使徒としての自覚を持つことになるのでした。そして、神の言葉を人々に伝え、人間社会を正しい方向に導くことに決めたのです。最初の信者は妻のハディージャただひとり。メッカで布教を始め、少しずつ信者は増えたものの、やがて迫害の対象となったムハンマドでしたが、622年のメディナへの移住後、時勢を得るのでした。その後、ムハンマドは、宗教的指導者のみならず、政治的、軍事的指導者も兼ねて、アラブのカリスマとなり、世界史に最も影響を与えた人物のひとりとなるのです。イスラム教徒は、彼の死後間もなく、大帝国であったササン朝ペルシアを滅ぼすことになり、その後、イベリア半島までを支配下に含むイスラム帝国を築き上げました。現代において、イスラム教信者は世界人口の約4分の1に達し、世界的大勢力となっていますが、元を辿れば、全ては、ムハンマドただひとりが生み出したものなのでした。イエス・キリストと異なり、もっぱら世俗的人間であったムハンマドが、突如神の声を聞き、使命を見定めた結果、自らの人生のみならず、世界をも激変させたことを思えば、神なのか何なのか、何らかの偉大な力の存在に思いを馳せざるを得ないのでした。

ムハンマドの死後20年ほどで、ムハンマドが神から授けられた言葉がまとめられた書物がコーランでした。さらに後世において、ムハンマドの言行（スンナ）に関する伝承（ハディース）をまとめたハディース集成書が多数編纂され、そのうちのいくつかが権威を持つに至ったのです。イスラム教にとって重要なのは、徹底的にムハンマドを通じて得られた神の言葉であり、神に絶対的に帰依し、服従することこそがイスラム（アラビア語で服従の意味）なのでした。

イスラム世界で適用されるイスラム法（シャリーア）の主たる法源は、コーランとスンナであり、すなわちイスラム法とは、ムハンマドが神から受けた啓示や、それに基づくであろうムハンマドの言葉や行動から導き出される神によるルールであって、体系的な法典の形式を取るものではないのでした。

現代GCC諸国におけるシャリーアですが、例えば、サウジアラビアでは、コーランとスンナが憲法であるとされて、最大限尊重される一方、UAE、カタール、クウェート、バーレーンでは、コーランやスンナとは別に存在する憲法上、シャリーアは、主要な法源のひとつとされて、立法において、シャリーアが唯一の法源ではないことが明らかにされているのです。

実際、これまでシャリーアに比較的忠実だったGCC諸国のルールにも、シャリーアと整合しないものが増えてきています。例えば、ドバイでは以前から非イスラム教徒の飲酒は違法ではなく、和食屋には「酒は百薬の長だ」と言って、体調不良者に飲酒を強いる日本人や、「今日は三升飲むぞ」などと言いながら、それを煽る日本人がいたりしたものの、イスラム教徒の飲酒は禁止され、違反者には、鞭打ち80回の刑が科せられていたのです。しかし、2020年には、未婚のカップルの同棲とともに、21歳以上のイスラム教徒による飲酒は犯罪ではなくなったのでした。そして、ついにサウジアラビアでも、紅海沿岸に建設中のリゾートでお酒が解禁されると言うのでした。

変化の速い時代に、イスラム世界も急激に変わっていく。先日、地下にあるいわば洞窟のような飲食店で「飲め！」「今日は飲めません……」「飲め！」「今日は飲めません……」「飲め！」「何を飲めば良いでしょうか……」「レモンサワーで良いから」というやり取りがあったことを思い出し、そんな時代であれば、隣でお酒をがぶ飲みしていたあの男性ががぶ飲みだけにガブリエルであったとしてもおかしくはないのかもしれないなどと思ってしまったりしながら、巡礼休暇を終えたのでした。

2023年

2023年9月
どうしても求められるお金

1年ぶりに着いたカイロ国際空港。これまで訪れた空港の中で、最も警戒すべき空港と思われるその空港では、今日はどんな目に遭うのだろうかと思いながら、入国審査場を抜けたのでした。

1年前。カイロの空港に到着し、手荷物受取所に向かおうとすると、首から恐らく政府職員であることを示すIDを提げたふくよかな若い女性が近寄って来て言ったのでした。「観光省の方針で、旅行者のサポートをしています。何かお困りのことがあれば、何でも言ってください」「タクシーを利用したいのですが」と言うと、「勿論です。タクシーは25％引きで手配できますし、2回目の利用では40％引きになります」「え？ そんなタクシーあるんですか？」「あるんですよ」。配車アプリのディスカウントはともかく、タクシーの割引セールは聞いたことがないし、乗れば乗るほど安くなるタクシーも乗ったことはなく、怪しい気もするけど、政府職員が、空港内部で堂々と不正な商売をするなんてことはまあないだろうと、彼女に従ってみることにしたのでした。

「ＳＩＭカード買って来ます」と言うと、彼女は「手配できます」と言うのです。さすが観光省、ＳＩＭは今や観光の必須アイテムだしと思ったものの、彼女は「隣のターミナルまで行く必要があります」と言うのでした。「え。値段はいくらですか？」「ここで買うより安いと思いますが、分かりません」。いや観光省の方針でＳＩＭを扱ってるなら、わざわざ隣のターミナルまで行かなくても買えるべきだし、値段も教えてくれるべきだろうと、タクシーの件も相俟って、疑いが強まったのです。「やっぱりタクシーは大丈夫です」と断ると、彼女は「だめ！」と言って、行く手を阻んだのでした。

「だめ！」ってもう完全におかしいので、問答無用で振り切った後、有名モスクに行くと、入口付近に佇むエジプト人中年男性と目が合ったのです。「ブラザー、このモスクは閉まっている。あっちに良いモスクがあるから連れていってあげよう」「え、閉まってるんですか？今人が入って行ったように見えましたけど……」「ちょうど昼休みになって、今閉まった。早く行かないともうひとつのも閉まるぞ」。抵抗を許さない調子で断定され、強すぎる圧に流されるままに、彼の後を付いていくことになっていたのでした。「どこから来たんだ？」「日本です」「日本最高」「ありがとうございます」「エジプト人はフレンドリーで良いやつらだよ」「そう思います」「お金くれとか言わないし」。いやさっき空港でお金くれって言われそうな雰囲気あったけどな……。

「そろそろだ。いいか、特別にモスクの塔に登らせてもらえる。上からの景色は最高だ。モスクの管理者にはお金を払う必要があるけど、おれには払う必要はないからな」。それって恐らくキックバックもらうんだろうし、実質的にお金くれって言われてる気がするんですけど……。まあでも金額によっては断れば良いか……と、そのまま大人しくモスクの管理者の紹介を受けたのでした。交渉すると、10ドルで良いということになったので、それならまあ良いかと思い、管理者に手渡すと、モスクまで案内してくれた男性が「おれには金はないのか？」と言うのでした。うわあ、エジプト人はお金くれとか言わないとか、おれには金を払う必要はないとか言っていたのに、正面から金出せって、一体どんな精神構造なんだよと驚き、「お金は要らないって言ったじゃないか」と拒もうとしたものの、怒り出すので、やむなく少しお金を渡すことになったのです。

その翌日、ピラミッドに行くと、首からＩＤを提げた男性が近づいて来たのです。「私は政府の者です」。ＩＤを示しながらそう言う男性。「デジャブだなあ……」と警戒するものの、彼は「ここでは観光客が騙されてお金を取られることが多いので注意してください。写真を撮ってあげると言う者は、必ずお金を要求してきますので、絶対にカメラや電話を渡してはいけません」と教えてくれたのでした。なんだ本当に観光客を守るための政府職員じゃないかと安心すると、彼は「写真を撮ってあげましょう」と言ったのです。この流れで、騙すことはさすがにないだろうと、携帯電話を渡すと、彼は「私はお金は要求しませんよ」と笑いながら、写真を撮り、携帯電話を返してくれたのでした。

すっかり気を許し、「あちらにもうひとつピラミッドがありますので、案内します」と言われるがままに付いて行くと、人気が少なくなった辺りで、彼は言ったのでした。「あのラクダに乗る必要があります」。これはもしや乗ってしまうと、お金を払わない限り、降りられないぼったくり専用ラクダでは……と、数年前に「乗ってみるか」と言われてうっかり乗ってしまったラクダから降りる時に１００ドル要求されたことをふと思い出し、「お金必要ですか？」と聞くと、案の定「１００ドル」と言われたのでした。「じゃあ行きません」「だめだ」「だめってなんなの」

ドバイ行き飛行機出発1時間45分前。今回は去年とは違って、何事もなくカイロの空港に戻って来ると、空港の入口を入ってすぐの荷物検査場は、長蛇の列になっていたのです。間に合うか多少の不安を覚えたその時、空港職員と思しき男性が寄って来て、「行き先はどちらですか?」と聞くのでした。「ドバイです」「それはいけません。カウンターが閉まってしまいますから、こちらから行きましょう。さあ早く」。そんな急がなければならない時間ではない気がするけどと思いながらも、とても親切に特別ルートへと案内してくれる彼に感謝の念を強めた時、ふと気付いたのでした。ああ、なんてことだ……。

荷物検査を通過した後、やっぱり彼は言ったのです。

「いくら払うんだ?」

2023年

あとがき

letters from Dubai

1

私は、２０１０年3月までは、生きる目的を知らない廃人も同然の人間であり、というより、そもそも人間であるかどうかも疑わしい存在だったのです。すなわち「もはや、自分は、完全に、人間で無くなりました」というような台詞を述べる人物に対して、「じゃあ一体何になったの？」という質問を発し得るような存在ではなく、むしろ「いいなあ。一度で良いから人間になって、そんなことを言ってみたい」と羨望の眼差しで見つめるような存在だったということなのです。むしろ、妖怪すらも失格。その存在に意味を見い出すことは、極めて困難なものでした。

昨今、改善されているようであるものの、就職先の法律事務所を含む大手法律事務所は、当時は激務で有名であり、私は、自らの自己管理能力の著しい欠如も相まって、多くの時間を事務所オフィスで費やし、時に個室の横に設置されている背の低い本棚をベッドの代わりにして寝て（寝返りをすると落下するため、緊張感はありますが、体の横幅にぴったりで、感じたことのない心地良さがあったのです）、朝、所属事務所が契約するジムでシャワーを浴びて、またオフィスに戻るというような生活をしていたのです。

当時、オフィスは夜の12時で冷暖房が切れていたのですが、冬になると冷たい本棚の上で寝るのは厳しく、「弁護士になって、段ボールで寝ることになるとは思わなかったよなあ」と思いながら、床に段ボールを敷き、掛け布団としても段ボールをかけて寝ていたのです。段ボールは思った以上に暖かく、確かに住居とするに優れた素材であることを認識したのでした。

ある晩、それでも寒さを凌《しの》げなくなり、どうしようかとオフィスを徘徊《はいかい》したのです。コピールームというコピー機が複数置いてあるスペースで、コピーを取った時、ふと気付いたのでした。コピー機がわずかな熱を発していることに。それはニュートンが万有引力を発見したり、コロンブスが新大陸を発見した感動に近かったのかもしれません。もしかしてと思って、コピー機の横に、段ボールを敷き、横になってみると、完全に暖かかったのでした。そうして、コピー機の余熱で体を暖め、なんとか冬を越したのです。

ある日、そうした生活が終わる時が来ました。それは夜中に私の個室に迷い込んでいらっしゃった、私が以前から妖怪仲間ではないかと勘繰っていた先輩弁護士の一言がきっかけでした。私の想像が正しければ、その先輩弁護士は、妹と二人で、妖怪の世界から人間界に迷い込んでしまい、郊外の大きな緑色の葉っぱの下で、風雨を凌ぎながら、二人で身を寄せ合って生活しているはずなのです。

先輩は、怯えながら生きる者の習性か、周りに人間がいないことを念入りに確認した後、個室の扉を閉め、「商社に出向しないか」と言いました。その先輩が妖怪であるという前提が正しいとする場合、年齢という概念が必ずしもない妖怪界には原則として上下関係のようなものは存在せず、先輩の意向にかかわらず、自由意思により、決断をすることができました。私は「考えさせてください」と言って、その場をやり過ごし、数日間、思考を巡らせたのです。

当時、この世に意味を見いだしていなかった私にとって、前向きな響きを持つ「ビジネス」も「海外」も疎むべき単語でした。海外ビジネスを業とする商社は、私が生きる世界とは、異なる世界に存在するものであり、そのような所に身を置く自分など、想像してはならないものでした。しかし、かといって、段ボールを敷き、コピー機で温まる生活を続けて良いとも思えませんでした。窓のない個室の中で、作業に明け暮れ、娯楽と言えば、Ｙａｈｏｏ！ニュースやＹｏｕＴｕｂｅくらいであり、時代を追いかける時間もなく、好きな芸能人は誰かと聞かれて、その頃ＹｏｕＴｕｂｅで興味を持った「キャンディーズです」と言うようになり、「世代でしたっけ」と聞かれて、「ちょうど私が生まれる６日前に解散したグループです」などと答えざるを得ない生活は、どう考えても健全ではなかったのです。

考えれば考えるほど、出向すべきように思えてきて、最終的にその恐らく妖怪仲間であろう先輩に「出向します」と伝えた私は、２０１０年4月に法律事務所という特殊領域から抜け出して、現代日本社会を目の当たりにしたのでした。

2

私が、人間の姿をして、日本有数の企業である総合商社に出向し、人間界への興味から、これまではあまりなかった余暇を生かして、様々な日本の大企業の人々と交わる中、人間に満たない者に固有の直感で把握したことは、端的に日本はまずいということでした。

大企業には、文武両道の優れた才能を持ち、人間的魅力まで兼ね備えた、ほとんど万能の若者が集まっており、司法試験という、相当量の勉強が求められ、粘着気質でなければ原則として受かることができない気色の悪い試験を突破した者のみで構成されるどちらかと言えば、完全に陰鬱《いんうつ》な法曹界と比べると、そこには、楽園とでも言えるような、健全で快活な雰囲気が満ちているのです。

そのような優れた人材。本来であれば、一度しかない人生、元来才能に秀でた若者たちは、自らを人物足らしめんとし、己を磨き、同僚と切磋琢磨《せっさたくま》しあう結果、その場所は、人物の宝庫というべき、多士済々の群雄割拠状態であろうべきところなのです。そして、実際そこに集う人物を見渡せば、確かに日本を動かし、世界に影響を与えられるであろう面々なのでした。

しかしながら、妖怪的直感により、極端に例えて言うなら、少なくとも当時、日本の伝統的大企業のほとんどは、恐らく165キロを投げられるメジャーリーガーレベルの才能を持つ若者に、キャッチャーまで直接投げさせれば良いところを、ピッチャーマウンドからキャッチャーまでの間に、おじさんが年齢順か髪の毛の濃い順に3人くらい中継に入っているような仕組みとなっていたのでした。

才能に溢れていたピッチャーも、直接キャッチャーに球を投げる機会を得られないままでは、その能力を生かしようがないのでした。それでも能力を発揮しようとして、中継のおじさんに速い球を投げたりすれば、「先輩に速い球は失礼だろう」と激怒されるし、変化球を投げようものなら「なんでボール曲げてんだよ」と怒鳴られるし、もうおじさんでも絶対に取れるような球を投げて、おじさんに気に入られることだけを目指すようになるのでした。そのような世界で実現できるのは、良くて、仕事と飲み会の二刀流であり、100年に1人と呼ばれる人材など、育ちようがないのでした。

勤続期間が長いというだけで、立場が上となるおじさんは、概して裸の王様状態となり、若者よりも肩が圧倒的に弱いのに、自分の投げる球が、若者が投げる球よりも著しく遅いことに気付けないどころか、むしろ速いもののように思ってしまう傾向を生じるのです。

それが、おかま投げのような、徹頭徹尾おかしな投げ方だとしても、「先輩、その投げ方はどう考えてもおかしいと思います。だって、おかまみたいですもん」などと異論を唱えることができる後輩は乏しく、おかま投げのその先輩は、永遠に自分がおかま投げであることに気付かず、むしろ、いけてる投げ方をしたバリバリのメジャーリーガーであるかのように錯覚しながら、部下であるがゆえに指示に従い、お世辞を言っているだけの女性社員にもてもてるように思い込み、もはや馬糞にまみれたソフトボールのように、全く手が付けらない状態になりながら、新入社員に、得意げに伝家の宝刀おかま投法を伝授することになりかねないのでした。

このような仕組みは、相手の胸元にしかボールを投げない基本に忠実な平均的な人材を育むには恐らく有効ですが、妖怪の世界で言えば、それがうまくいくのは、全てを委ねられる絶対的リーダーがいる場合か、経済が右肩上がりで、平均的人材さえ配置しておけば、組織も順風に乗って、うまくいくという場合だけであり、恐らく人間の世界でも、それは同様なのではないかと思われるのでした。

なお、妖怪センサーを働かせてみれば、恐らくこれは経済界だけの問題ではなく、政治の世界でも同様であるか、または一層ひどいものなのでした。親の七光りという例外はあるにせよ、新進気鋭の優秀な若者議員がいたところで、政党に属していなければ、世の中に影響を与えるほどの意見を発することは難しく、政党に属してみれば、初当選がいつだとか、当選何回目だとかで、上下関係ができる先輩後輩の世界となり、力のある先輩に気に入られないと出世できないため、感染症が蔓延していたとしても、先輩に誘われれば、銀座に繰り出さざるを得ないことになり、逆に、先輩の気に障るようなことをすれば、政治家だけに、さすがの政治力を発揮されて、潰されていくので、先輩政治家に物を申すことができるのは、政治家を引退し、サンジャポに出演するようになってようやくと言うことになってしまうのでした。

3

ちょうどその年の大河ドラマは『龍馬伝』でした。人間の姿をして、日本社会に出てみるまでは、世の中にも、日本という国にも、特に興味はなく、日本妖怪史以外の日本史も選択していなかった私でしたが、「りょうま」という言葉は、どこかで聞いたことがあったか、居酒屋の看板か何かで見たことがあり、その男性が、明治維新という日本の変革期に活躍した人であることは、何となく知っていたのです。

妖怪身分であるにもかかわらず、現代日本を目の当たりにし、日本変革の必要性を強く感じた私は、これまでも何となく気になっていた「りょうま」という言葉に引かれ、『龍馬伝』は見なかったものの、司馬遼太郎氏が書かれた小説『竜馬がゆく』を読み始めたのでした。

大変有名なその小説は、確かに甚だ面白かったのですが、何が面白かったかというと、小説的誇張とは言え、道端でばったり出会ったりする相手が、いちいち有名な人物であることなのでした。例えば「竜馬も、編笠ごしに油断なく相手をみた。この男はおそらく長州藩士で、竜馬を他藩の探索者だと見たのだろう。『お名前、ご目的をうかがいたい』と、相手はいった。坂本竜馬が、長州藩士桂小五郎にあったのは、このときが最初である」（「竜馬がゆく（1）」文春文庫196ページ）とか、「『おれもゆく』と、さらに五人の若侍が加わった。（中略）『あわや、遅れたるか』と、みなよりすこしあと、いまひとりの若侍が門を飛びだした。乾退助である。（中略～）明治十五年、岐阜で遊説中。金華山下で刺客に刺されるや、『板垣死すとも自由は死せず』という伝説的な名文句を残した男だ。」（同（3）274～275ページ）とか、「『長州人と知られては、生命の危険がある。長崎では、薩摩屋敷に潜伏し、薩人としてふるまいたまえ』『はい』と、伊藤俊輔は元気のいい声を出した。まだ数えて二十五歳である。この男は後に伊藤博文と名乗り、明治四十二年歿」（同（6）121～122ページ）とか、後に歴史に名を残すことになる大人物が、そのときは単なる一介の若者として、さりげなく登場して来るのです。

革命期の英雄たちも、その時点では、何者でもない若者であり、しかし、そうした若者たちが徐々に出会って、時勢を動かす力を持ち、やがて日本を変えてしまうということが現実としてあったことに、驚いたのでした。

幕末の閉塞感は、現在の日本に通じるものがあるようにも思えました。幕藩体制の下、所属する藩における決まった秩序の中で一生を終えていくというのは、現代の会社を中心とする社会と重なる部分も多いように思われたのです。

そうした社会の状況下、変革を志す若者の行動が日本を変えたのでした。本当の「龍馬」と司馬氏が描く「竜馬」は異なり、仮に、「龍馬」の日本史への明確な影響は乏しいとしても、龍馬が、死罪を恐れず、脱藩して、土佐の坂本ではなく、個人としての坂本として、各地一流の有力者たちと交わっていたのは、確かでした。そして、薩長《さっちょう》の同盟期において、両藩の潤滑油として、龍馬が存在していたこともまた確かなのでした。日本を洗濯すると言って、実際にその日本変革の一大潮流のただ中に、組織の力を借りずに入ることができたのは、胆力や行動力も含めた龍馬の個人的魅力によるものと思われ、同時代の人々から概ね人物として高く評価されていたようである龍馬が、並の人物でないことは火を見るよりも明らかなのでした。

それに、時代が動く時というのは、一種集合体として、それぞれの人間が作用し合って新時代への流れを作っていくものではないかと思われ、その成果を一個人に帰すべきものでは必ずしもないのです。

特に、既得権者や年長者への忖度のせいで、面白いことが全くしにくくなってしまった閉塞的日本において、求められるのは、龍馬のような人物であり、龍馬が、竜馬ほどの龍馬ではなかったとしても、多くの日本人の憧れであるというのは、現代における結論としては、全く正しいように思われたのでした。

『竜馬がいく』全8巻を読了して理解したことは、日本を変えるのに日本人全体は必要なく、むしろ極限られた少数精鋭がいれば足りるということでした。

その時から、私は、日本を変え得る少数精鋭を探す旅に出たのです。旅と言っても、恐らく妖怪特有と思われる心をもって行う旅であり、人物に出会うために意図して物理的移動を行うというものではないのですが、しかし、徐々に分かってくることがあって、それはそのような意識を持っていれば、敢えて何者かに会おうとしなくとも、自然と日本有数の人物たちに出会えるということだったのでした。

4

総合商社への1年3カ月の出向を終えた後、私は、引き続き人間の姿を維持したまま、アメリカに向かったのです。1カ月ほどニューヨークに滞在した後、辿り着いた場所は、サンフランシスコでした。私がアメリカに向かったのは、形式的には留学のためでした。既に33歳であり、人間として留学するには遅すぎる年ですが、所属法律事務所では、一定期間勤務すると、国際的素養を養うために、留学の機会を与えられるのです。

幕末の日本変革の大きなきっかけは、1853年のペリーの来航ですが、その7年後の1860年、幕府による遣米使節団の乗る軍艦ポーハタン号と共に、勝海舟、福澤諭吉その他一行を乗せた咸臨丸が、幕府の船として、初めて太平洋を横断しました。西郷隆盛と握って江戸城の無血開城を行い、坂本龍馬の師匠とも言われる勝海舟が、アメリカを訪れていたことも、新時代到来にとっては重要だったと思われるのですが、その咸臨丸が到着した場所は、すなわちサンフランシスコなのでした。

その後、1871年に、岩倉具視、大久保利通、木戸孝允、伊藤博文、山口尚芳から成る岩倉使節団が、欧米視察に向かいましたが、米国から、欧州に向かった後、東南アジアを経るなど、世界を一周して日本に戻って来る岩倉使節団が、海外で最初に到着する場所もまた、サンフランシスコなのです。

サンフランシスコは、1951年に、戦後、国家と認められなくなっていた日本の主権を回復させることになる講和条約が結ばれた場所でもあり、その9年後の1960年、咸臨丸がサンフランシスコに到着して奇しくもちょうど100年後に、日本初の国際線飛行機が到着した先でもありました（ゆえに、JAL001便と002便は、羽田・サンフランシスコ＝以前は、成田・サンフランシスコ＝の往復便なのでした）。

明治維新のキーパーソンも訪れるなど、日本の歴史に縁が濃く、IT時代の世界的中心地でもあるアメリカのベイエリアにたまたま滞在できることとなったことは大きな幸運でしたが、留学と言っても、学校も試験もなんにもない妖怪にとって、学校での学びはそもそも不要であるにもかかわらず、人間界で大学まで卒業し、さらには弁護士になる前に、司法研修所での1年半の研修も終えていた私としては、人間世界の学校で学ぶことには、もはやあまり興味は持てなかったのでした。他方で、日本を憂うる熱い志を持った警察庁出身の佐々木くんと、このままでは日本がまずいという話で意気投合し、協議の結果、留学機会において行うべきことは、独り善がりの勉強ではなく、むしろ世界とのコネクションづくりだという結論に達したため、二人で世界49カ国から集まった約150人のクラスメート全員と交流するという目標を掲げ、日々企画の立案と実行に勤しんだのでした。

全てとはいかなかったものの、ひと通りのクラスメートとの交流を終えたある週末、あるメキシコ人夫婦に誘われて、佐々木くんと共に、留学先のバークレーという街の日本酒の試飲ができる店にいた時、別のメキシコ人のクラスメートから電話がかかってきたのです。

「昨日、飲み会したらしいな」

飲み会（drinking party）という言葉が本来的に有する完全に楽しげな印象に反し、彼はまるで愛犬を殺されたかのような怒気を含む声で言ったのでした。まさか誘わなかったことを怒っているのだろうか……と思うと、案の定彼は言ったのでした。

「なんで僕を呼んでくれなかったんだ」

「え……。い、いや、知らんがな。僕らは色々な人たちと飲んでいるんだ」

「メキシコではそんなことは許されない」

メキシコってもっと陽気な国かと思っていたし、今一緒にいるメキシコ人夫妻は絶対そんなこと言わない気がするけど、実のところ一体どんな国なんだよと思いながら、彼をなだめましたが、よく考えてみれば、彼は妖怪臭のする男で、もしかするとメキシコ妖怪だったのかもしれず、そうだとすると、妖怪仲間を差し置いて、人間と交流するというのは、メキシコ妖怪の間では、許されないのかもしれなかったのでした。人間と交流するというのは、結論として、それが人間的絆であったか妖怪的絆であったかは必ずしも定かではないものの、毎日の活動の成果として、友情は育まれていたということかと思われ、当初の目標は、少なくとも一定程度は達成されていたようなのでした。

余談ながら、卒業式後のパーティーにメキシコ人の彼が連れてきた妹が相当な美人（但し、兄がメキシコ妖怪だとすれば、妖怪である可能性あり）で、多くの男性クラスメートが、彼ともっと仲良くしておくべきだったと後悔することになったのでした。ドイツ人の友人などは、その美しい女性が彼の妹であることを認識した瞬間から、メキシコ人の彼のことを「お兄さん」と呼ぶようになっていたのです。

人類の男性とは、ほぼ例外なく、美しい女性に弱いものだということの他、最終的に、アメリカ留学で学んだことは、アメリカは世界連合とでも言えるような様々な人種の連合体である世界史上特筆すべき特殊な国であること、アメリカには本当に世界中から留学生が集まること、世界中からのロースクールへの留学生の中で英語ができないのは、日本人と韓国人だけであること、自己主張が強いと言われる外国人の中でも、自己主張が強い人は疎まれ、謙虚な人が好まれること、母国に彼女がいることを隠して、クラスメートと付き合っていた男性は、どんなにハンサムで良いやつであったとしても、その事実が判明後、クラスの女性から大きな距離を置かれること（但し、彼はそれをものともしない強靱《きょうじん》な精神力を有しており、卒業式後のクラスのパーティーには母国から連れて来た彼女と参加していたこと）、そして、Ｙａｈｏｏ！知恵袋で質問をすると、意外とすぐに回答が返ってくることなどでした。

１年間のアメリカ生活で得たものは、何より世界中の仲間とのご縁でした。何に繋がるか分からないものの、ここで培った様々な人間関係がいつか生きることがあるかもしれないと、２０１２年８月に、アメリカ大陸を後にしたのでした。

あとがき

5

幕府を倒した新政府が目指したのは、欧米型の中央集権の国家でした。そのための大海外視察をサンフランシスコから開始した岩倉使節団が、8カ月の米国滞在後、欧州で初めて行き着いた場所は英国で、彼らはリバプール港に到着した後、ロンドンに向かいましたが、私がアメリカ留学を終えて到着した先は、オリンピック真っただ中のロンドンだったのでした。

所属する法律事務所では、1年間の留学の後、海外での研修機会が与えられるのですが、私の場合は、それがイギリスの法律事務所だったのです。

再び余談ながら、国際ビジネスにおける法律事務所の世界マーケットは、米国法律事務所と英国法律事務所に、寡占されているのです。

まず、弁護士と言っても、大きな事務所に所属する弁護士は、一般民事事件や刑事事件などは、基本的に扱わず、企業法務と総称されるような、企業活動に付随する法律事務を扱うことになるのです。あらゆるビジネスには契約書が必要になるため、その作成や関連する交渉が発生し、また、全てのビジネスは法律を遵守して行われる必要があるため、法令調査や、予定される事業活動の法律への適合性の検討が必要になります。企業の取引相手や消費者との間の紛争処理といった案件も発生するものの、企業法務に従事する弁護士の仕事は、むしろビジネスを前に進めるためのものが多く、弁護士というとイメージされるであろう法廷での活動には、ほとんど関与しない者が少なくないのでした。

すなわち、紛争解決を専門とする弁護士を除き、ビジネス法務に従事する弁護士が何者かを弁護する機会は、自己弁護以外にはあまりなく、恐らく弁護士というより、法律家（Lawyer）と言う方が適当なのでした。

したがって、私は「法律家」ではなく「弁護士」であることを前提に「ご専門は何ですか」と尋ねられた場合、迷わず「自己弁護です」と答えるようにしているのです。

国際的なビジネスについては、契約書の言語として英語が用いられるのが通常であり、また、契約の準拠法（契約の解釈が問題になる場合に、その契約に適用される法律）としては、ニューヨーク州法か英国法が選択されることが多いため、米国法律事務所と英国法律事務所の独壇場になるのです。

米国法律事務所と英国法律事務所は、世界中に拠点を有し、世界中のビジネスに関与しているのです。米国法律事務所は、特に米州に強く、英国法律事務所は、特に欧州や中東に強いというように、強みを有する地域が異なるため、対応力を補完しあうべく、両国の法律事務所が合併することがありますが、私が２０１２年から13年にかけて、英国法律事務所に出向した際には、ちょうど出向先の英国法律事務所が、米国法律事務所と合併したのでした。タワーブリッジのすぐそばのオフィスの吹き抜けのエントランスには、巨大なユニオンジャックと星条旗が並んで掲げられ、世界有数の法律事務所の誕生を祝っていました。

日本の大手法律事務所も、ここ10年ほどで、アジア諸国を中心に、海外拠点を増やし、日本以外の国の法律についても助言をし始めていますが、英米法律事務所のように、全世界の企業を顧客に持ち、世界中の案件に対して助言を行うということにはなっていないのでした。

それどころか、日本の案件ですら、外国顧客の場合には、その多くを英米法律事務所が助言しており、ホームグラウンドである日本においてすら、必ずしも優位ではないのです。

しかし、世界有数の経済力を有する日本は、企業の国際的活動も世界有数で、例えば、近年、プロジェクトファイナンスの分野では、日本のメガ3行は、シンジケートローンを組成する幹事金融機関（Mandated Lead Arranger）としてのローン組成金額の世界ランキングで、全てトップ10に入っており、年によっては、トップ3を全て邦銀メガ3行が独占したこともあるのです。プロジェクトファイナンスの利用は、電力セクターが最も多く、次いで、その他のインフラセクター、石油やガスなどの資源セクターとなりますが、邦銀が融資する場合、プロジェクトに参加している企業は、日本の総合商社やメーカー、電力会社、ガス会社などであることが多く、日本企業は、発電所をはじめとするインフラの建設や石油やガスなどの資源開発において、世界中で際立った活躍をしているということなのでした。

日本の法律事務所は、そうした日本企業の国際的企業活動について、日本企業を代理し、契約交渉を行えるべきですが、プロジェクト分野においては、例えば、プロジェクトリーダーが総合商社、資金提供者が日本の銀行、発電所メーカーが日本のメーカー、発電所管理運営ノウハウ提供者が日本の電力会社というオールジャパンのプロジェクトだとしても、日本企業は、経験豊富でノウハウが集中している英米法律事務所に法律業務を依頼せざるを得ない状況なのです。

英米法律事務所は、世界各国において、企業のみならず、各国政府に対しても法的助言を行っており、また、各国の法整備に関する助言を行い、法案を作成することもあるなど、世界中で確かな影響力を持つのです。

世界有数の経済力を持つ日本の経済活動がバックにあるにもかかわらず、日本の法律事務所はまだまだその域には達していないのでした。と言うより、前述のように、英米法律事務所が互いに切磋琢磨しながら、世界での対応力を益々向上させる時代になっており、むしろその差は広がっているのです。

とはいえ、ただただ絶望している場合ではありませんでした。日本の法律事務所の海外展開が進み、外国人弁護士の雇用も増えてきている現状下、世界の舞台で英米法律事務所と渡り合える日本の国際法律事務所は、徐々に現実的になっているはずなのです。

ロシアのウクライナ侵攻により、各国がエネルギーや安全保障の他国依存について、真剣に考えざるを得ない状況となっています。すなわち、世界はまだ国家という概念で分断されざるを得ない段階ゆえ、国力というものを考えざるを得ませんが、組織も人、国家も人なのでした。法が世界の枠組みを定め、また契約を伴う国際的活動が増加する中、国力を担う法務人材の重要性は増しており、そうした世界的法務人材の育成は、我が国の国際法律事務所の使命であるはずなのです。真に国際化した日本の国際法律事務所で育った人材は、日本のみならず、アジアを代理し、英米法律事務所の有する価値観とは必ずしも同一ではない価値観で、世界を一面的ではない正しい秩序に導くことになるのでした。

6

したがって、世界的活躍をされる日本人及び日本企業の皆さまには、国力増強のための法務人材育成の観点からも、仮に経験で劣ると思われる場合も含め、どうか英米法律事務所ではなく、日本の法律事務所を起用していただきたいと切に願うところなのですが、話を急激に元に戻すと、タワーブリッジにほど近い、テムズ川沿いのロンドンの法律事務所において、1年弱を過ごした後、私は、2013年9月から10月にかけて、1カ月だけ六本木一丁目にあるアークヒルズに帰って来たのでした。

懐かしの場所。あの日あの晩、妖怪であることが合理的に疑われる先輩に、日本の実人間社会への風穴を開けていただけなかったら、私は永遠にまっとうな人間世界を知ることなく、狭い個室の中で、YouTubeとYahoo!ニュースだけを楽しみとし、私が生まれる6日前に引退したことを何となく運命のように感じ、もしかしたら自分はキャンディーズの生まれ変わりなんじゃないかと思ったりもしながら、キャンディーズのファンであることのみを誇りとするような一生を送っていたかもしれなかったのでした。

龍馬に刺激を受けたということなのか、妖怪風情でおこがましいながらも、日本を今一度、洗濯した後、全力でアイロンをかけなければならないと強く思い、ただそう思っているだけで、アメリカとイギリスへの道が拓け、さらにアラブ首長国連邦に行くことが決まったのでしたが、その３カ国は、不思議なことに、すべて英語表記がUnitedから始まり(United States、United Kingdom、United Arab Emirates)、そしてUnitedで始まる国は、現時点において、世界にその３カ国しかなかったのでした。それらの国では、異なる国であってもおかしくない政府や王国が、こじつければ薩長同盟のように結び付いて、ひとつの国として存在していたのです。

戻って来て驚いたことは、アークヒルズがある場所が、勝海舟旧宅跡のすぐ近くだったことでした。アークヒルズから、赤坂に向かう途中に、勝海舟・坂本龍馬の師弟像が立っていますが、かつてその辺りに勝海舟邸があり、坂本龍馬は、１８６２年の旧暦12月９日にそこで、米国から戻って間もない海舟と初めて出会ったのでした。龍馬がその３カ月後に、姉・乙女への手紙で「日本第一の人物勝麟太郎殿」と評した海舟との出会いが、龍馬の転機であり、彼の人生は、海舟との出会いにより、劇的なものとなり、日本史に残るものになっていくのです。

さらに興味深いことがありました。

所属する法律事務所は、当時アークヒルズの20階と、26階から30階、そして35階を占めていたのですが、久々に戻って来た私は、20階に仮のデスクを得たのです。その場合、26階より上の階にいる同僚に会うためには、22階でエレベーターを乗り換える必要があったのですが、22階に行った時、エレベーターフロアの直前だったか、ある都市の写真が、大迫力をもって、壁一面に現れたのでした。

「な……」

突如、目の前に広がったのは、ブルジュカリファを中心とするドバイの夜景でした。妖力をもってしても、人間世界でできることは限られる上、妖怪としても取るに足りない私の妖力は微々たるものであるため、ドバイの夜景をオフィスの外壁一面に浮かび上がらせることまではできず、なぜこれから向かう都市の写真がこんなところにと、驚きましたが、どうやら私がドバイに行くことが決まった直後の２０１３年６月に、エミレーツ航空のドバイ・羽田便が就航しており、恐らくその時期に合わせてできたエミレーツ航空のオフィスだったのでした。そして、アークヒルズの隣のＡＮＡインターコンチネンタルホテルには、毎晩、羽田空港にドバイから到着するエミレーツ航空のスタッフが宿泊するようになっていたのです。

アークヒルズは、私がドバイに行くことが決まった時期と同じ頃に、日本で一番ドバイと縁が濃い場所になっており、私はドバイに発つ前に1カ月だけ、そこに戻って来ていたのでした。

アークヒルズを発ち、エミレーツ航空に乗って、ドバイに向かったのは、2013年11月3日のことでした。後から思えば、その日は、明治という新時代の象徴、明治天皇の誕生日であり、また、GHQに押し付けられたとはいえ、戦後の新時代の象徴、日本国憲法の公布日でもあって、新しい世界に旅立つには良さそうな日だったのでした。

7

ドバイに到着したのは、翌２０１３年11月4日の早朝でした。

ドバイに来たのは、東京でお世話になった総合商社に再び出向するためで、今度は法務部ではなく、同社の電力本部に属する中東アフリカ開発会社だったのです。妖怪と疑われる先輩の筋とは全く無関係に、たまたま同じ会社の出向の話を頂いたのですが、制度上、海外留学後の研修期間は1年だけであり、それが2年になる上、2年目に出向先が変わるなどということは、異例のことでした。さらに、同じ会社に2度出向することも通常あり得ないのでした。

全て偶然でしたが、自分で色々と考えて選択し、また考えたことに対して努力をすることよりも、たまたま与えられる環境に応じることこそが、人生を発展させていくものだと、薄々気付き始めていくのでした。

ところで、ロンドンで、日本の法律事務所と英国法律事務所の国際的通用力の著しい差を痛感し、狼の群れの中に放り込まれたむく犬のごとき心情にあった私は、ほとんど紫色になって、人間の姿を失い、忘れていた妖怪呼吸をし始める寸前にまで至っていました。

そこでの救いは、次の出向先が再び２０１０年に東京で私を救い出してくださった総合商社であることだったのです。

どこかに、妙に傷つきやすいメキシコ妖怪などの西洋妖怪が潜んでいる可能性に注意しなければならないことも含め、米国で海外と西洋人のことは大体分かった気になって、英国に渡り、しかし、いざ英国に着き、そこを起点に欧州各国を訪れる中で、気付いたことは、世界は遙かに奥深いということでした。欧州は、国ごとに言語も文化も雰囲気も異なり、同じ白人の国だと思っていた米国と欧州は、また全然違ったのです。次の出向先である総合商社のロンドン法人では、その欧州をさらに知ることができるだろうと、楽しみにしていたものでした。

しかし、不意にドバイという選択肢が浮上してきたのです。それは、私の出向直前に、出向予定先の皆さまがドバイに新法人を設立されることになったからでした。ご厚意で、出向先はロンドンでもドバイでも良いとおっしゃっていただきました。

魅力的なロンドンでの欧州生活。16世紀に、ルネッサンスと宗教改革により、人類史の中心に躍り出て、大航海時代を経て、産業革命以降、益々その地位を高めた欧州には、知らなければならないことがたくさんあると思われました。他方、その頃は、ちょうどアルジェリアで、出向予定先に身近な日本企業の駐在員の方がテロリストに襲撃される事件があり、また、中東では、中東呼吸器系症候群（ＭＥＲＳ）という当時は致死率60％だったコロナウイルスが発見されたところでした。

ドバイの出向予定先は、中東アフリカを広域にカバーする拠点であり、中東アフリカ各国への出張も想定されました。行く手には、テロやウイルスという21世紀の脅威が立ちはだかっており、もし、人生が楽しむだけのものであるとすれば、明らかにロンドンを選択すべきであろうと思われたのです。

しかし、思い出されたのは幕末の志士たちでした。江戸時代末期。彼らにとって、京都は暗殺が相次ぐ危険な場所でした。自らの命を考えるのであれば、近寄らない方が良かったはずです。しかし、彼らは京都に行くことをやめなかったのでした。前に見える道が、我が進むべき道であると確信できるのであれば、何かを恐れる必要はないのでした。

選択すべきはやはりドバイであるように思われました。中東アフリカを見渡せば、自己弁護を専門とする者も含め、日本の法律家としての先人はほぼ誰もおらず、そして世界の他地域に比べて日本企業が相対的に弱い中東アフリカのハブであるドバイには、チャンスしかないと思われたのでした。チャンスと言っても、妖怪にとって、人間界での個人的成功など、この上なくどうでも良いことで、そうではなく、世の中に対する役割を果たしやすくなるのではないかということでした。

最終的に、私はドバイを選択しました。契約上の出向期間は1年でしたが、その後もこの地で為すべきことを為すと、ドバイに到着する前から、私は決めていました。思いは自然と道を拓き、奇跡と思える出来事に次々恵まれて、11年目を迎えた今でも私はドバイにいるのでした。

8

中東は、テロや内戦の絶えない恐ろしい場所だと思っていました。しかし、実際に訪れ、住むことになってみると、少なくともＵＡＥは、恐ろしい場所では全くありませんでした。「6度目のラマダン」（２０１９年6月）でも触れたように、世界経済フォーラムによるレポート（The Travel & Tourism Competitiveness Report 2017）によると、ＵＡＥはフィンランドに次いで世界で2番目に安全な国であるとされました（日本は26位）。２０１９年版では7位に後退しましたが、オマーンが3位、カタールが11位（日本は13位に上昇）であり、いずれにしても恐らくここに来る前の私も含めた一般的日本人にとっては、納豆が実はすべすべだったというくらい意表を突く真実であり、中東湾岸諸国は、世界有数に安全で治安が良く、ドバイの日本人駐在員の中でも、ドバイは東京よりも安全と評する方が多いのでした。

もちろん、「ホルムズ海峡のスーパーマン」（２０１９年7月）と「高まっていなかった緊張」（２０２０年2月）で触れたようなイランと米国の緊張関係、「ドローン戦争」（２０１９年10月）で触れたサウジアラビアとイランの緊張関係、「インドとパキスタン」（２

０１９年９月）で触れたインドとパキスタンの緊張関係などは、ＵＡＥにも身近であり、気を引き締めるべき時もありますが（振り返ると、コロナ前は緊張関係の連続でした）、基本的にＵＡＥでの生活に影響があることはなく、あったとしても平和が前提の生活をしていると気にならなくなってしまい、「高まっていなかった緊張」（２０２０年２月）で触れたように、アメリカとイランの緊張関係が高まり、航空機の撃墜リスクも懸念される中でも、財布も持たないで、ドバイに向かわれる先輩がいたり（先輩、もしこの本を読むことがあれば、あの時空港でお貸しした約３千円返してください）、「意外とこういうことが大事なんですよ」とおっしゃいながら、カレンダーとヤクルトマンのぬいぐるみを渡すためだけに、ドーハに行かれたりする中東ヤクルトの社長さんがいたりするのでした。

湾岸協力理事会（ＧＣＣ）諸国、特に、石油・ガスが豊富なサウジアラビア、ＵＡＥ、カタールでは、安全なだけでなく、その財力を糧に、宇宙、ＡＩ、再生可能エネルギー、デジタライゼーション、ブロックチェーン、スマートシティなど、未来志向的な興味深いプロジェクトが多数推進されており、恐ろしいどころか、もはや世界で最も進んでいる場所でもあるのでした。

その先駆者はやはりドバイで、ドバイに刺激されて、サウジアラビア、カタール、そして同じ国のアブダビもドバイを追従し、それを追い越そうと、様々なプロジェクトを打ち出しているのです。

ＵＡＥは７つの首長国から成る連邦国家ですが、特筆すべき点は、８割とも９割ともいわれる外国人比率であり、特にドバイ首長国は９割以上を外国人が占めるのでした。外国人の半分はインド、パキスタンをはじめとする南アジア人ですが、アメリカ駐在経験のある方が、アメリカよりも遙かにダイバーシティが高いとおっしゃるほど、ドバイは極めて人種的に多様な都市なのです。労働者の国籍が多様であるのみならず、ドバイは、国際的に認知度の高い旅行先で、中東各国の他、欧州人やロシア人に人気のリゾート地であるため、リゾートホテルにおける西洋人比率が高いことに（他方で、アジア人比率がかなり低いことに）、挑戦の場として、刺激を受ける日本人の方もいるのです。

国境にかかわらず、人々が地球上の住みたい場所に住めるという世界が、人類の進むべき先なのか議論もあるようですが、自ら選択した地において、多様な人種がお互いを認め合いながら、共に働き、暮らす状況は、やはり人類のあるべき姿なのではないかということを、ドバイは感じさせてくれるのです。もっとも、世界的な超富裕層から月数万円で働く出稼ぎ労働者まで、ＵＡＥの貧富の差は極めて大きく、「紫色の世界」（２０２０年７月）

で少し触れたように、ドバイで働くフィリピン人女性のいとこのボーイフレンドが、95歳の日本人男性（少なくともボーイではない）であるという話を聞くなど、格差が広がるグローバル社会の問題をまさに感じさせられる場所でもあります。

もうひとつのドバイの特徴は、シンガポールのように、地域のハブとして繁栄している点なのでした。多国籍企業各社が地域の統括拠点をドバイに置いており、会社によって範囲の差はあるものの、それらの活動は、中東アフリカ各国に広く及び、南アジア、中央アジアや旧ソ連諸国までをもカバーしたりもするのでした。

中東諸国には、世界の3分の2が、8時間以内のフライトで収まるという地理的優位性があり、世界各都市に直行便を飛ばすエミレーツ航空の活躍で、ドバイ国際空港は世界で最も利用客数の多い空港であるなど、確かに、ドバイは世界をカバーしやすい都市なのでした。時差で見ても、西はロンドンから、東は上海まで、ユーラシア大陸とアフリカ大陸の要地が、全てプラスマイナス4時間で収まるのです。

エミレーツ航空（UAEドバイ）、エティハド航空（UAEアブダビ）、カタール航空、トルコ航空といった、中東を本拠地とする航空会社が、世界有数の航空会社になっているのは、中東域のこうした地理的優位性によるところもあるのでした。

ＵＡＥは、世界中から人が集まりやすい場所であり、ビジネス、スポーツ、音楽などの国際的なイベントも多数開催されるのです。

あとがき

9

ドバイというと、年頃の独身女性を中心に「第三夫人でも第四夫人でも良いから」などと、謙虚なのか傲慢《ごうまん》なのか分からない前置きとともに、「石油王を紹介してほしい」と言われることがありますが、現在、ドバイでは石油はほとんど採れないのです。世界有数の石油産出国であるＵＡＥですが、その9割はドバイ首長国から高速道路で1時間半程度のアブダビ首長国で採掘されるのでした。

しかし、国際的に知名度が高いのは、アブダビよりもドバイで、それがなぜかと言えば、ドバイが、リーダーの意思決定によって、中東のハブとしての機能を整え、国際的知名度を上げることに成功したからでした。

ドバイ首長国の8代目の首長であるドバイの父・ラシッド首長が、１９５８年にドバイの首長に就任した当時、ドバイは、人口わずか3万人の海辺の小さな集落にすぎませんでした。アラブ首長国連邦の建国は１９７１年であり、まだＵＡＥはなかったのです。それどころか、ドバイで初めての発電所の操業開始は、１９７１年だったというのです。

それでもラシッド首長は、ドバイを地域の貿易拠点として必ず発展させると決めたのでした。人口約3万人の電気もない集落の世界的発展を思い描くことができる人は、どれほどいるでしょうか。しかし、ラシッド首長はそれを信じ、行動に移したのでした。その結果、人口約3万人の集落は、50年後に人口約300万人になり、世界有数の都市へと大変貌したのです。

ラシッド首長は、アラビア湾に面する入り江（ドバイクリーク）に大型船が入れるように、1960年代初めから入り江の浚渫《しゅんせつ》・拡張工事を実施し、また、ドバイ国際空港（1960年開港）やラシッド港（1972年開港）の建設を進めるなど、ドバイの貿易機能を高めるための大型事業を実施しました。

思いは結果を引き寄せるということなのか、ドバイでは、1966年に海底油田が発見され、1969年から石油の生産が開始されて、その開発は加速したのです。

当初、ドバイの開発事業を支えたものは、石油収入ではなかったのでした。そもそも工事のための資金はなく、ラシッド首長は、地元の商人や、クウェートやカタールなど、既に石油を生産していた近隣諸国から資金を調達したのです。

ドバイの驚異的発展のきっかけは、石油でもお金でもみんなの力でもなく、ただただラシッド首長の熱意と使命感だったのでした。

ドバイクリークの整備とラシッド港の完成により、ラシッド首長のもくろみ通り、ドバイの貿易拠点としての機能は格段に向上して、経済は発展し、人口も増加して、ドバイは繁栄に向かいました。

しかし、ラシッド首長は、それでもまだ満足せず、「私は50年後を見ている」と言い、石油収入を生かして、世界最大の人工港湾施設の建設に乗り出すのでした。それが１９７９年に開港したジュベル・アリ港であり、その港は、未だに世界最大の人工港湾施設であるのみならず、コンテナ取扱量も世界有数の港なのです。

さらに、１９８５年には、エミレーツ航空を就航させます。１９８５年10月25日。記念すべきエミレーツ航空の初飛行は、パキスタン航空からリースを受けたエアバスＡ３００によるもので、機体に今と同じ塗装が施されたエミレーツ航空第一便は、ドバイからパキスタンのカラチへと飛び立ったのでした。

エミレーツ航空が初めて飛行機を所有したのは、それから約2年後の１９８７年7月３日のことでした。その数はわずか1。今や世界的エアラインの代表格であるエミレーツ航空は、１９８７年という比較的最近において、わずか1機の飛行機しか所有していなかったのです。

その後、エミレーツ航空は、１９９２年に、全ての席にビデオシステムを搭載させた最初のエアラインになり、１９９３年には、通信機能を搭載した最初のエアラインになり、１９９４年には、機内にファクス機能を搭載した最初のエアラインになり、２０００年には、世界最大の商業航空機エアバスＡ３８０を導入した最初のエアラインになるなど、世界有数の革新的エアラインとして、航空業界をリードする存在となるのでした。

また、１９８５年は、ＵＡＥで最初のフリーゾーンであるジェベル・アリ・フリーゾーン（ＪＡＦＺＡ）が造られた年でもありました。

２０２１年5月まで外資規制のあったＵＡＥでは、会社持ち分の51％を現地資本が持たなければなりませんでした。これでは会社の支配権を現地側が有することになってしまうため、外国企業や外国人としては、ＵＡＥに会社をつくるのを躊躇することになります。そこで、外資を誘致するために、フリーゾーンを作り、そこでは外資１００％保有ができることとしたのでした。さらに、50年間法人税０％を保証し、フリーゾーンへの輸入やフリーゾーンからの輸出に関する関税を０％とし、外国送金や外国人雇用に関する制限を設けないなど、法人運営がしやすい環境を整えたのです。その結果、日本企業を含む多くの外国資本の企業がフリーゾーンに拠点を置くようになりました。

フリーゾーンは年々増え、現在ドバイには、30以上のフリーゾーンがありますが、今もなお日本企業の数が一番多いフリーゾーンは、ラシッド首長が作ったジェベル・アリ・フリーゾーンなのです。

ラシッド首長は1990年に亡くなりますが、その大志は死してなお生きるのでした。翌1991年。クウェートで湾岸戦争が起きました。その時、CNNが拠点を置いたのがドバイでした。毎日ドバイから届けられる戦争のニュースに、世界の人々の関心がドバイに向かったのです。同じ湾岸諸国のクウェートで戦争が起きているのに、CNNはドバイからニュースを発信している。すなわち、ドバイは安全であり、CNNのような世界的企業が拠点を置くに値する場所であるというブランディングが、図らずもなされたのでした。

あとがき

10

さらに、ドバイは、ちょうど10代目の首長となるムハンマド首長という傑物が、ラシッド首長の遺志を完全に受け継ぎ、想像を超えてさらに発展させるという幸運にも恵まれたのでした。

２００６年に、９代目のマクトゥーム首長の後を継いだラシッド首長の三男であるムハンマド首長ですが、首長になる前から、際立っており、世界で最も若い防衛大臣を務め、航空局の長として、エミレーツ航空の就航を指揮するなどした後、１９９５年に皇太子になると、電子政府を推進し、毎年年末年始に多くの観光客を魅了するドバイ・ショッピング・フェスティバルを開始したり、世界初の７つ星ホテル「ブルジュ・アル・アラブ」や、椰子の葉のかたちをした世界最大の人工島「パーム・アイランド」といった大型プロジェクトを発表したのでした。

２００６年のドバイ首長就任後は、２００６年に３つの「パーム・アイランド」のうちの「パーム・ジュメイラ」、２００８年に世界最大のショッピングモール「ドバイモール」、２００９年に世界最長の無人地下鉄「ドバイメトロ」、２０１０年に世界最高の人工建造物「ブルジュ・カリファ」を、次々とオープンさせ、ドバイをどう考えても際立った都市へと変貌させたのでした。この頃は、相次ぐ大型プロジェクトに、当時人口約200万人(うち外国人9割)のドバイに、世界のクレーンの3分の1が集まっていると言われるほどでした。ネットで検索すれば、ドバイの1990年代の写真と現在の写真の比較を見つけることができますが、1990年代の写真では、ドバイはまだほとんど何もない土漠地帯なのです。こんな都市に観光に来たいと思う人は、よほどの物好きか、妖怪で言えば、砂妖怪だけのはずでした。それが、わずか二、三十年の間に、中東一の摩天楼都市に成長し、世界有数の観光地になったのでした。

2009年にはドバイショックがあり、本来「ブルジュ・ドバイ」(ドバイの塔)だった世界で最も高い建物は、アブダビの支援を受けた結果、当時のアブダビ首長のカリファ首長の名前を冠する「ブルジュ・カリファ」(カリファの塔)に変わってしまうなど、ドバイの勢いは一時衰えましたが、2013年には、中東アフリカ南アジア(MEASA：Middle East, Africa & South Asia)地域で初めての万博となるドバイ万博の誘致に成功しました。開催年だった2020年はコロナのために、翌年に延期になってしまったものの、結果として、50回目の建国記念日である2021年12月2日が万博開催期間中となって、建国50周年を万博でも祝えることになるという偶然も、もはやムハンマド首長のお陰なのではないかと思えてきたりもするのでした。

「王のビジョン」（２０２０年8月）で書いたように、ムハンマド首長は、２１１７年火星移住計画（マーズ２１１７）という、自国民が約30万人にすぎない自治体の長が打ち出すには、あまりに壮大すぎる計画を発表していますが、この人類規模の責任感や使命感こそが、ドバイの急激な発展をもたらしたものではないかと思われるのでした。

そもそも製造業が未発展のＵＡＥでは、ロケットどころか車すらも作ったことはなく、ラクダに乗って宇宙に行くと宣言しているようなものと揶揄されてもおかしくはない「マーズ２１１７」ですが、ＵＡＥは、早速２０１８年に、１００％自国技術者による地球観測衛星カリファサットの打上げに成功すると、２０２０年には、アラブ諸国で初めての惑星探査機ＨＯＰＥの打ち上げに成功し、その後、ＨＯＰＥは、ＵＡＥ建国50周年の２０２１年に、無事火星周回軌道に入ったのでした。

惑星探査機の火星周回軌道投入を達成した国や機関は、米国、ソ連（ロシア）、欧州宇宙機関、インドだけで、ＵＡＥは、マーズ２１１７の発表からわずか4年で、そうした宇宙先進国の仲間入りを果たしたのです。既に、チキンと言えばケンタッキーのように火星と言えばＵＡＥと言ったとしても、あまり違和感のない地位を得たとも評価でき、そうなってくると、あと１００年近くもあれば、本当に２１１７年に火星移住できたりしてなどという期待も生じてしまうのでした。

当初は大風呂敷にすぎるとも思える壮人なビジョンの構築力と、それを実現してしまう実行力に感嘆せざるを得ませんが、こう見ると、やはり人々を導くビジョンあるリーダーというのは重要なのでした。

11

コロナ禍のドバイで目を見張らざるを得なかったのは、ドバイ政府の意思決定の迅速さと柔軟さでした。世界中が正しい対応策を見つけあぐねている中で、ドバイのコロナ禍における施策は概ね合理的で、状況は時の経過と共に順調に改善されていって、ほとんど後退しなかったのでした。

まず、驚いたのは、「新型コロナ2」（2020年4月）で紹介したように、2020年3月25日に、ドバイが、観光業を主産業のひとつとし、人の往来が経済の生命線であるにもかかわらず、ドバイ国際空港における旅客便の発着をいきなり全て止めたことでした。その1カ月前には、ドバイが飛行機を止めることはないであろうと皆でコロナビールで乾杯をしていたというのにです。

その後、レストラン、カフェ、ショッピングモールなどが全て閉鎖され、4月の頭から3週間、こちらも唐突に完全ロックダウンを行ったのでした。

「紫色の世界」（2020年7月）で書いたように、UAEの人口あたりのPCR検査数は世界一に達し、ワクチン接種も速やかに実施され、住民のワクチン接種率は短期間で9

割といわれるまでになりました。ドバイは、2020年7月には、エミレーツ航空を大幅復旧させ、UAEの中でドバイ首長国だけが、航空機搭乗前のPCR検査で陰性であれば、入国後の隔離は不要としたのでした。日本では2022年3月になって、ようやくワクチン接種者らの入国後の隔離が不要になりましたが、ドバイは2年近くも進んでいたのです。なお、日本では、マイSOSという「このアプリの使用自体にマイSOSなんだが」と、心からぼやきたくなるアプリが、「地獄大国日本」（2021年11月）で触れたような、「ビデオをオンにして顔を見せてください」などというストーカーまがいの連絡をしてくるおばさんの雇用なども生んだりしながら、使われていましたが、ドバイでも、2年前に導入されていた追跡アプリは、実際のところ、導入当初から何者も追跡しておらず、仮に隔離違反をしていても、ペナルティが科せられることはなかったのでした。「ドバイの鳩」（2020年10月）で触れたように、機内で、入国のためのコロナに関する申告書は配布されたものの、ドバイの空港に申告書の提出先は存在しておらず、「聖なる金曜日」（2022年1月）で触れたように、機内アナウンスで陰性証明書提出の準備を促されたりしても、ドバイの空港に陰性証明書の提出先は存在していなかったのであり、悪く言えば適当、良く言えば寛容なところも、ドバイの魅力のひとつなのでした。

その結果、ドバイは、コロナ禍において、世界一自由な都市と言われるほど、制限はなく（または表向きはあっても実は機能していなかったりして）、世界中から様々な変異種とともに、多くの人が集まってくることとなったのです。

コロナを恐れず、攻め続けた結果、エミレーツ航空は２０２０年に乗客数で世界一を記録し、ドバイは２０２１年にはいくつかのランキングで、世界で最も人気のある旅行先となったのでした。そして、中東アフリカ南アジア地域で初めての万博であるドバイ万博も、（目標の観客動員数を達成するために、チケット代はどんどん安くなり、最後は無料でばらまかれるというドバイ得意の柔軟采配のお陰もあって）コロナ禍にもかかわらず、世界中から多くの人を集め、大盛況となったのです。あんなにオリンピックと世界からの人々を待ちわびていたはずの日本の空港は、世界に対して絶望的に閉ざされ、日本人に対してもオンラインで既に入力済みの情報を、成田空港到着後、再び紙に記載させるところから始まる「紙地獄」（２０２１年６月）を実施していたというのにです。

ドバイはただ石油のお陰で栄えているバブリー都市と考える人も少なくないかもしれませんが、実際のところ、現在のドバイでは石油はほとんど採れず、その発展を支えているのは、ラシッド首長時代からのリーダーの痺れる意思決定であり、その凄さはコロナ禍における人口あたりＰＣＲ検査数や旅客数という客観的数値にも表れているのでした。

12

ドバイは、お金持ちが集まる派手な場所として、世界的な知名度を得ていますが、全世界が自粛傾向に向かう中、コロナ禍でも開放路線を崩さないドバイに対して、敬意を深めた人は少なくないはずです。

ドバイのあるＵＡＥは、イスラム教の発祥地であるサウジアラビアの隣に位置しており、元々イスラム色が濃い場所ですが、得意の柔軟思考により、政府の許可を得たホテルや店では、お酒も豚肉も提供できるとされているのでした。夥しい数のホテルがあるために、結局、多くの場所でお酒も豚肉も嗜むことができ、むしろドバイは、お酒を飲んで騒ぐ所といっても過言ではないのでした。犯罪とされていたイスラム教徒の飲酒も、２０２０年には犯罪ではなくなり、イスラム教徒にとっても、お酒の禁忌性は薄れているのです。

日本の旅行誌やウェブサイトにおけるドバイの紹介では、服装について、女性はできるだけ露出を控えるべきなどという記載があることが多いですが、10％ほどしかいない現地人を除いて、全然そんなことはなく、むしろそれなりの価格帯のレストランやバーでは、女性は露出を義務付けられているのではないかというほど、露出に遠慮のない華美なドレスを着た女性が多く見られるのでした。「聖なる金曜日」（2022年1月）で書いたように、クリスマスのレストランでは、六本木のガールズバーの客引きのようなミニスカサンタが、プレゼントをばらまきながら踊り狂っていたりもするのです。

コロナ禍でも2020年7月からは一部の国を除いて、入国に制限はほぼなくなり、「ラーメン愛から学ぶ中東ビジネスの要点」（2021年3月）で書いたように、2021年の年初に多くの観光客が訪れた結果、感染者数が増加した際に、レストランの営業時間短縮（それでも午前3時までが午前1時までになっただけで、短縮感乏しすぎ）などの制限が行われた時期はあったものの、基本的には開放策が維持され、日本では、会食禁止やマスク会食などという新喜劇が、ポスターなども作られたりしながら、くそ真面目に大奨励されている中、ドバイの日本人駐在員は「これ本社にばれたら、まずいでしょうなあ」「そうですなあ。がはは」などと、ビール片手に笑い合いながら、30人以上にもなる反社会的大宴会を含め、各種宴会を心置きなく楽しまれていたのでした。

「江戸時代だった日本」（2021年2月）で触れたように、コロナ禍後初の年越しである2020年から2021年にかけての年越しでは、世界各都市で、花火が軒並み中止され、日本では、帰省者に対して、石を投げ付けるという、江戸時代どころか旧石器時代並みの原始的行動が各所で確認される中、ドバイは「31日の夜は少なくとも11カ所で夜空を彩る花火が鑑賞できる」状態にあり、空き地でクリケットの球を投げるインド人とパキスタン人はおれど、世界中から流入する観光客に対して、石を投げ付ける者は誰もおらず、それどころか、人類史上久しぶりの疫病の世界的大流行を祝うかのように、例年よりも火力を上げて、新年の夜空いっぱいに、花火を打ち上げていたのでした。

翌年の年越しも、世界が引き続き年越しイベントを回避する中、ドバイの万博会場では、「世界最長13時間連続年越しDJ祭り」という、コロナ禍のイメージの全く逆を行く、むしろ集団感染を促進し、自然免疫力の強化を図らんとするかのような大企画がぶち上げられ、12月31日の午後4時から1月1日の午前5時まで、多くの著名DJが屋外で大音響を響かせ続けたのでした。花火も1度のみならず、0時と3時の2回、大規模なものが打ち上げられ、冬でも温暖な気候の下、様々な国から集まった人々は、コロナ禍とは思えない久々の開放感に、身を打ち震わせながら、まさに狂喜乱舞していたのです。

コロナ禍中に、ただの王様ではなく、キング・オブ・フェスティバルでもあったことを遺憾なく見せつけたドバイ首長ですが、コロナ禍をものともしない、この自由で大胆なお祭り騒ぎは、「せっかくの年越しだから、DJ呼んで花火をバックに踊りたい」などという王様の個人的欲望を満たすためのものではなく、それがドバイにとって有益だからでした。

王様には、国の発展と人類への貢献に対するビジョンがあり、その意思決定の先には国民そして人類の幸福があるのでした。

13

いけいけドバイの痺れる意思決定ですが、それは首長やその側近である閣僚たちが、自らの知識と経験に基づき、行っているものでは必ずしもありませんでした。

首長は、時に優秀なアドバイザーやコンサルタントを起用し、必要な情報を集めたり、調査を行わせて、助言を得たりして、それを判断の基礎にしているのです。

例えば、ラシッド首長によるドバイクリークの開発もWilliam Halcrow and Partnersというイギリスのコンサルタントがまとめた「Dubai Harbour」と題する報告書の助言に従ったものでした。

絶対君主制の国であれば、「おれは神だ、王権神授だ」などと言って、何事も王の独断で押し切ってしまうことも可能であろうものの、実のところ、ドバイでは、世界的頭脳に助言を求める謙虚な意思決定が行われているのです。

ある日、ＵＡＥ人に「日本を変えなければならない」という話をしたところ、「我々がドバイを変える必要は全くない。ムハンマド首長に任せておけば良いのだから」と、誇らしげに言われたのでした。

王の独断により政治が行われ、世襲となるがために、人物の出所が限られるという弊害もある絶対君主制より、代表者を、家柄ではなく在野に広く求め、民意により選出する民主制の方が、優れた政治形態なのかと思っていましたが、良い王様が治める絶対君主制の方が、民主制より民意を圧倒的に満足させている場合があるということは、学びとなったのでした。

このことが示唆するように、現代において、民主主義とされているものは、民主主義として全然未完成のようなのでした。

ＵＡＥの憲法は、法の下の平等、不当逮捕の禁止、罪刑法定主義、居住移転の自由、表現の自由（但し、実際にはメディアが自由な表現を行うわけではないことは、「江戸時代だった日本」（２０２１年２月）に）、通信の自由（但し、基本的に盗聴は行われているといわれます……）、宗教的儀式の自由、集会の自由、職業選択の自由、強制労働の禁止、奴隷の禁止などを定めており、絶対君主制とはいえ、国民の人権は保障されており、個人は、王権によって、ほしいままにされるわけではなく、人権享有主体であるかは別として、外国人も含めて、個人として、尊重されているのです。非イスラムの外国人が、現地人と同じ服装を強要されることも、禁酒を強要されることもないのでした。

前述の通り、コロナ禍では、ドバイは世界一自由な都市ともいわれ、当初は空港到着時にダウンロードが求められた追跡アプリも、導入間もなくから、早速その恐るべき無追跡ぶりが話題となっていましたが、コロナに関する規制だけでなく、UAEは全体的に規制が緩くて、ビジネスもしやすく（もっとも、規制は何らかの利益を保護するためにあるのであって、規制が万全ではないということは、何者かの利益が害されている可能性があるということですが）、ドバイにおける人々の自由度は、特にコロナ禍では、むしろ民主主義国家よりも高かったのでした。

国民が選出したわけではないものの、国民に強く支持された王様により、国民のための政治が行われ、民意が十分満足されているのであれば、もはやそれは内閣支持率が基本的に低位で推移し、総理大臣の交代著しい我が国の民主主義よりも、よほど民主主義の理想に近いようにも思われたのです。

民主主義は、多義的であり、その意味するところは必ずしも明らかではありませんが、政治的文脈において、シンプルに国民の国民による国民のための政治を意味するものだとした場合、国民参加が重要だということになり、民主主義の理想は、国民ひとりひとりが、政治に対して関心を持ち、意見を持ち寄り、皆で話し合って、物事を決めていくという直接民主主義ということになると思われます。しかし、特に社会の仕組みが複雑化し、多くの政治事項に、専門的な知識や分析が必要になった今、一部の身近な日常的関心事を除いて、国民みんなで何かを決めることは不可能であり、無益でした。大衆は、扇動に対して脆弱《ぜいじゃく》であるし、情報の伝え方によって、容易に操作可能でもあり、インターネットやSNSの発達によって、それは格段に容易になってしまっているのでした。

そもそも国民だって、仕事や娯楽がある中、政治に対する高い意識や、日々の情報収集や勉強を求められても困るのであって、面倒なことは、政治に専従する政治家に任せる間接民主制の方が、明らかに現実的となるのでした。

しかし、社会契約説で有名なルソーが「民衆には、選挙で議員を選ぶ自由があるだけで、その後は自由を失い、何者でもなくなる」という趣旨の批判をしているように、（ルソーが理想とした直接民主制は非現実的としても）選挙だけで、民主主義を擬制するのは、妖怪から見ても、乱暴であるように思われるのでした。選挙時に、評価の対象となるのは、政党、学歴や経歴、出身地、知名度、必ずしも守られない公約や、駅前でどぶねずみのようにずぶ濡れになりながら演説をしていたといった頑張りなどであって、その人の人間的実力については必ずしも分からず、特に、世襲議員が各国と比べて飛び抜けて多い日本では、もはや出自が重視される絶対君主制下の様相であり、在野から有能な人材を広く見いだすという制度にはなっていないようなのでした。

民主主義の正当化根拠をこのような選挙のみに依存させる仕組みが、民意反映の最善手段のはずがなく、現行の間接民主制下では、票田となる特定の利益団体や宗教団体などの意向に、政治家がコントロールされざるを得なくなるという問題もあるなど、一部の妖怪の間でも人気が高かった英国のチャーチル元首相が言うように、民主主義は、これまで試みられてきた他の政治体制を除いて、最悪の政治形態（つまり、これまでの歴史上は最良の政治形態ではあるものの）なのかもしれず、改善が試みられるべきなのでした。

あとがき

14

絶対君主政下のドバイで感じたことは、結局、皆が満たされていれば、それが民意だということでした。民意を知るために、皆で意見を出し合い、議論する必要はなかったのです。そして、民意を満たすために必要なことは、優秀な人材を起用して、合理的な政策を迅速に打ち出し、それを実行することでした。

そもそも、平凡な多数者で議論して決まるものより、優秀な専門家による情報収集と分析に基づく結論の方がより良いものになる可能性が高いことは、妖怪の目にも明らかでした。政治家の先生がいかに優秀で、やる気があっても、社会における諸問題について、高いレベルで全体的に対応するのは不可能でした。それは何も金融、経済、税制、軍事、外交などといった高度な専門知識を要する分野においてだけではなく、例えば、飲食業界について考えるなら、飲食店の経営経験があるべきであろうし、旧ジャニーズの将来を語るのであれば、旧ジャニオタであるべきといったことなのです。ある論点について、十分な知識や経験がなければ、いかに学歴や経歴が立派でも、その人は平凡な多数者に過ぎないのでした。

例えば、現在、日本の大手法律事務所には、学歴上は日本の法学系人材の最高峰が集まることとなっており、所属弁護士は、全員が東大、京大などの名門大卒であり、(入所後、留学できる制度があるために)ハーバードやコロンビアやオックスフォードなどの海外の一流大学のロースクールも出ている者も多いのですが、それでも専門領域以外の分野で、高度な助言を行うのは困難なのでした。そして、その道で生き抜いていくためには、日々のたゆまぬ研鑽が必要なのです。専門分野も、企業買収、会社法務、ファイナンス、IT、知的財産、不動産、労働、事業再生、倒産、不祥事対応、争訟などと分かれ、例えば、独占禁止法や個人情報保護法など、世界的対応が問題になる法律については、個別法ごとに専門家がいるなど、所属弁護士は、主として各自の専門分野においてのみ助言を行うのが一般的なのでした(大手法律事務所では、争訟も専門分野のひとつとなり、裁判などの争訟案件を担当する弁護士は争訟の専門家となり、大手法律事務所では争訟を専門としない弁護士は、弁護と言えば、自己弁護しか行わない者が多いのは、前述の通りです)。これは日本だけでなく、英米の大規模国際法律事務所でも同じでした。

ビジネス分野の、しかも法律面だけに限ってもそうなのです。政治家は、例えば、経済、財政、医療、外交、安全保障、軍事、宇宙、海洋、科学技術、教育、子育てなどと幅広い分野をカバーする必要がありますが、その全てについて、一流の人物として語り切るのは、誰にもできないことなのでした。

そうであるにもかかわらず、頻繁に地元に帰って、自分の事務所の経営にも頭を悩ませながら、駅前で見知らぬ有権者と握手をしたり、集会で挨拶するのみならず、招かれていないイベントにまで潜伏する努力をしたりし、東京に戻れば、無駄な時間しかない国会での活動に時間を取られた挙げ句、料亭か居酒屋かおかまバーで会食し、人によっては、その後、銀座三兄弟などと呼ばれるリスクに晒されながら、夜のクラブ活動にも精を出さなければならず、さらには解散がある衆議院議員の場合は、一定頻度で選挙活動にも従事しなければならないというのです。

最も問題が大きい可能性があるのは、国会活動で、憲法上、立法権は国会に属するとされ、民主主義や国民主権の実現のために、少なくとも建前としては、国会は極めて重要な機関ということになりますが、人間世界における学生時代を思い出してみれば明らかな通り、40人で構成されるクラスですら、1時間弱の時間内で、各自が意見を出し合って充実した議論をするのは不可能であり、多くの人は暇を持て余すことになるところ、数百人による実質的議論など、意思疎通能力が相当高い種類の妖怪を集めたとしても、到底期待できるはずもないのでした。知りませんが、国会における各議員による採決は、原則として党の方針に従うものにすぎず、過半数を有する与党の方針通りに決まるだけの形式的なものであるし、野党ができることは、会期内における法案の審議未了を狙って、敢えて嫌がらせのような質問をして時間稼ぎをしたりするだけで、まともな議論など、行われていないと言うのです。ほとんどの発言者は、前世は棒だったのだろうか（棒だとしたら、木の棒だろうか、鉄の棒だろうか、プラスチックの棒だろうか、仮に木の棒だとして、アイスの棒だったのだろうか、マッチ棒だったのだろうか、それとも爪楊枝だったのだろうか）と疑われるほど、原稿を棒読みしているだけであるし、発言機会のない議員にとって、主体的に行えることは、声援か野次を飛ばすことでしかないというのでした。

そうであれば、むしろ昼寝をして心身の回復に努めたり、内職をして別の仕事を終わらせる時間に充てる方が、議員の生産性にとって遙かに有益であって、それを咎めるのはおかしいし、声援や野次を飛ばすしかやることがないのであれば、もはやスポーツ観戦者と同等なので、議場に、ビールの売り子を巡回させつつ、六甲おろしでも流してやれば良いのにと思われてくるのでした。

このような状況下では、多くの議員にとって、国家運営にあたっての専門性を身に付けるのは著しく困難となり、いくら優秀で熱意のある人物であっても、平凡な多数者の域を出られなくなってしまうのです。その結果、純粋政治主導による国家運営は、もはや危険運転致死罪の領域である恐れがあるのでした。

あとがき

15

本来、その問題を一定程度解決するのが、専門家集団である官僚であるはずで、日本には、世界随一ともいわれた官僚機構があり、その善し悪しには議論があり、昨今ではむしろ問題視される傾向が強かったとはいえ、政策策定も立法も、実質的には官僚が行ってきたのでした。

しかし、かつては優に5割を超えていたはずのキャリア官僚試験の合格者における東大生の割合は、平成時代末期の平成30年には16・8%となった後、令和4年には11・6%、そして令和5年には9・5%にまで落ち込んでおり、下降の一途を辿っているのでした。もはや国家の中枢に学歴エリートはいなくなりつつあるのです。大事なのは学歴ではないという見方や、高学歴者には、バランス感覚を欠いた妖怪的人物が多いのではないかという指摘はあるとしても、東大生の優秀さは中々のものであるし、政策提言を行う民間のコンサルタントの方が、今の官僚には政策について議論をしようにも、まともな議論にならない人が増えていると嘆かれている現状は、恐らく甚だ由々しいものなのでした。

天下国家のために身を奉じることより、ＹｏｕＴｕｂｅで語ることの方に価値があるとされる時代ではやむを得ないのかもしれませんが、官僚は、激務であるにもかかわらず、給料がその能力に比して安く、その上、世間でも評価されないという三重苦状態にあれば、良い人材が集まらないのは、妖怪の猫の目にも明らかなのでした。

公益的志において、自らに遙かに劣るはずの大手法律事務所や外資系企業に勤務する大学の同級生が、丸の内や六本木のお洒落ビルディングで、高価で最新式の調度品に囲まれ、お金と「先生」や「外資系」という肩書を武器に、社会的にちやほやされた上、一部には、19時開始と22時開始のダブルヘッダーで合コンを繰り返し、非公式な彼女が10人以上もいたりするという怪しからん酒池肉林状態下にもあったりする一方で、国のエリートが勤務する場所とは思えない霞ケ関のぼろぼろのオフィスで、薄暗く物憂げな蛍光灯の下、エアコンの使用も抑え、「国家のために世俗的感覚を殺し、霞を食べる仙人のような境地に達することが求められるから、霞ケ関と言うのだなあ」などと自虐的な呟きを漏らしながら、未来ある子供たちのための受験用の問題集を作るならまだしも、国政にとって実質的にほとんど無意義の、大臣のための国会答弁用の想定問答集の作成などで、徹夜をしなければならないなんて、妖怪の犬の目にもおかしな話なのでした（なお、これは、前世が棒である可能性が高い人間または妖怪によって演じられる、つまらない棒寸劇の台本作りのために、国家を担う重要な人材の時間が著しく浪費されているということであり、現在の国会の在り方は、この観点からも大いに問題なのでした)。

特に深刻なのは、給料が安いことで、例えば、以前、某省庁からドバイの総領事館に出向し、総領事館勤務の領事だから「領事」と呼ばれているにもかかわらず、その領事離れしたカジュアルな人間性も相まってファーストネームが「りょうじ」であると広く誤解されていたりょうじと、エミレーツ航空のビジネスクラスのクルーの友人と飲食を共にしていた際、クルーの給与の話になり、その額を聞いたりょうじが「え、おれの給料とほとんど一緒じゃないか」と唖然としていて、太古の昔から様々なものを見聞きしてきた妖怪としても、驚かざるを得なかったということがあったのでした。外国航空会社の賃金が良いとしても、それでは、本来我が国随一であるべき優秀な人材の登用が困難であることは、妖怪の豚の目にも明らかでした。

明治維新後、政府主導で国家運営が行われたこともあって、遡れば、元々官僚の給料は、どの民間企業の給料よりも高く、国を率いるエリートにふさわしい処遇を受けていたのです。しかし、民間企業の最高水準に合わせた給与の上昇は行われず、むしろ最近では中小企業も含めた民間企業の平均に合わせる方向へ向かってしまい、現代日本では、官庁のトップである事務次官になっても、1年目のアメリカの大手法律事務所の弁護士（しかも司法試験に何回か落ちてたりする）と同程度（現在の円安下では、それ以下）の給与しか得られないというのでした。

民間企業であれば、接待において、自社や他社のお金で高級料亭などに行ける機会も少なくありませんが、世界的に贈収賄に対する目が厳しくなる中、官僚は、派手な接待は到底受けられなくなり、ご馳走と言えば、娘の誕生日などの特別な日だけに、「ちょっと奮発して美味しいものを食べに行こうか」「でもタクシー代は高いし、4人だと電車代も高いから、歩いて行けるところにしなきゃね」「デザートは頼まずに、帰りにセブン-イレブンで買って、家で食べようか」「そうね。セブン-イレブンのデザートの方がきっと美味しいから」などという、このままでは娘がマッチ売りの少女になってしまいそうな会話を交わしつつ、近所の相対的には高級な中華料理店などに足を運ぶことしかできないというのです。優秀な頭脳と高い志を持ち、国民のために身も心も削って、頑張っているというのに。

相対的低待遇を埋め合わせる効果もあった役所斡旋の天下りは禁止され、安い賃料で好立地の公務員宿舎を借りられると言っても、それは、大学同期の弁護士や外資系勤務の友人が住んでいる心躍るような間取りや内装の住居では全くないのでした。例えば、私が小学校3、4年生の時に住んだ埼玉県川口市の3DKの公務員宿舎は、お湯もすぐには出てこなかった上、5人家族には狭すぎて、妹との諍いが絶えなくなり、あわや妹に果物ナイフで刺されそうになったこともあるなど、それを国家公務員が受けられる大きな恩恵と捉えるのは困難なものだったのでした。

ドバイでは、国の発展のために、有能な助言者には惜しみなくお金を支払い、その能力を遺憾なく発揮させつつ、リーダーは、既得権等への配慮なく、心置きなく助言者の合理的助言を生かすなど、知が重視された国家運営が行われているようであるのに、日本は、国家運営に知を生かす仕組み作りに全然真剣ではないようなのでした。

あとがき

16

ところで、ドバイでは、日本の大企業の支店長の方が、外国人部下の半数以上は、自分より給与が高いと嘆かれていたり、元日本企業のエンジニアの方が、欧米やドバイであれば、少なくとも年間数千万円はもらえるであろう優れたエンジニアが、日本の大企業においては、1千万に満たない給与で働いているなどとこぼしていたりするのです。

つまり、日本で、優秀な人材に対する給与が安いのは、キャリア官僚だけではないということのようなのでした。

それは、年功序列を基調とする給与体系のせいでもありました。日本の大企業においては、例えば、就業時間中であるにもかかわらず、同期と給湯室で待ち合わせて、お茶を啜りながら、噂話に花を咲かせてばかりいる花咲かばばあ団の方が、会社の重要プロジェクトの多くを実質的に担っていたりする極めて優秀な30代前半の次世代エース社員よりも、給与が（しかもかなり）高かったりするということもあるというのです。

働きに応じた褒美を与える論功行賞は、組織を維持発展させる上で極めて重要なはずであり、そのことに細心の注意を払った源頼朝公は鎌倉幕府を興して栄え、鎌倉幕府打倒後、建武の新政において、それを怠った後醍醐天皇は、せっかく天下をほぼ手中に収めたにもかかわらず、武士の反発を買ってしまい、その不満に適切に報いた足利尊氏公が天意を得て、やがて室町幕府を開くことになったのでした。

働きに見合った報酬が与えられない結果、せっかくの優秀な人材もやる気をなくし、油売りの花咲かばばあ団に対抗して、業務時間中もトイレに隠れてＬＩＮＥの送信しかしなくなったり、場合によっては、会社の隣の公園で覆面を被り、レスラーパンツをはきながら、インスタライブをし始めたりし、しかし、それではやっぱり駄目だと思い立って、中国やアメリカの企業などに引き抜かれてしまったりすることになるのでした。

すなわち、有能な人物に対する給与が安く、このままでは、娘がマッチ売りの少女になってしまう恐れがあるのは、官僚だけでなく、民間人材の場合でも同じだということのようなのです。相対的に豊かであるべき有能な人物の娘すらマッチ売りの少女になってしまうということは、新たに生まれてくる日本国民は、会社の給湯室で四六時中油を売る油売りの花咲かばばあ団以外、ほとんどみんなマッチ売りの少年少女になり、やがてマッチ売りの老人になってしまうということなのです。つまり、我が国は、そう遠くない将来に、１億総マッチ売りというとんでもない冬の時代（マッチは売れそうですが）を迎えてしまう恐れがあるということなのでした。

実際、既に、日本の平均賃金は、ＯＥＣＤ加盟国の中でも平均以下となっており、しかも、ＧＤＰが世界３位（執筆時）であるために世界３位の経済大国であり、世界有数の豊かな国であると信じ込んでいる日本人は多いかもしれないものの、実は、もはや日本は単に相対的に人口が多いために、ＧＤＰが高いだけといっても過言ではなく、２０２１年における一人あたりＧＤＰで見れば、日本はＵＡＥに次いで世界27位であるものの、ＯＥＣＤ加盟国38カ国中20位で、半分より下であり、Ｇ７の中では、イタリアのみを上回って６番目という状況なのでした。そして、２０２２年には、イタリアにも抜かれ、Ｇ７最下位となったのです。なお、２０００年のおける一人あたりＧＤＰでは、日本は世界２位、ＯＥＣＤ２位、Ｇ７首位だったのであり、日本人が世界の中で劇的に貧しくなってきているのは、数字上も明らかかのようでした。２００１年以降、一人あたりＧＤＰのランキングにおいて、日本は、世界５位（２００１）、６位（２００２）、11位（２００３）、14位（２００４）、16位（２００５）とあまりに順調に順位を下げていきますが、ちなみに四年制大学をストレートに卒業すると、２００１年に社会に出ることになるのは、１９７８年生まれのまさに我々世代であり、我が世代は、社会人になって以来、日本を没落しかさせていない世代の走りであり、ＢＲＪ（没落ジャパン）48というアイドルグループがあるとすれば、その第一期生の主力を占めたかもしれなかったのでした。

「みそ汁しかつかない牛丼」（２０２２年7月）で書いたように、（ロシアによるウクライナ侵攻以降、状況は変わっているものの）吉野家で、牛丼、牛皿、うな重、生野菜サラダ、玉子、納豆、みそ汁、とん汁、あさり汁、しじみ汁、Ｑｏｏリンゴ味を全て頼んでみても、なお3千円には及ばず、また、「あなたの剣をもとの所におさめなさい。剣をとる者はみな、剣で滅びる。」（２０２２年9月）で書いたように、牛丼の値段（しかも値上げ後。但し、ウクライナ侵攻前）が、パレスチナのプリングルス（但し、20％増量）の値段に及ばないという状況は、妖怪の幼虫の目にも奇異に映るものでした。

妖怪世界でも興味を持つ者が比較的多いビッグマック指数（各国のマクドナルドにおけるビッグマック1個あたりの価格）の２０２２年のランキングにおいて、日本は、驚くべきことに、調査対象国54カ国中41位であり、ＵＡＥ（9位）やサウジアラビア（13位）といった中東湾岸諸国には遙かに及ばないどころか、中国（31位）、韓国（32位）はもとより、タイ（33位）やベトナム（40位）よりも下位であるというのでした。「良い物をより安く」が日本の国是であり、むしろ「最下位こそが我が正義」ということであれば、それも良いのかもしれないものの、そうでない場合、日本がアジアをリードする経済大国であるなどと言うのは、団子虫が、実は団子と同じ成分でできていて、食べると美味しいと言うくらい、もはや完全なる冗談の領域だったのでした。

このまま国民が貧しくなり、1億総マッチ売り時代が到来することになれば、せっかくの夏祭りも、主催者には、花火を作るお金も、提灯を作るお金もなくて、みんなマッチしか持っていないから、月明かりの下でみんながしゅっしゅとマッチをともす中、

「昔は打ち上げ花火というものがあってね、バンッと打ち上げられると、色とりどりの綺麗な光が夜空一面に広がって、それはそれは美しかったんだよ」

「おじいちゃん、ぼくもそれ見たかったよ」

「ごめんな。生まれて来た時代が悪かったんだ。なんせ1億総マッチ売り時代で、みんなマッチしか持ってないし、みんながマッチを売っているから、競争が激しすぎて……」

「……。おじいちゃん、ぼく、未来の日本人のために頑張るよ……。いつかまた花火ができるように……。日本は競争が激しいから、もっと競争の少ない国に行って、一生懸命マッチを売るんだ……」

などという嘆かわしい会話が聞かれるものになってしまうのでした。

「今晩のおかずは金魚掬いで掬った金魚にしようか」

「え、おじいちゃん、いいの？　尾頭付きってこと？」

「そうだよ。金魚の尾頭付きも決して悪くはないからな……」

大皿の上に凜と佇む鯛の尾頭付きを懐かしく思い浮かべたおじいさんの頬を密かに伝った涙は、おじいさんが持つマッチの上に力なく落ちました。じゅっという微かな音とともに火を失ったマッチから出たか細い煙は、わずかに辺りを漂い、そして夜闇に消えてしまったのでした。

17

もうひとつ、ドバイで実感したことは、ひとりの人間ができることの大きさであり、リーダーの重要性でした。

前述のように、ラシッド首長が、人口3万人にすぎず、妖怪も砂妖怪しかいなかった土漠地帯を、その判断ひとつで、劇的に変え、さらにムハンマド首長が、そのリーダーシップで、それをさらに劇的に発展させ、多くの世界を作り上げた結果が今のドバイですが、ドバイの繁栄は、国民による議論や頑張りによってもたらされたものでは、全くないのでした。

皆で合議して、多数決を採ることも時に必要ですが、優れたひとりの人間に託するということも、また選択肢であるべきでした。

ドバイの首長もそうですが、アレクサンダー、カエサル、チンギス・ハン、ナポレオンなど、世界征服半ばだった世界史規模の伝説的大人物も、紛れもなくたったひとりの実在した人間でした。そして、たったひとりのリーダーが、時代を動かすことがあるのは、外国だけでなく、日本の歴史においても、同じでした。

例えば、1185年2月、屋島の戦いの前、源義経が、渡辺津から暴風雨の中、海を渡ると決めた時、1560年6月、織田信長が、迫り来る今川義元に桶狭間で多勢に無勢をもって挑んだ時、1864年12月、高杉晋作が、下関の功山寺で、たった80人と共に挙兵した時、これらはいずれも日本の歴史をまさに転換させた凄まじい決断だと思われますが、その決断はやはりたった一人の人間に属しているのでした。

民衆が合議して多数決で決めていたら、いずれも起こっていなかったはずで、その結果、源氏は敗れ、織田家は滅び、長州藩が新政府の中心となることもなかったかもしれないのです。

昭和時代にも、ソニーの創業者のひとりである盛田昭夫氏は、今から思えば、極めて不思議なことに、社内の議論では、反対色が絶望的に強かったウォークマンを、「売れなければ会長を辞める」と言って、世に送り出し、結果として、音楽を携行するという人類史における全く新しい文化を創り出しましたが、ひとりの人間の意思決定が、時代を動かしていくのでした。

アレキサンダー大王は、「私は一頭の羊に率いられたライオンの群れを恐れない。しかし一頭のライオンに率いられた羊の群れを恐れる」と言ったとされ、ナポレオンもそれを引用しましたが、どんなに屈強な兵士を揃えたとしても、リーダーが無能であれば、恐れるに足りず、他方、弱兵しかいなくとも、それを率いるリーダーが有能であれば、恐れるに値するのでした。

また、ナポレオンは、指揮官たる一人の愚将は、二人の良将に匹敵する（指揮官を複数にすれば、彼らがいかに有能であったとしても、無能な一人の指揮官が率いる場合よりも軍隊は弱くなる）と言いましたが、指揮官は一人である必要があるのでした。二人でさえ駄目なので、みんなで決めるのは勿論駄目で、そんなことをしていては、人はばたばたと死に、国家は滅亡してしまうのです（例えば、国家滅亡の危機となった第2次世界大戦への日本参戦の主因のひとつは、リーダーの不在であり、最高意思決定機関であった大本営政府連絡会議が、政府＝首相及び外相＝と陸海軍の各首脳らによる三つ巴またはそれ以上の混沌《こんとん》とした状態であったために、各方面の利益全てに配慮するような煮え切らない判断が繰り返され、その結果、国益よりも各組織の利益が優先されたりし、結局、国として何を目指しているのかがよく分からないまま、ほとんど何となく開戦に追い込まれてしまったといっても過言ではなかったのでした。リーダー不在の大日本帝国は、緒戦を除き、統一的戦略のないまま、場当たり的戦いを繰り返し、敗色確実となった後も、だらだらと敗けを認められず、かえって一億総玉砕などと言って、犠牲者数を著しく増大させ、連夜の空襲や原爆投下によって夥しい数の民間人の命まで奪ってしまったのです）。

船頭多くして船山に登るという諺もありますが、指揮官が一人であるべきことは何事にも妥当するはずで、例えば、オーケストラで指揮者が10人ずらりと壇上に並び、それぞれがおらおらと指揮棒を振るい合うこともなければ、「音のハーモニーの前に、まずは指揮者のハーモニーだぞ」などと言い合い、なんとか10人で全く同じ動きでタクトを振ろうとすることも絶対にあり得ないわけでした。

また、スポーツの監督も、いちいちコーチ陣と議論して、采配を振るうわけではなく、その判断は概ねひとりの人間に帰属しているのです。いくら金満球団のオーナーでも「そうだ、三人寄れば文殊の知恵だった」などと言って、大枚をはたいて名将を3人集め、共同で指揮を執らせることは、決してないのです。そして、スポーツでは、監督ひとりで、チームは強くもなり、弱くもなるのでした。

昨今の日本のように子供たちに順位をつけず、皆が平等であることが強調されると、リーダーも存在が許されなくなりますが、組織において、リーダーというのは極めて重要で、皆で闇雲に頑張るより、ひとりの優秀な指揮官を見いだし、委ねた方が良い成果が出て、皆が満ち足りることができるということなのでした。なお、リーダーとは、組織全体を率いるという意味でもそうですが、小集団においても、リーダーはリーダーでした。ナポレオンが上記格言で言う指揮官も、総指揮を執る総大将のことではなく、各集団を指揮する者のことでした。優れたリーダーに率いられた小集団を、器量の大きい総大将が、指揮し、まとめ上げていくということになれば、理想的だということなのです。

しかし、妖怪的観点から俯瞰《ふかん》した場合、日本では、一部を除き、民でも官でも、基本的に年功序列を基本とする無難な人事が行われており、真剣に優れたリーダーを設定する努力は見受けられないように思われたのでした。

国について見ると、国家運営の中心となる総理大臣やその他の国務大臣になるのに重要なのは、当選回数や血筋、政党や派閥の中での立ち回り方などであって、その人物の国家運営における指揮者としての資質や実績が問われる仕組みにはなっていないのでした。

これがスポーツである場合、日本代表チームの監督は、通常、過去に監督として優れた実績を残した者から選抜され、指揮者としての能力が実績から裏付けられる者が、日本チームを率いることとなりますが、なぜか政治の世界では、国家と国民の命運を、統治における指揮経験のない者に、能力不明のまま委ねてしまうという、賭博王もあっと驚く大博打が行われる仕組みとなっているのです。

総理大臣が行政全体を統括するとして、行政の各分野を指揮監督し、内閣を構成する大臣の役割は極めて重要であるべきと思われますが、憲法上、国務大臣は過半数が国会議員から任命されなければならないとされていることもあり、基本的に国会議員から選ばれる大臣は、各省庁の長として期待されるべき専門性を何ら有さないのが通常なのでした。それでも、長期にわたって務めれていれば、専門性が身に付くこともあるかもしれないものの、大臣は、指名なしで来店された場合のキャバ嬢かホストであるかのように、その座を概ね短期間で明け渡さざるを得ないというのです。それがより良い国政のために客観的に必要であれば、「そうか意外にも大臣とキャバ嬢は似たようなところがあるのであるな」などという感慨とともに、納得感も生まれるのかもしれないものの、実際のところ、その理由は、党内や派閥内の当選回数的適格者で大臣職を回すためであったり、他勢力を懐柔するためであったりして、もはや何のための大臣職か分からないものになっているというのです。

上に立つ者によって、組織がいかようにも変わり得るということは、前述のような歴史を見るまでもなく明らかですが、良い国家運営を目指すのであれば、総理大臣にしても、その他の国務大臣にしても、歌舞伎町方式は可及的速やかに止めて、その座に適格なリーダーを配置し、国家運営を正しく託せるような仕組みを構築すべきであろうと思われたのです。

あとがき

18

大部分の妖怪と同様、人は座学よりも環境で育つはずであって、リーダーを育てるためには、ビジネススクールでリーダーシップ講座を受けさせるよりも、リーダーシップを発揮できる環境を与えることが重要でした。その点、日本企業の海外拠点は、格好のリーダーシップ養成地であり、拠点長に権限を与えて、多くのことを任せ、リーダーであることの自覚を促し、様々な判断を行わせてみれば良いと思われるのでした。

しかし、実際には、ドバイにおける日本の大企業の場合、どの会社も、ゴルフ場での権限以外に、拠点長に大した権限は与えられておらず、概ね本社の意思決定に服する仕組みとなっていたのでした。すなわち、日本の大企業の海外事業は、現場にいる者の判断ではなく、遥か遠方にいる人々が、書面上の情報を元に決めているということのようなのです。

これはあたかも第2次世界大戦の日本軍のようで、例えば、1942年6月のミッドウェー海戦と共に、対米戦で攻守の転換点となったとされる1942年8月からのガダルカナルの戦いでは、ガダルカナル島から約5500キロも離れた東京の大本営が、現場を知らないまま机上で命令を発し、東京から派遣される参謀たちも大本営を支配する必勝不敗の空気の下に、正しい現状を伝えられず、戦闘員は、大本営の想定と全く異なる圧倒的戦力を有する米軍に対して、40年前の日露戦争時と同じ白刃全軍突撃で対抗することを強いられたのでした。米軍の最新兵器から放たれる弾雨に対して、生身のまま、ほぼ精神力だけで向かっていくというプロレスラーも驚く超原始的肉弾攻撃により、多くの者が全く不合理に戦死し、また、遠すぎて補給が困難という妖怪のゴキブリでも分かりそうな恐ろしく基本的な問題のために、戦死者よりも遙かに多い餓死者・病死者が発生し、夥しい命が無念のうちに失われてしまったのです。

妖怪的直感で、日本の大企業の意思決定過程を極めて比喩的かつ誇張して表現すれば、例えば、スイカ割りをするとして、それがドバイである場合、まずは「アラブ首長国連邦ドバイ首長国においてスイカ割りを当社として行う意義」について、A4用紙1枚でまとめる必要があるのです。その上で、「アラブ首長国連邦を含む中東湾岸諸国における競合他社のスイカ割りに関する動向」についても図表などを交えながら、またA4用紙1枚から2枚でまとめなければならず、さらにスイカ割りが成功した場合と失敗した場合のシナリオ分析（仮にスイカ割りに成功したとして、砕け散ったスイカが飛び散り、近くにいる子供に怪我を負わせることになるリスクや、富裕層の女性のお気に入りのブランド物ワンピースを汚すことになるリスクなどあらゆるリスクの分析を含む）などを行う必要があるのでした。また、別紙として、スイカの形状、棒の長さと重さ、スイカまでの距離、観客の数と想定される歓声の大きさなど、スイカ割りに成功するために有益と考えられる様々な情報を含む資料を添付することが求められるのです。

そして、各部署から来る形骸化したものも多い書面での質問に対して、一言一句拘った書面による回答を行わなければならず、社内調整や根回しといった、叩き割るためのスイカの生産を含む対外的な生産性を全く伴わない対内的活動に多くの時間を要することになるのです。

海外にあるスイカの場合、本社からスイカまでの距離は、数千キロから数万キロにも達し、「いや、ごちゃごちゃ言ってないで、現場にいるやつにさっさと割らせればいいだろ」と思われる状況となりますが、日本の大企業の場合、現場でのビジネスチャンスが極めて明らかな状況でさえ、書面手続きを経た上で、本社の承認を得なければならないことが多いというのです。そして、ハチマキの柄がピカチュウか鬼太郎かドラえもんのどれが良いかなどについての大激論を東京で繰り広げつつ、その締め方や棒の振り下ろし方などの指導まで、数千キロから数万キロ離れた所から行おうとするのでした。

東京から出張者がやって来て、「すこぶる良いスイカだ。絶対早く割るべし」などと断言したとしても、出張者にその場で決める権限はなく、日本帰国後、「絶対早く割るべし、絶対早く割るべし、絶対早く割るべし……」と呟き続けながらも、「アラブ首長国連邦ドバイ首長国においてスイカ割りを当社として行う意義」などを含む、書類作成と社内調整をする必要があるというのです。

そうこうしているうちにスイカは割られてしまうか、腐ってしまうか、単にスイカとして食べられてしまい、気付けば、そのうちのいくつかはカブトムシとクワガタとカナブンの餌になっていたりして、せっかくのスイカ割りの機会は失われてしまうのでした。

大企業の場合、権限委譲がなされないのは、海外拠点だけではなく、国内でも同じであり、前述の通り、上司が馬糞にまみれたソフトボール化する恐れがある年功序列も、若くて優秀な人に権限が与えられないということでした。就職から約20年が経った40歳前後で、ようやく課長になって、一定の権限は得られるようになるものの、スポーツ選手なら、ほとんど全員引退し、第一の人生を回顧し、第二の人生を始めようかという年になっても、事業を全権をもって指揮できるような立場では全くないのでした。

武田信玄公が、父信虎を駿河へ追放し、武田家19代当主となったのは、21歳。既に斎藤道三の娘・濃姫と政略結婚していた織田信長公が家督を継いだのは、18歳。6歳で誘拐され、尾張と駿府で幼年期を過ごした徳川家康公が、故郷の岡崎に戻り、岡崎城主として活動をし始めたのは、18歳（いずれも数え年）であって、別に年を取って、経験を積まなければ、リーダーとして不適格であるということは全然ないのでした。しかも、二人とも、今の日本のキャバ嬢なのかホストなのか全然分からない大臣（むしろ三位一体なのか）のような単なるお飾りのお殿様ではなく、若い時から、次々と生死に関わる重大な試練に直面し、リーダーとして実質的采配を振るっていたのでした。

リーダーとして成長するためには、全権を与えられたリーダーたる立場に立ち、経験を積んで行くことが重要であり、決断を迫られる必要がありました。決断を迫られれば、真剣にならざるを得ず、その真剣が成長を生むのでした。

あとがき

19

ところで、ドバイと言えば、世界最高層のビル、世界最高層のホテル、世界初の七つ星ホテル、世界最長の無人運転鉄道、世界最大の人工島、世界最大のショッピングモール、世界最大の噴水ショー、世界最大の花火ショー、世界最大の観覧車、ゴジラ史上最大のシンゴジラまたはそれとほぼ同サイズの大仏界の絶対的巨像・牛久大仏（「その土地に眠るもの」２０２２年2月）すら、すっぽり収まるという世界最大の額縁など、次々と世界一を生み出しますが、世界一を目指すだけでなく、それを実現してしまうことには、感嘆せざるを得ないのでした。

それらは無益な世界一ではなく、その世界一がドバイの売りとなって、ドバイの主要産業である観光業を潤しているのです。

しかし、よく考えてみると、世界一と言えば、日本も全く負けていなかったのでした。

例えば、１９５８年に竣工し、50年以上も、自立式鉄塔として世界一の高さを誇ったのは東京タワーであるし、２０１２年に東京タワーを抜いて、世界一の高さの自立式鉄塔になったのも、再び日本の東京スカイツリーなのでした。さらに言えば、鉄塔のみならず、木造仏塔として世界で最高の高さを誇るのは、東寺の五重塔なのです。

世界初の海底鉄道トンネルは、戦時中の1942年に開通した関門鉄道トンネルであるし、今も全長が世界最長の海底トンネルは、1988年開通の青函トンネルでした。青函トンネルは、2016年までは、陸上トンネルを合わせても、鉄道トンネルとして世界最長だったのです。

東京オリンピックの直前1964年10月1日に開通した新幹線は、営業運転において時速210キロを記録して、世界最速の鉄道となり、その後、フランスのTGVなどに抜かれたものの、実験段階のものも含めれば、今も世界最速の鉄道は日本のリニアモーターカーなのでした。2022年3月にトルコの韓国製チャナッカレ大橋に抜かれたものの、それまで世界最長の吊り橋は1998年供用開始の明石海峡大橋であったし、世界最長の鉄道道路併用橋は、1988年の開通以来、ずっと瀬戸大橋なのです。

世界史上、最も販売台数が多い自動車は、フォードでもベンツでもなく、トヨタのカローラであるし、ミシュランガイドにおいて、世界で最も星付きレストランが多いのはパリでもニューヨークでもなく東京で、世界で最も収益力のあるキャラクターは、ミッキーでもスターウォーズでもなく、ポケモンのようなのでした。

振り返れば、1549年に来日した、頭頂部よりもその強烈な使命感にこそ着目すべきザビエル（「ザビエルのミッション」2023年1月）は、「異教徒の中で最高の民族」と日本人のことを評し、戦国時代の日本の軍隊は世界最強だったとも言われ、徳川家康公が拓いた江戸は世界一の人口を擁するに至り、1853年に来日したペリーは「日本人は極めて勤勉で器用な民族であって、業種によっては世界最高」と評したのでした。

江戸時代に世界からほぼ完全に隔絶して、ちょんまげを真顔で結っていたような人々が、明治の45年間で、富国強兵し、世界五大国のひとつを占めるまでになった我が国ですが、実は、それ以前から際立っていたのです。

日本の力が、世界に対して、明瞭に示されたのは、1904年から05年の日露戦争でした。天佑《てんゆう》があったとはいえ、戦力に圧倒的に勝るロシアに対して、陸戦でも互角に戦った上、海上では、東郷平八郎大将率いる日本海軍が、当時世界最強といわれていたロシアのバルチック艦隊を、圧倒的強さで撃滅したのでした。

当時、帝国主義の下、白色人種にほしいままにされていた世界は、日本の勝利に沸き立ったといいます。インドのネルー、中国の孫文と毛沢東、ベトナムのホー・チ・ミンをはじめとするアジアの多くの人々が日本の勝利に感激し、アジア民族としての誇りを、世界史上恐らく初めて持つに至ったのでした。

ネルーは、息子に言いました。「アジアの一国である日本の勝利は、アジア全ての国々に大きな影響を与えた。私はその時（当時17歳）どんなにそれに感激したかを君に幾度も話した。多くアジアの少年少女、そして大人までもが同じ感激を経験したのだ」と。

その勝利は、東アジアや東南アジア、南アジアのみならず、イランやトルコにも影響を与え、立憲君主国であった日本の帝政ロシアに対する勝利は、帝政打倒の空気を生み、イランでは、１９０６年にイラン立憲革命が起きて、見事帝政を打倒して、新しいイランが生まれ、トルコでも１９０８年に青年トルコ革命が起きて、やはり帝政を終わらせしめて、新しいトルコが生まれたのでした。トルコでは、当時世界から軍神の双璧とあがめられた海軍の東郷元帥や陸軍の乃木将軍に因んで、自らの子供にトーゴーやノギという名前を付けた人が多かったといいます。

さらに日本の勝利は、イスラム世界とアラブ人をも感動させていたのでした。それは、近世において、（キリスト教から見た場合の）異教徒の誰もが打ち勝つことができなかったキリスト教徒の国を、日本が打ち破ったからでした。

その勝利は、極東の小さな一国のみの勝利ではなく、世界を感激させ、勇気づけた大きな大きな勝利だったのです。そして、我が日本が世界に与えた感動が、実際に世界を変えたのでした。

その後、第1次世界大戦でも協商国側に付いて勝利した連戦連勝の日本は、世界的影響力を高め、第1次世界大戦後の1920年に発足した国際連盟では、4カ国のみである常任理事国（他の3国は、英、仏、伊）の一国を占めるまでになりました。

我々を含む後世の日本人及び日本妖怪には、日本が米国に無謀な戦いを挑み、または挑まされ、為す術なく徹底的に敗れたかと思われているかもしれない太平洋戦争は、実のところ、山本五十六がその発展に大きく寄与した空母艦上機による航空一斉攻撃という革新的戦法が効を奏したこともあり、その緒戦における日本軍は、確かに、連戦連勝だったのでした。

真珠湾攻撃の3日後には、大英帝国の誇る最新鋭戦艦であり不沈戦艦ともいわれたプリンス・オブ・ウェールズと巡洋戦艦レパルスをマレー沖であっという間に撃沈し、マレーの虎こと山下奉文司令官率いる日本軍は、その勢いに乗じて、開戦2ヶ月後の2月15日には、英豪軍を無条件降伏させて、世界にもまれな大海空軍拠点であったシンガポールを陥落させたのでした。

また、石油確保のための要地であったインドネシアでは、今村均中将率いる日本軍が、ジャワ島最重要の蘭軍カリジャチ飛行場に、たった6名で日章旗を掲げることに成功し、戦車に轢死《れきし》されることも厭わない極めて強靱な精神力を持った日本軍は、わずか700の兵をもって、5万の連合軍に挑みかかり、敵軍に数万の兵力を擁するものと誤信させ、見事戦わずして、3月9日に蘭英米豪連合軍を無条件降伏させたのでした。

その後、その年の5月6日には、地下で3千人の兵士が映画鑑賞を含め、悠々と暮らすことができたというこれまた世界史上有数の大要塞であったフィリピンのコレヒドール要塞を、上陸後、わずか1日で楽々と陥落させ、米軍を降伏させたのでした。

零戦をはじめとする国産の航空機は、世界最高性能に達しており、海戦が時代遅れとなった結果、活躍の場を得られなかったものの、戦艦大和と戦艦武蔵はまた世界最大にして最強の戦艦であったし、また、人知を超えた綿密緻密かつ過酷な訓練を経た戦闘員の士気も技量もまた世界最高水準であり、太平洋戦争序盤において、日本軍は確かに世界最強だったのです。

日本が始めた戦争により、夥しい数の命が失われたことを思えば、それを強調すべきでは全くないものの、その戦争をきっかけとして、1945年ベトナム（仏領インドシナ）、

1946年フィリピン（米領フィリピン）、1947年インド（英領インド）、1947年パキスタン（英領インド）、1948年ミャンマー（英領ビルマ）、1948年スリランカ（英領セイロン）、1949年インドネシア（蘭領東インド）、1953年カンボジア（仏領インドシナ）、1953年ラオス（仏領インドシナ）、1957年マレーシア（英領マレー半島）と、アジアの国々が次々と独立し、結果として、再び、アジアの覚醒を促したのは、日本だったのでした。

戦後も日本は、技術大国として著しく復興し、人口増によるところはあるとはいえ、世界2位の経済大国になり、有色人種の国として唯一G7の一員を占めることとなりました。

トヨタ、ホンダ、ニッサン、ミツビシ、パナソニック、ソニーなど、日本ブランドは、世界中にその名を知られるようになり、バブル景気下の異常事態とはいえ、驚くべきことに、1989年における企業の時価総額ランキングでは、1位NTT、2位日本興業銀行、3位住友銀行、4位富士銀行、5位第一勧業銀行、6位IBM、7位三菱銀行、8位エクソン、9位東京電力、10位ロイヤルダッチシェルと、上位10社のうち7社を日本企業が占めるほどになったのでした。

あとがき

20

ザビエルやペリーが称賛したように、日本はいつの時代も高い潜在力を持ちながら、今から約130年前の日清戦争までは、世界史の表舞台に出ることはなかったのでした。にもかかわらず、日本は、その後100年も要さずに、経済的に、200カ国以上の国と地域で構成される世界のほぼ頂点に上り詰めることになったのであり、知人のエジプト人弁護士などは「エジプト人は、日本は違う惑星だと思っている」などと言うのでした。

しかしながら、前述の通り、特に、没落世代のはしりであり、BRJ48一期生の主力を占める恐れが高い我々世代が社会に出て以来、日本は没落坂を転げ落ちており、BRJ48のみならず、メンバー全員で坂を転げ落ちるパフォーマンスを特徴とする没落坂46というグループさえも、結成されてしまいそうなのでした。

かつて世界を席巻し、日本経済を支えた電機産業も衰退し、世界的シェアを誇った半導体、太陽光パネル、液晶ディスプレイなどの市場でもシェアをほとんど失い、デジタル通信やドローンといった新規分野では、全く活躍の場を得られておらず、逆に、それらの分野を担う高度人材の不足が問題視されるようになってしまったのでした。

今や、かつて日本の絶対的牙城だった電機産業をリードするのは、韓国企業、台湾企業、中国企業であり、デジタル化においても、日本は韓国、台湾、中国に大きく遅れ、もはや日本は、アジアナンバーワンどころか、東アジアの中で最も冴えない国といっても、過言ではなくなりつつあるのです。

バブル経済崩壊後の経済的停滞を指して言われた「失われた10年」は、いつの間にか「失われた30年」になっていて、30代の日本人の生きた時代はほぼ失われており、20代以下の日本人は、失われた時代にしか生きていないという、響き的には恐竜のような状態になっているのです。

失われた30年の間、（ロシアのウクライナ侵攻下の特殊状況に至るまでは）物価は上がらず、前述の通り、マクドナルドのビッグマックの値段は、タイやベトナムにも及ばなくなり、吉野家の牛丼も、パレスチナのプリングルス（但し、20％増量版）よりも安くなったりしているし、諸外国では、年々右肩上がりとなっている給与も、日本では長らく横ばいが続き、その結果、日本は、商品のみならず、人材までもが安いという、それってもはや発展途上国じゃないかという状況になっているのでした。

こうした状況は、優良な人材の海外や外資企業への流出を促し、益々日本の国力を下げるという事態も招いているのです。

先端技術を有する科学者や研究者の流出も深刻ですが、没落ジャパンにあって、最後の砦だったかもしれないアニメとゲームの世界においても、人材の海外流出は進み、例えば、日本のアニメーターは、その技術力の割に給料が安すぎて、良い給与を提示する中国企業に雇用される者が増えており、もはや中国のアニメ会社は、日本人を利用することで、繊細な作画などもお手の物であるため、例えば、『君の名は。』をコピーして『僕の名は?』という中国を舞台とする記憶喪失した老人の恋愛物語に作り替え、世界的大ヒットを飛ばさんとすることも可能なのでした。このまま日本の没落が続けば、日本企業のために働く一流アニメーターはいなくなって、日本のアニメ会社は、「いやあ、我が社ではもうクオリティを保つのは四コマまでが限界ですわ」などと漏らしながら、数分で終わる四コマ漫画のアニメ化くらいにしか対応できなくなり、ドラえもんも買収され、ボディの色を共産党カラーの赤に変更されたりして、中国のプロパガンダに利用されるようになるなど、いつしか日本が世界のアニメ界を牽引していたことも忘れられ、逆に『君の名は。』が『僕の名は?』のコピーだと言われる時代が到来することにもなりかねないのでした。

今の日本がアジアに新たな覚醒をもたらせるかと言えば、そんな力は全然なさそうで、というより、恐らく、そもそも自らが眠りこけていて、「おじいちゃん、起きて」などと言われ、はっと目を覚ますものの、オムツの感触を確かめ、漏らしていないことを確認して安心した後、すぐまたうとうとと眠り始めるというような状況なのかもしれず、日本が平均年齢が48・6歳（2020 CIA World Factbook）という、モナコに次ぐ世界2位の超高齢国家であることを考えると、それは比喩というより、事実に近い可能性もあるのでした。

今後、日本では、さらに高齢化が進み、２０５０年には、65歳以上の人口が、4割近くにまで達し、某妖怪によれば、その時には老人のたまり場と化している可能性のある渋谷のセンター街も含め、日本中の商店街が、おばあちゃんの原宿こと巣鴨地蔵通り商店街のようになり、もはや原宿自体が、おばあちゃんの原宿になってしまっているがゆえに、差別化を図るために、巣鴨地蔵通り商店街は、ひいおばあちゃんの原宿と名乗り始めたりするということが合理的に予測されるというのです。

また、（諸々の事務が円滑に進まない諸外国にいれば、日本の強みは、国民の勤勉さと平均的国民水準の高さであることを実感しますが）労働が、ＡＩやロボットによって代替されていけば、日本人の勤勉さや国民水準の高さによる相対的優位性も失われてしまうのであり、未来に救いを求めてみても、むしろ絶望しかないのでした。

なお、より深刻なことに、中国の爆買いの対象になっているのは、日本の商品や人材のみならず、日本の国土もなのでした。日本が徐々に中国に買収されているということであり、失われた30年とか40年とか、私たち恐竜みたいとか、呑気なことを言っている間に、日本という国家自体が失われてしまう恐れもあるのでした。

「誰かが状況を変えなければならない」と問題提起をしてみたり、「おい、誰か何とかしてくれよ！」などと他力本願に叫んでみたところで、日本では、変革に必要な絶対的リーダーシップは、政府でも大企業でも、原則として育まれないこととなっているようである し、そんな中で、優秀な若者が変革のために立ち上がろうとしても、それを面白く思わない年長の既得権者（政治家の場合、他国や、業界団体や宗教組織、大企業などの利益集団に実質的に買収されていたりする）が、「君、わしを誰だと思っているのかね？」などと過去の主観的栄光をかざしながら潰しに来て、「いや、知らんがな。今やただの老人だろ。とっとと土に帰りやがれ」と思ったとしても、日本の空気の下でそれを口にするのは困難で、何も悪いことはしておらず、むしろ良いことをしようとしているのに「た、たた大変申し訳ございません……」と、なぜか平身低頭することになり、結局、既得権者に配慮した中途半端な改革しか生まれないのでした。

ほとんど絶望的状況で、このままでは一億総没落。優秀な人材は続々と海外流出し、国内ではマッチ売りの競争が激化する暗い未来が待っているのでした。

果たしてどうすれば没落を食い止められるのだろうか。何かできることはないだろうかと考えていたところ、気付いたことがあって、それは、ああそうかドバイに日本をつくれば良いんだということでした。

21

アフリカで発祥したという人類は、数十万年（猿人時代から言えば数百万年）という長い年月をかけて、世界各地に散らばり、自らが定めた場所に縄張りを設定していったのでした。その過程で民族間で多くの戦いが起き、その結果、現代においては、国境は概ね固定的なものとなっているものの、それは武力によるなどして、時に不合理に画定されたものので、別に天与のものではありませんでした。

既に一部の人々は、自国に縛られない自由な世界的移動を行っていますが、今後、技術の発展により、国際的な移動がより高速となり、また安価になっていけば、益々その傾向は強くなると思われるのでした。さらに、やがて人類が全人類を確実に養えるほど豊かになり、国境を確定した上で、自国民の保護を図る必要が薄れれば、極めて多くの人々が、住む場所を世界中から選ぶことができるようになるはずなのです。

というか、別に、新しい時代を迎えるまでもなく、例えば、ユダヤ人は、約2千年前にエルサレムを追放されて以来、国を持たずに、世界中で活躍してきたのであり、華僑や印僑と呼ばれる中国人やインド人も、随分昔から、自国外に本拠を有してきたのでした。そして、我々の先祖にも、海を渡って、日系人となった人々が多数存在したのです。

そうだとすれば、別にドバイに日本があったとしても、さほどおかしなことではないのではないかと思われたのでした。

日本の特殊性は、世界からの地理的隔絶性であり、欧州から見て、極東（Far East）とされる地域の東の果てにあるその島国は、他の地域からの隔絶性ゆえに、独特の歴史と文化を育んできたのでした。

日本が、歴史上、ほぼ他国の侵略に遭ったことがないのは、日本が神の国であるからではなく、単に世界のどこからも遠い上、海に囲まれているからでした。江戸時代に、鎖国などと言って、他国との関係を断絶することができたのも、日本が世界の果てにある島国だからで、隣国と接する他国であれば、外国との交易を断つのは困難であろうし、文明開化を放棄している間に、先進国が襲って来て、攻め滅ぼされてしまうのでした。

日本製品やサービスのガラパゴス化が問題視されますが、実際のところ、南米大陸からガラパゴス諸島までの距離と、（朝鮮半島やロシアはより日本に近いものの）中国大陸から九州までの距離は、大して変わらず、日本列島は、地理的に、ほとんどガラパゴス諸島なのでした。

世界のどこからも遠いという地理的条件にありながら、政府も企業も、何でもかんでも日本から決めていれば、世界的趨勢からずれてしまうのは当然でした。情報伝達速度が遅かった昭和時代は、それでも良かったかもしれませんが、今は「昨日、やっと、マッチ売れた」のような、取るに足りない個人の呟きも含め、瞬時に何でも世界中に伝わる時代なのです。世界は著しい速さで動いており、それに遅れまいと、世界のリーダーたちは、感じたことをすぐ決断と実行に移しているのでした。

にもかかわらず、前述の通り、日本では、官も民も、確固たるリーダーを置かず、未だにみんなでうだうだと時間をかけて決める仕組みを採用しているというのです。

ガラパゴス化しているのは、日本の製品やサービスのみならず、組織自体もそうだということですが、厳密には、ガラパゴス化というより、それが日本の地理的宿命なのでした。

この状況を打開するためには、どうすれば良いか。その答えのひとつが、世界にアクセスがしやすい場所に日本をつくるということでした。

この点、欧州から見た中東（Middle East）に位置するドバイは、東の真ん中（Middle East）だけに、ユーラシア大陸の真ん中辺りに位置しており、前述の通り、ドバイからは世界の3分の2が、直行便で8時間以内で行け、時差もユーラシア大陸とアフリカ大陸のほとんど全てがプラスマイナス4時間で収まるのです。

　まさに世界へのアクセスがしやすい場所である上、時差上も世界をカバーしやすく、さらに、外国人比率が9割で、既に世界がそこにあるのでした。

　前述の通り、実際にドバイは広域営業拠点であり、ドバイにある日本企業も、ドバイのあるＵＡＥのみならず、中東アフリカ諸国を事業範囲とし、南アジア、中央アジア、旧ソ連諸国などもカバーする企業もあるのでした。

　世界各地にアクセスしやすいということの他、日本にとって、ドバイの地理的利点は、アジアの西の端の方に位置しているということでした。

　今はごろごろと没落坂を転げ落ちているとはいえ、日本はアジアをリードすべき国なのだとして、問題は、日本はアジアの東端に位置しすぎていて、その影響力の発揮に地理的な困難さがあるということでした。他方、国土が大きい中国は、東南アジア、南アジア、中央アジアの各国と国境を接していて、それゆえ摩擦が起きるという面はあるものの、各国との交流を持ちやすい環境を有しており、実際、中国は自国の影響力を高めるために、近隣諸国に積極的に働きかけ、文化交流や外交活動などを行っているのです。ドバイに日本ができれば、日本の地理的不利性を埋め合わせることができ、日本はアジアの東西からアジア全域に影響力を発揮しやすくなるのでした。

　人間にとっても、国家にとっても、重要なのはエネルギーですが、日本はエネルギー自給率が２０２０年において11・３％しかなく、これはＯＥＣＤ加盟38カ国中37位（最下位38位のルクセンブルクは一人あたりＧＤＰが世界一という特殊な金融国家であり、他国と同列に並べるべきではないと考えれば、日本は最下位）なのでした。日本は、そのエネルギーのうちの主力を占める原油の９割を中東に依存しており、そのうちサウジアラビアに次いで輸入元の2位を占め、日本の原油の３割がその国から来ているというその国こそがドバイのあるアラブ首長国連邦なのでした。日本人はあまり意識していないものの、ＵＡＥは、日本にとって極めて重要な国で、恐らくその観点からも、日本をつくる先として、ドバイは間違っていないのでした。

　また、中東は、人類の課題である戦争やテロのリスクが相対的に高い所ですが、その解決に具体的思考を及ぼせることは、平和を希求すべき日本人として、重要だと思われるのでした。日本は人類史上唯一の被爆国であり、戦争の悲惨さを伝え、その廃絶を訴える適格を最も備えた国でありながら、安全保障を米国に依存するがゆえに、戦争好きの米国に追従せざるを得ない弱みもあって、（実際には、多額の資金を注ぎ込み、それをてこに中東和平の実現に努めたりしてきたものの）平和記念式典を行うとか、効力不明で、もらっても困るだけかもしれない千羽鶴を折って送るくらいしか、世界平和のための活動を行えていないようにも見えるのでした。しかし、例えば、最近、米国が、イスラエルとＵＡＥやバーレーンの間に国交を樹立させたり、中国が、イランとサウジアラビアの国交を回復させたりして、地域の紛争リスクを低減させたようなことは、（それらが平和のためというより、国際政治的下心に基づくものだとしても）日本も表立って行えるだけの潜在力を持つべきと思われるのでした。なお、世界はそう単純ではなく、平和のために行為する者は、和平を望まない人々に、憎しみを抱かれるものでした。「平和への道はない、平和こそが道なのだ」と説き、ひとつのインドを目指したガンディーは、イスラム教徒との融和を望まないヒンドゥー至上主義者に暗殺され、イスラエルと平和条約を締結し、ノーベル平和賞を受賞したエジプトのサダト元大統領も、イスラエルとの和平を望まないイスラム原理主義者に暗殺され、パレスチナ自治政府と和平協定を結び、ノーベル平和賞を受賞したイスラエルのラビン元首相も、パレスチナとの和平を望まないユダヤ教徒に暗殺されたのでした。積年の憎しみは戦いの終結を求めず、平和活動には、それを望まない勢力への配慮が必要になるのですが、中東で、各国や諸勢力の利害対立の現場に人を置けば、対立の現状と問題点を把握できることになるとともに、問題解決のために重要な諸勢力との人的繋がりも構築できることになるのでした。

それに、米国の一極支配から、多極的な世界へと変わっていく中で、「正義の見方」（2022年6月）で書いたように、欧米目線ではない多角的な視点を持てるのも有意義と思われ、ドバイに日本があれば、単に視点を持てるに留まらず、欧米以外の国との関係を発展させることにも資するというものでした。その立地とハブ機能の高さゆえに、ドバイは、中東諸国、南アジア諸国、アフリカ諸国、旧ソ連諸国、中央アジア諸国、東欧諸国などとの関係強化を図る上で、効果的な足場となるのです。世界的極悪人であるはずのイランのアフマディネジャド元大統領が語ったように（「正義の見方」）、国連の安全保障理事会常任理事国が80年近くも前の戦勝国で固定されている不合理は是正されるべきであろうし、米国が行う戦争は正義に基づくものとして許され、その他の国による戦争は不正義で制裁の対象になるというのも、死んだ妖怪の魚の目にも、おかしな話なのでした。人類の世界は、まだ完成形ではなく、常により良い世界秩序への発展が求められているのであって、そうした新しい世界秩序の構築に日本が役割を果たすためには、世界の果てではなく、世界のただ中に日本人を配置する必要があるのでした。

その他にも、ＵＡＥやサウジアラビア、カタールが、天然資源に基づく豊富な資金力と絶対王政下のリーダーシップによって、次々と世界最先端の事業を興していることは刺激になるし、世界に18億人もの信者がおり、今世紀半ばには世界最大の宗教になることが予想されるイスラム教のまさにメッカである中東湾岸諸国において、イスラム教に関する学びを得ることも有意義でした。

１９７１年建国というＵＡＥ自体には、目立った歴史はないものの、エジプト文明、メソポタミア文明、インダス文明といった古代文明は、全てドバイの比較的近くで発祥しており、少し足を延ばせば、人類史を身近に感じられることも、世界規模の視点を養う上で、有益なのでした。

さらに、英語の通用性もドバイの魅力であり、しかも外国人比率９割だけあって、イギリス英語、アメリカ英語、インド英語、アラブ英語、アフリカ英語、オーストラリア英語、ニュージーランド英語、南アフリカ英語、フィリピン英語、フランス英語、ドイツ英語、中国英語など、あらゆる英語がそこにあり、英語を母語としない人たちも多いために、日本人がさほど気後れしなくても良い英語環境もあるのであって、日本人の弱みである英語力を鍛える場所としても、悪くないのでした。

こう見てくると、得られるものが多すぎて、おいおい確かにドバイに日本をつくるべきとしか言いようがないだろうなどと思われてくるのです。

さらに、もし、ドバイに日本をつくることができれば、あらゆる業界が既得権者に牛耳られ、一部の例外を除き、新規の活躍機会を得るための手段は、ＹｏｕＴｕｂｅｒやインスタグラマーとなって、レスラーパンツを穿いたりしながら名前を売ることしかほぼないという、阿弥陀仏も驚く既得権者の極楽浄土である日本に風穴を開けることもできるかもしれないのです。日本では、業界でも、それより小さな単位の会社でも事務所でも学校でも病院でも、力を持つ者に嫌われると、将来を奪われ、能力があろうとも、二度と再起を図れず、しかもキャリアを変えてやり直すというのも、通常人には難しいというのでした。厳然たる身分制が採られ、脱藩したら死罪という江戸時代と同じように、極めて硬直的で流動性の乏しい社会の中で、人々が一両編成のローカル鉄道並みの侘しい単線人生を強いられることになっているのが、今の日本のようなのです。

ドバイに日本があれば、業界のドンや、馬糞にまみれたソフトボール化したまさに糞上司に嫌われても、ドバイの日本で、再びやり直すことができ、やがてそこで本来の実力通りの力を発揮して、事を成し遂げた人々が、日本に捲土重来《けんどちょうらい》して、日本の再生に力を発揮することが可能になるのでした。

それに、メンバーがスカートをひらひらさせながら坂を転げ落ちる没落坂46の出現を許しそうになった今、さすがにそれだけは勘弁してくれという人々も含め、日本没落に対する問題意識を持つ人は少なくなく、終身雇用をやめるとか、年功序列をやめるとか、ジョブ型雇用を採用するとか、様々な変革の試みは行われているようであるものの、劇的変化の兆しはないのでした。確かに、社会を変えたいのに、既得権者から既得権を奪えないという、ラーメンを作りたいのに麺がないのと同じくらい、致命的な大問題があれば、劇的変化など起こるはずもなく、これまでもぼんやりといつのまにか30年が失われていることからすれば、きっとこれからも日本を内側から変えるのはそう容易ではないのです。

だとすれば、もう外に日本をつくって、そこで本来あるべき日本の姿を示していくことくらいしか、日本を変革する方法はないのかもしれないのでした。

だったらやっぱりドバイに日本をつくろうよ。ザビエルやペリーが言ったように、歴史のどの一場面を見ても優秀であった日本人の活躍の場を、世界の果ての島だけに設定するから、力を発揮し切れる日本人が少なくなるのであって、世界の真ん中にもうひとつ日本をつくって、1億ではなく、80億の人々の生活を豊かにしていくことを目指せば、その能力を発揮し切れる日本人は増えるはずでした。

ドバイに日本をつくることで、炉端で煙に燻《いぶ》された串刺しの魚の如く、日本で燻《くすぶ》る人材が、大いに活用されるようになるとともに、日本の大きな弱みである国際人材の不足が著しく補われ、そこで育まれた日本人は、日本の現状を、世界との相対で客観的に理解した上で、日本の改革及び世界人類の向上に取り組むことができるようになるのでした。

あとがき

22

さて、ドバイに日本をつくることになったとして、どうつくるかですが、まずは、江戸時代以前の日本の伝統的建造物を再現すべきだと思われたのでした。

世界の果てにあるという地理的条件も相まって、日本は、極めて独特の文化を育んでおり、その繊細で特異な文化は、外国人をも大いに魅了するものでした。特に、現在は限られた場所に残るのみとなってしまった近代化以前の日本の伝統的家屋と庭園または田畑、そして、それらで構成される街並みは、極めて美しいものだと思われるのでした。

かつて、それらは美しい自然、そして古き良き日本人と見事に調和しており、例えば、ペリーは「艦載ボートが測量から帰ってくると、士官や部下たちは日本人の親切な気質や国土の美しさに有頂天になっていた。実際どこを見ても、これほど絵のように美しい景色はないと言えるほどで、艦上にいる者さえ、周囲の海岸を眺めて飽きることがなかった。高度に耕された土地がいたるところにあり、あらゆる草木は深く豊かな緑をたたえている。無数のつつましい村々が入り江の奥の林に見え隠れして、それが湾の単調さを破り、小川が丘陵の緑の斜面を流れ落ちて静かに草地をうねる。それらすべてが一つに調和して、美しく、豊かで幸福な景観を作り出す。誰もがそのような眺めを楽しんだ」（『ペリー艦隊日本遠征記（上）』万来舎、電子書籍版）などと評したのでした。

そもそも自然の草木がなく、丘もなく山もなく、川も人工的な運河以外はほぼないというほど、土と砂と砂妖怪以外、恐ろしく自然に恵まれておらず、また、温度は一応変化するものの、年中暖かく、景色も変わらず、天気もほぼ晴れで、年に雨が降るのは数日という、季節感も天候の変化も驚異的に乏しいドバイから帰国すれば、例えば、山際に消える夕陽、暗闇を満たす虫の声と川のせせらぎ、網戸にとまる一匹の虫、家屋が帯びたわずかな木の香り、などで構成される日本の自然とそれと調和した日本人の営みは、ほとんど奇跡と感じられるのでした。

さらに、日本では、そうした豊かな自然に育まれた四季折々の食事を味わうことができ、海の幸、山の幸のみならず、川の幸までもが、煮て良し、焼いて良し、炊いて良しで、次々と食卓に並ぶのです。

しかしながら、成田空港に到着し、成田エクスプレスに乗ってみれば、しばらくは、車窓から見える瑞々しい緑に心を打たれることになるものの、東京に近づくにつれて、色にも形にも何の秩序もないというか、敢えて景色を悪くすることを競い合っているのではないだろうかと思わせるほど、人間の利己心を醜く表現したような無秩序な建造物群しか見えなくなってしまうのでした。

　私の記憶が正しければ、江戸時代の江戸は、風流で美しく、維新後の東京もなお優美さを保っていたのに、第2次世界大戦時の空襲で破壊しつくされ、その後、無秩序な復興が行われた結果、東京は汚くなってしまったのでした。

　こんなはずじゃなかったのにと、いつの間にか妖怪となっていたペリーと共に、かつての日本を探しに地方都市に行ったとしても、大体どの都市も駅前は似たような造りになっていて、駅ビル、ホテル、その他の商業ビルが、色も形も高さも不揃いに並び立ち、背後に美しい山々が聳えていたり、雄大な田園風景が広がっていたとしても、決してそれらを楽しませない構えとなっているどころか、カラオケ、居酒屋、パチンコ、漫画喫茶、学習塾、嬢の高齢化が進んだキャバクラなどの、その地域の個性とは全く無関係な商業的看板群による、さらなる景観破壊が図られているのでした。

　このような日本の景観は、妖怪となっていたペリーをかなりがっかりさせ、いつの間にか覚えていた切腹をさせかねないものであり（但し、妖怪なので、切腹してもほとんど無傷）、本来自然との調和が得意で、美的感覚にも優れている日本人の作り出すべきものでは決してないはずなのでした。

そこで、ペリーを慰めるとともに、本来あるべき日本を世界に伝えるべく、ドバイの日本には、近代化以前の日本の伝統的建造物群が求められるのです。

そして、その伝統的建造物群には、まずは様々な和食店が入ることになるのでした。そこでは、日本政府や各自治体との連携も行われながら、日本各地で取れた農産物や畜産物や海産物を用いた高品質な和食が、日本酒その他の日本製の飲料と共に提供され、和食のみならず、日本の飲食材の売り込みが図られるのです。

建造物群の内装には、畳や襖や簾は勿論、例えば、繊細な仏具技術を活かした家具その他の調度品、西陣や友禅による壁紙などの技術転用品も含め、千年以上の歴史を持つものも少なくない日本の伝統産業の職人の技術がふんだんに用いられて、訪れた人々を魅了し、日本の伝統産業の世界市場の開拓、ブランド力の向上、職人の報酬額の増加、及びそれらによる後継者不足の解消が図られ、存続が深刻に危ぶまれる状況となっている日本の伝統文化の維持発展も目指されることになるのでした。

伝統的建造物群には、温泉、または著しい暑さで温泉並みに温まってしまった海水に入れるビーチ付きの宿泊エリアもあり、ドバイの宿泊施設に必須のプールは勿論のこと、和風の景観に調和する世界最大の木製ウォータースライダーなども設置されるのです。そのウォータースライダーでは、時折、世界一麺が流れる速度が速いという流しそうめん企画なども行われ、ウォータースライダーだけに、それが呼び水となって、新たな顧客層が獲得されたりするのでした。

宿泊エリアに隣接して、外国人を魅了するために、和風のダンスクラブが設置されますが、そこにはドバイにいる世界中の人々が集まって来るのです。そのクラブは、世界中のどこにもない日本趣向のクラブで、高い天井からぶら下がった世界最大の提灯の下に設置された巨大ステージ上で、世界中から集まった人々が踊り狂うのでした。西陣織の華やかな壁紙で覆われた壁面には、没落ジャパンの最後の力を振り絞って作られた世界最高品質の純日本製の巨大スクリーンと巨大スピーカーが設置され、アニメタイムには、日本が誇るアニメキャラクター群が次々と映し出され（但し、中国のハッキングにより、ごく一部に『僕の名は？』の主人公である老人とそのヒロインである老婆が密かに映り込んだりはする）、ゲームタイムには同様に日本が誇るゲームキャラクター群がゲーム音と共に映し出されたりし、さらにはパチンコタイムという時間帯があって、日本独特の文化として、高度な発展を遂げたパチンコ台またはパチスロ台の大当たり中の演出類似の音と光の大演出が、巨大スクリーンと巨大スピーカーに加えて、レーザー照射などを用いて行われ、頭上の大提灯も光を発しながらもの凄い勢いでぐるぐる回って、人々を興奮の彼方へといざなうのでした。

しかしながら、「日本のパチンコ台の演出凄すぎる」と外国人が驚嘆し、他方、「半導体分野で世界と戦う術を完全に失った今、我々にはもうパチンコ台の演出技術しかないのかもしれない……」と、たまたま参加していた日本人熟年半導体技術者が涙し始めるなどして、人々のそれぞれの想いが、いずれも最高潮に達したその時、巨大スクリーンで続いていたド派手演出が、突然国会で議員が棒読みをしあうという映像に切り替わり、棒演出が始まるのです。

棒演出とは、前世が棒である疑いのある三人の議員が、国会で見事な棒寸劇を終えた後、その前世であるいずれかの棒に姿を変えるという演出であり、三人全てが当たり付きアイスキャンディーの当たりの棒に姿を変えた時に、大当たりを迎えるという演出なのです。

大当たりになると、「当たりが出たらもう一本！」というアニメ調の甲高い声がした後、既にかなりの大迫力となっていた会場の音と光による演出は、さらに激しさを増し、悲鳴とともに、床の一部がせり上がって、回転寿司台が形成され、回転速度が世界最速の回転寿司場と化すのでした。通常レーンの横にある高速レーンを流れる、新幹線の形をした皿に乗る回転寿司の速度は、時速250キロにも達し、もはや米も具も飛び散って、跡形もなくなっているものの、実は寿司に見せかけた氷だったため、服にかかった人々への実質的被害はほとんどなく、むしろ多くの人が「おー、だからアイス！」と棒演出との関連性を理解して、喜色を浮かべることになるのでした。

その後、J－POPタイムがあり、入場時に用いることが必須のアプリで、どの曲が良かったかのアンケートが取られるなどして、世界市場を意図した音楽開発のための参考情報を得つつ、日本のミュージシャンがステージ上に現れて歌を披露したりするのです。しかしながら、国際的な知名度が低い日本のミュージシャンでは、棒演出時の盛り上がりには到底及ばず、頭を悩ませた結果、日本発の国際的ミュージシャンが育つまでの間、中東でも人気が高い韓国アイドルに出場してもらい、それと抱き合わせでJ－POPを売り込むことにするという苦肉の策が採られることになるのでした。韓国アイドルには、「こんにちはー。日本最高！」などと日本語で挨拶してもらい、「あれ、この子たち日本人なんだっけ」と日本人と韓国人の区別のつかない外国人を誤解させることが狙われるものの、結局、韓国アイドルは「日本も最高だけど、韓国の方がもっと最高！」などと大いに口を滑らせて、物議を醸したりするのです。

しかし、契約解除と違約金に関する深刻な話し合いがされているところに、どこからそれを聞きつけたか、長身細身の覆面中国人エリート女性が現れ、「世界から見たら、日本も韓国も中国も一緒よ。リビア人とアルジェリア人の違い分かる？　実際、リビアの曲だろうが、アルジェリアの曲だろうが、そんなのどうでも良くて、結局良い曲は良い曲なんだし、みんなが満足しているなら、それで良いじゃない！」などと一席ぶちかまされ、その結果、「同じ東アジア人として、みんなで力を合わせて、争いのない幸せな世界を作っていこう」「そうだね！」「賛成！」などと、東アジア人類史上空前の大団円を迎えることとなって、契約解除の話はうやむやになり、やがて愛と平和と侵略の絶対的反対を訴える日韓中台によるアイドルグループの結成に繋がったりするのでした。

その和風ダンスクラブでは、巨大スクリーンと巨大スピーカーが売りになって、国際的なイベントも日々行われるようになり、時にはダンスショーが開催されたり、リングが設置されて格闘技が行われたりしているうちに、「踊りの切れが上がる気がする」とか「パンチの響きが全然違う」とか「日本製のエアコンの効きが最高」などという意見が出始め、それぞれの世界大会なども行われるようになるのでした。

そうこうしているうちに、天井の巨大提灯は、宿泊可能でカラオケや温泉も付いた熱気球型航空機にも転用可能となって、クラブの屋根が開いて、そこから世界一周旅行に飛び立ったりするようになるのです。

あとがき

23

　また、ドバイの日本には、京都の先斗町のような狭い路地があり、高瀬川のような小川が流れているのです。路地や小川の両脇には、提灯が連なり、伝統的建造物に西洋的要素を取り入れた大正浪漫エリアには、ガス灯が立っていたりし、暑すぎて想定外に柳のようにしなだれてしまった街路樹と共に、古き良き日本の雰囲気を一層引き立てるのでした。日本の小川が比較的忠実に再現された人工の小川には、川床が設置され、涼やかで風雅な水の音を間近に楽しみながら、宴会を催すことができるのでした。海に近づき、川幅がやや広がった辺りには、水面に提灯の光を反射させながらいくつもの日本製強冷房屋形船が浮かんでいて、日本製特殊極薄ゴーグルを着けて、本物の花火にしか見えないバーチャル花火を見上げ、ゴーグルと一体化した超高音質超小型スピーカー（必ずしもイヤホンではないため、会話も妨げられない）からの大迫力の打ち上げ音や炸裂音を聞きながら、船上でも宴会が開催され、イスラム世界で甚だ怪しからんことに、ドバイの日本は、陸でも川でも海でも朝でも昼でも夜でも宴会ばかりとなって、もはや宴会のメッカの異名を取るに至るのでした。

提灯街には、お洒落和風カフェを含む飲食店の他、商店も次々と軒を連ねるようになり、食品、美容品、電化製品、文房具、伝統工芸品、アニメグッズなど、各店舗には、世界に売り出すべき様々な日本の商品が並び、時折アニメキャラの着ぐるみがぎこちない動きで現れたりしながら、国外営業力のない中小企業の製品を含む優れた製品の営業代行が行われるのでした。

そこでは、安く売るべきものは安く売りつつも、高品質のものには、強気の値段設定が行われるのです。ドバイの魅力のひとつは、超富裕層の存在であり、日本人感覚では、著しく高い値段であっても、売れるものは売れるということでした。良いものをより安くが目指される没落ジャパンでは難しくなっている製品の高級化にドバイは最適で、そこで売られる日本製品の多くが高級ブランド化に成功することになり、その成功を足がかりに世界市場に乗り出すのでした。

敷地内の五重塔が目印の寺子屋風の日本式の学校も造られ、朝礼、掃除、給食当番、クラブ活動や部活動など、日本独特の学校風習を踏襲しつつ、通常の教育科目での学びに加えて、言語を介さず相手を察する能力、自己を犠牲にし、他者に奉じる能力、（例えば、注文された冷やしトマトが折悪く切れていた場合における居酒屋店員が「申し訳ございません、本当に申し訳ございません……。今、トマトを切らしてしまっておりまして……」などと、たかが冷やしトマトという顧客の小さな期待に添えなかっただけで、土下座か切腹でもしそうな勢いで、どこまでも申し訳なさそうに謝るなど）些細なことでも慇懃《いんぎん》丁重にやたらと謝る能力など、日本で育つと何となく身に付くものの、海外では必ずしも習得が容易ではない能力が身に付いたりするのでした。

日本式学校に設けられるサムライコースには、通常の学校教育を放棄し、子供を武士として育てたいという珍しい家庭に生まれてしまった子供の他、希望すれば、大人も参加でき、剣術や弓術や柔術といった武道の他、武士道及びその背後にある儒教、仏教、神道の考え方、武士の嗜みとされた俳句や和歌、茶道、書道、絵画などの日本文化が学べるのでした。

長く支配階級であった武士の教えには、リーダーとして具備すべきものも多く、サムライコースで目指されるのは世界に通用する人物の育成であり、リーダーの養成なのでした。したがって、外国語が一切禁止されるという国粋主義的右翼的人物に最適の尊王攘夷コースを除き、国際人材育成の観点から、コースの履修に英語は必須となるのです。

そこで特に重視されるのは、高度な精神性の育成でした。仲間を大事にすること、卑怯を恥じること、潔く生きることなどといった基本的事項の徹底的習得は勿論のこと、最終的には、何事にも動じず、全ての事象に対して善なる心で対処するという、悟りの境地を開くことが目指されるのです。武士の世の始まりである鎌倉時代に本格的に日本に入り、武士に広く取り入れられた禅による悟り指導の他、禅の発祥地であり、瞑想《めいそう》の聖地であるインドから聖者が講義に駆け付けたりし、逆に数千年前からその地で多くの聖者が修行を行い、悟りを得たというインドの山奥での修行の授業があったりもするのでした。

この高度の精神性の習得や、悟りの境地の会得は、自己実現のみが目指されているとも思えるものの、負の感情を持たなくなった人間のみで構成される社会には争いは生まれず、あらゆる構成員が善の感情しか持たないのであれば、その社会の居心地は良いものになり、結果として、個人も集団も満ち足りた社会の実現に繋がるのでした。

悟りを得た人間が、悟りを周囲に広めることで、人類は全体的に負の感情に支配されなくなり、より高尚な存在へと昇華することができるのです。

このようにサムライコースでは、ただ記憶力のみが試される一面的な学習では全くなく、高度な精神性と人間的魅力の養成を含め、人類を次のレベルに導けるリーダーの育成が図られ、実際、世の変革のために必要なリーダーを世に送り出していくのです。

なお、サムライコースには多様なコースが設けられており、ユーモアのセンスは、人を率いる上でも重要ということで、人を笑わせる能力を高めることにも力を入れたひょうきんザムライコースや、中東に野球を広めれば、野球をオリンピック種目に戻せるかもしれないということで、野球の普及を目的とし、一クラスが9人に限定された野球ザムライコース（ドバイの人口の半数を占めるインド人とパキスタン人の取り込みを図るクリケットザムライコースもあり、年に一度の異種ザムライ対抗戦が開かれる）、また、教育よりも、アニメキャラクターなどに扮《ふん》した上でのチャンバラや写真撮影に重きが置かれたコスプレザムライコースなどもあって、様々な需要に応えることが目指されるのでした。

コスプレザムライコースには、著名アニメキャラクターの声優が日本語を教える授業もあり、ドバイには、アニメ声で日本語を発しながらチャンバラをしあう外国人が増えることにもなるのです。声優は、ドバイに教えに来たついでに、和風ダンスクラブで、韓国アイドルと共にイベントを行い、実は大ファンだった韓国アイドルにそそのかされて「日本も最高だけど、韓国の方がもっと最高！おらこい、ジャパン！」などと叫んでしまい、物議を醸してしまうのです。しかしながら、契約解除の場面で、再び長身細身覆面中国人エリート女性が登場し、「だって好きになっちゃったんだから、しょうがないじゃない！結局、みんなその気持ちに抗うことなんてできないんだから！」などと激しく擁護されながら、人としても成長し、やがて世界的存在になっていくのでした。

24

このような構想は、単なる妄想に過ぎないと思われるかもしれないものの、実際、中国は、ドバイに中国国外の中華系モールとしては世界最大のショッピングモールであるドラゴンマートをオープンし、さらに（名前はもう少し考えても良かったのではないかとも思われるものの）その隣にドラゴンマート2までオープンさせて、5千以上の中国店舗を通じ、夥しい種類と数の中国製品を販売しているのです。そして、ドラゴンマートは、そこを訪れる各国人に対する中国製品の見本市の役割を果たしており、ドラゴンマートでの販売をきっかけとして、中東アフリカ各国に流通することになる中国製品も多いのでした（「新型コロナ」2020年3月）。ドラゴンマートの周辺は、多くの中国人が住むエリアとなっており、つまり、「ドバイの中国」は既に存在しているということでした。

中国は、プロパガンダ機関ではないかという国際的批判に晒されつつも、孔子学院という教育機関を日本を含む世界各国に設置し、中国語や中国文化の教育を行っており、さすがにコスプレザムライコースは目新しいのかもしれないとして、寺子屋風日本学校の開設とサムライコースの創設も、別に目新しいものではないのです。

為せば成る、為さねば成らぬ、何事も、成らぬは人の為さぬなりけり。

ドバイも、為せば成ったのであり、50年前のドバイは、人口3万人の漁村にすぎず、当時、今のようなドバイを思い描けた人は、誰もいなかったのでした。そんな中、ラシッド首長は事を興し、その想定したことをほぼ実現したとともに、その遺志は息子であるムハンマド首長に完全に受け継がれ、ドバイは信じられない発展を遂げたのでした。ドバイのブルジュカリファも為せば成るの良い例で、猿人時代から言えば数百万年にも及ぶ世界人類史上、人間が造り出した建造物として、最高の高さを誇るその塔は、別にその国に類似する前例などなくとも、世界一を実現しようと思えば、実現できるということを、まざまざと証明するものなのです。

前述の通り、様々な事務処理が円滑に進まない海外にいれば、日本人の平均水準の高さを感じざるを得ませんし、同調圧力にやすやすと屈し、一致団結して、同じ方向に皆で向かっていけるのは、日本人の圧倒的強みでした。世界有数に団結しやすい平均水準の高い人々が、力を合わせて事を為そうとした場合、成し遂げられる可能性は、ザビエルや、妖怪になってしまっていたペリーに聞くまでもなく、世界有数に高いはずだと思われるのでした。それがどんなに大きな事だとしても。

我々は、わずか80年前、本気で一億総玉砕しようとした民族なのです。であれば、一億総結集して、マッチ売り以外の、何か凄いことをみんなで目指すことができたとしても、全然おかしくないはずなのでした。みんなで死ぬより、みんなで何か面白いことをする方が、ずっと簡単なのですから。

そのために必要なのは、我々が一致団結して進むべき道を示し、千差万別の各人を適材適所に配置して、その能力を思う存分発揮させることができるリーダーでした。そのリーダーは、やがてドバイの日本から生まれるのです。

誰にとっても、たった一度きりの人生。それが面白い方が良いか、そうでない方が良いか、そこで後世のために何か大きなことを成し遂げる方が良いか、そうでない方が良いか。答えは恐らく明らかでした。

人類史は常に動いており、それを動かすのはその構成員でした。つまり、我々は今歴史を動かしており、それをどう動かすかは我々次第なのです。

さあ、みんなでつくろう。新しい日本を、そして新しい世界を。

どこからか、リーダーの声が聞こえてきたのでした。

[著者紹介]
森下真生（もりした・まさお）
1978年生まれ。東京大学法学部、ＵＣバークレーＬＬＭ卒。
日本、ニューヨーク州及びドバイ首長国弁護士。
2013年からアラブ首長国連邦ドバイ在住。

[題字]
Maaya Wakasugi（マーヤ・ワカスギ）
書道アーティスト。
1977年生まれ。大東文化大学文学部卒。赤塚暁月、田中節山に師事。
2014年からフランスのボルドー在住。

ドバイ便り

発行日　　2024年4月26日　第一刷発行

著者　　森下真生

発行者　　小黒一三

発行所　　株式会社木楽舎
〒106-0031
東京都港区西麻布四丁目21番2号

印刷・製本　　開成堂印刷株式会社